les mandarins du pouvoir

pierre o'neill
jacques benjamin
les mandarins du pouvoir

L'exercice du pouvoir au Québec
de Jean Lesage à René Lévesque

ÉDITIONS QUÉBEC/AMÉRIQUE

450 est, rue Sherbrooke, suite 801
Montréal H2L 1J8 (514) 288-2371

© 1978 ÉDITIONS QUÉBEC/AMÉRIQUE

Dépôt légal:
Bibliothèque Nationale du Québec
4e trimestre 1978

ISBN 0-88552-050-5

INTRODUCTION

« Le Premier ministre a besoin d'aide », disait Jean-Charles Bonenfant il y a quelques années. De son bureau à la Bibliothèque de l'Assemblée nationale, il avait pu voir à l'œuvre tous les Premiers ministres depuis trente ans. Parfois, c'était sur ses collègues du Conseil des ministres que s'appuyait le Premier ministre pour gouverner — ce fut le cas de 1960 à 1966 au Québec. Plus tard, ce fut sur les hauts fonctionnaires. En 1969-1970, le Premier ministre gouverna contre ses conseillers, hérités de son prédécesseur. Plus tard, il parut s'en remettre à une ou deux éminences grises, détentrices du vrai pouvoir sous ce régime. Chaque fois, M. Bonenfant souhaitait soit une méthode plus rationnelle de consulter tous les hauts fonctionnaires, soit un Conseil des ministres formé d'un plus grand nombre de fortes personnalités, soit de meilleurs communicateurs des politiques gouvernementales.

Les avis que suscite le Premier ministre québécois, l'aide qu'il obtient de ses collaborateurs répondent en outre à diverses conceptions de l'autorité gouvernementale ou, si l'on veut, de l'exercice du pouvoir à Québec: les conseillers du Premier ministre peuvent coiffer la haute fonction publique, le Premier ministre gouverne alors en dirigeant la fonction publique avec l'aide de ses collaborateurs — un peu comme un président-directeur général dirige une firme multinationale. C'est l'allure que revêtait l'exercice du pouvoir de 1970 à 1976. Ou, au contraire, un groupe compétent de conseillers personnels du Premier ministre pouvait donner à ce dernier « la marge d'analyse et de jugement qui rend un problème irréalisable moins impossible à résoudre ».

Ce livre traite de l'exercice du pouvoir sous les cinq plus récents Premiers ministres du Québec: René Lévesque, Robert Bourassa, Jean-Jacques Bertrand, Daniel Johnson et Jean Lesage. L'idée a germé en 1974 des discussions régulières entre les deux auteurs. Il y était alors question de l'exercice du pouvoir durant les derniers mois de la présidence de Richard Nixon, puis des difficultés qu'éprouvait Robert Bourassa à conserver son image de leader dynamique. Les discussions avaient trait à l'entourage de M. Bourassa, à la perte de pouvoir réel de Charles Denis et au vide créé par le départ de Paul Desrochers. On dressait alors des comparaisons avec les hommes forts des régimes précédents, et on se demandait si le successeur de Robert Bourassa retiendrait ce type de régime quasi-présidentiel ou reviendrait plutôt à la collégialité des décisions prises dans les années 1960-1968.

Cette analyse porte sur les conseillers des Premiers ministres du Québec; mais l'affubler d'un titre comme: «Les éminences grises des Premiers ministres» lui donnerait sans doute un petit air de conspiration, voire de conjuration qui ne correspond pas à nos objectifs. C'est plutôt une étude de l'exercice réel — la plupart du temps, au grand jour — de la fonction de Premier ministre depuis 1960 que nous nous proposons d'aborder. Un peu comme l'a fait, par exemple, Richard Neustadt dans *Presidential Power*. [1] Ce qui ressort de l'étude de Neustadt, c'est qu'au-delà de la division des fonctions présidentielles en «chef du pouvoir exécutif», «chef du pouvoir législatif» et «chef d'un parti politique», il faut que le Président sache se servir de telles fonctions. Le Président dispose du pouvoir, parfois même l'incarne. «Encore faut-il, pour que cette affirmation ne soit pas vide de substance, que l'homme sache s'en servir — par intuition, par analyse, ou par suite d'un long apprentissage.»

Par contre, nous ne retiendrons pas le genre d'approche qu'on trouve dans l'ouvrage de Douglass Cater, *Qui gouverne à Washington*? Ce sont autant les grandes firmes multinationales et les *«lobbies»* que le Sénat et le Président, répond-il. Certes, le vrai pouvoir sous René Lévesque, Robert Bourassa ou leurs prédécesseurs, ce peut être Power Corporation, Consolidated Bathurst et les firmes multinationales. Il existe des études importantes sur les vrais propriétaires du Canada, de Montréal et de Vancouver. [2] Notre objectif demeure pourtant plus modeste. Le gouvernement péquiste se considère d'ailleurs, de façon réaliste, comme l'un des pouvoirs au Québec, et non pas comme le seul pouvoir. Il ne sera, par conséquent, guère question

1. Richard Neustadt, *Les pouvoirs de la Maison blanche*, Paris, Seghers, 1968 (traduction de *Presidential Power*, 1960); Douglass Cater, *Qui gouverne à Washington?*, Paris, Seuil, 1964.

2. Wallace Clement, *The Canadian Corporate Elite: An Analysis of Economic Power*, Toronto, McClelland, 1975; *Id.*, *Continental Corporate Power: Economic Elite Linkages Between Canada and the United States*, Toronto, McClelland, 1977; Henry Aubin, *Les Vrais Propriétaires de Montréal*, Montréal, L'Étincelle, 1977; Donald Gutstein, *Vancouver Ltd.*, Toronto, Lorimer; Pierre Fournier, *The Quebec Establishment: The Ruling Class and the State*, Montréal, Black Rose, 1976.

dans cet ouvrage de la «domination du Québec par les appareils d'État dont le pouvoir exécutif ne serait qu'un épiphénomène. À ce stade de nos réflexions, le titre du volume se réfère à l'entourage immédiat du Premier ministre, à ceux qu'il côtoie quotidiennement : ministres, hauts fonctionnaires, cadres du parti majoritaire à l'Assemblée. Ce livre se situe plutôt dans la foulée de *Comment on fabrique un Premier ministre québécois,* ouvrage publié il y a déjà quatre ans.[3]

Notre grille d'analyse s'est voulue aussi légère que possible. Elle a été retenue pour chacune des trois périodes étudiées : la décennie 1960-1970 ; les années du gouvernement Bourassa ; et enfin celles du parti québécois au pouvoir. Elle se décompose en trois types d'activités qu'exerce le Premier ministre dans le cadre réel de ses fonctions :

a)   Le Premier ministre demeure au pouvoir s'il détient la confiance d'un parti majoritaire à l'Assemblée. Ce type d'activités que l'on appellera, en ce sens, *partisanes* a trait à l'existence — dans un Conseil des ministres, chez les députés ministériels et lors d'activités électorales — d'un parti dont le Premier ministre est le leader. Dans son entourage, on trouvera des gens qui le conseilleront en matières partisanes, c'est-à-dire en ce qui a trait aux activités du parti. Ces gens auront des titres divers : certains seront ministres, d'autres membres du cabinet personnel du Premier ministre, d'autres enfin n'occuperont aucune fonction gouvernementale et tireront les ficelles en coulisses.

b)   La conception des politiques gouvernementales et leur mise à exécution constituent un second type d'activités à propos desquelles le Premier ministre suscite les avis. Les grandes orientations, les priorités, l'approche globale d'un Premier ministre sont déterminées avec l'aide de conseillers qui depuis 1960 ont pu être ministres, hauts fonctionnaires ou simplement amis du Premier ministre. Ceux-ci ont parfois exercé une influence démesurée par rapport à leurs titres officiels, au point de détenir véritablement le pouvoir exécutif à Québec.

c)   La communication avec l'électorat constitue le plus nouveau type d'activités du Premier ministre, et sans doute aussi le plus important. C'est en effet la popularité d'un Premier ministre auprès du grand public qui le maintiendra au pouvoir au sein de son parti

---

3.   J. Benjamin, *Comment on fabrique un Premier ministre québécois*, Montréal, L'Aurore, 1975.

et qui accélérera la mise à exécution de ses politiques. Les conseillers en communication sont rapidement devenus les véritables stratèges du gouvernement ; ils détiennent en ce sens, depuis dix ou quinze ans, un pouvoir considérable auprès du Premier ministre canadien ou québécois.

Par pouvoir, on entend simplement la « participation à la fabrication des décisions, lorsque ces décisions impliquent des changements substantiels » (à la vie du parti ou aux politiques gouvernementales) [4] En ce sens, on parle aussi de « contrôle » exercé sur ce parti ou sur ces activités gouvernementales. [5]

Après le 15 novembre 1976, le premier moment de surprise passé, il fallait se demander si le pouvoir à Québec adopterait les caractéristiques de la décennie 1960-1970 ou celles du régime Bourassa. Autrement dit, les années 1970-1976 constituaient-elles une exception, ou au contraire ouvraient-elles la voie à une autre forme de pouvoir exécutif ?

Après une longue période dominée par Maurice Duplessis, une forme de collégialité se développa, en un sens, puisque Jean Lesage ne décidait rien sans que trois ou quatre autres ministres n'aient pris conscience de tous les dossiers, même (on le verra) lors des négociations ultra-secrètes avec Ottawa où le Premier ministre Pearson limitait à un seul autre ministre provincial l'aide que M. Lesage pouvait réclamer. Sous l'Union nationale pourtant, M. Johnson élabora les politiques avec les hauts fonctionnaires, sans le concours du Conseil des ministres ; et M. Jean-Jacques Bertrand prit seul, en 1969, certaines décisions majeures sans l'appui de ses ministres. Le Conseil des ministres parut particulièrement divisé à cette époque ; il joua néanmoins un rôle — un rôle divisif, disait Me Rémi Paul, mais il était tout de même un lieu de pouvoir. Ce ne fut pas le cas de 1970 à 1976. M. Robert Bourassa prit pour acquis, lors des événements d'octobre 1970, que la plupart de ses ministres ne possédaient pas les qualités de leadership qui lui permettraient de gouverner en collégialité. Ainsi, on parla de régime quasi-présidentiel, en ce sens que M. Bourassa s'entendait avec le seul ministre responsable du secteur avant d'en arriver à une décision. L'orientation générale de ses politiques était, elle, plutôt fixée par deux membres de son cabinet personnel, MM. Paul Desrochers et Charles Denis.

---

4. Harold Lasswell & Abraham Kaplan, *Power and Society*, Yale U. Press, 1950, pp. 74-75.
5. Robert Dahl, « The Concept of Power », *Behavioral Science*, juillet 1957, pp. 201-215.

M. René Lévesque devenait Premier ministre peu après que certains notables du parti québécois eurent suggéré, en 1975 et 1976, qu'il fût remplacé. Or, il était demeuré en selle en montrant de la poigne lors du choix de candidats ou de l'interprétation de certaines résolutions du parti. Plusieurs estimaient, par conséquent, que M. Lévesque manifesterait beaucoup d'autorité — voire d'autoritarisme — au Conseil des ministres et au sein du parti majoritaire à l'Assemblée nationale. Le parti québécois n'avait-il pas «flirté» avec l'idée d'un régime présidentiel. Il n'en fallait pas plus à certains pour prédire que M. Lévesque continuerait à exercer le pouvoir, comme son prédécesseur, de façon quasi-présidentielle.

Son style intuitif de communication avec l'électorat trancherait, c'était certain, sur celui de M. Bourassa et des autres avant lui, qui maîtrisaient mal, eux, le médium des masses qu'est la télévision. Mais pour le nouveau Premier ministre, s'agirait-il d'un avantage ou d'une source d'ennuis? De 1970 à 1974 environ, M. Bourassa avait tiré profit des slogans que ses conseillers avaient inventés. On reprochait à M. Lévesque ce qu'on appelait son «style brouillon» — mais voulait-on dire par cette expression qu'il connaissait mal ses dossiers et qu'il improvisait ses discours? Par ailleurs, la «capacité d'identification» de «Ti-poil» Lévesque continuerait-elle de séduire les Québécois, qui se reconnaissaient en lui plus qu'en son prédécesseur (que l'on percevait en 1975 et 1976 comme artificiel et fabriqué de toutes pièces)?

Les hauts fonctionnaires, enfin, continueraient-ils de se limiter à des fonctions de gérance ou, au contraire, retrouveraient-ils leur pouvoir de conception des politiques que les Premiers ministres Lesage et Johnson leur avaient confié au cours de la décennie précédente? En outre, la fonction publique était-elle «infestée de péquistes» et pouvait-on ainsi croire, au début de la seconde phase de la Révolution tranquille, à un immense chambardement des institutions dans tous les domaines de l'activité socio-économique qu'initieraient quelques super-ministres touchant à tous les dossiers?

C'est à un bilan nuancé qu'on en arrive deux ans plus tard. M. Lévesque n'a pas risqué de perdre toute son autorité morale sur ses troupes en se mettant au blanc sur chaque projet de loi. Il est intervenu lui-même lors de la deuxième lecture du projet de loi créant la Société québécoise d'amiante. Mais, en général, il a laissé chaque ministre défendre ses politiques. Peut-être ne pouvait-il faire autrement. Le parti québécois constitue en effet un vaste rassemblement de groupes divers, tous représentés au Conseil des ministres. Les observateurs avaient indiqué que si M. Lévesque procédait au remaniement ministériel — qu'il annonçait depuis quatre mois — sans perdre l'appui des groupes dont l'influence diminuerait, c'est que son leadership était d'une stabilité à toute épreuve. Or, M. Lévesque a finalement renoncé à ce remaniement au début de 1978. De même, aux réunions du Conseil des ministres, il s'est avéré un animateur remarquable au sein d'un groupe de néophytes (pour la plupart) en politique. Mais il s'est comporté en animateur plutôt qu'en leader intellectuel du groupe. Tout au plus a-t-il demandé à certains ministres de retarder le dépôt d'un livre blanc ou d'un projet de loi, pour que l'image de son gouvernement ne soit pas uniquement associée à certains types de politiques. Par contre, tous les groupes reconnaissent que le départ de M. Lévesque diminuerait à court terme la capacité d'identification des Québécois au projet de société que le P.Q. véhicule.

La communication avec l'électorat a pris deux formes assez distinctes depuis deux ans. Un groupe de communicateurs et de ministres rejettent toute forme de mise en marché du produit, ils ne font que des campagnes d'information. Selon eux, tout marketing constitue de la manipulation des foules. Ils ont semblé croire que lorsqu'un projet de loi bénéficierait aux citoyens, ceux-ci en découvriraient tout naturellement les bienfaits — même pour les lois qui modifieraient sensiblement les habitudes ou marqueraient des changements majeurs dans la société québécoise. C'est à ce niveau que le parti québécois a accusé des ratés, que M. Lévesque a d'ailleurs ouvertement notés.

Un autre groupe, lui, a mis l'accent sur le marketing du projet principal du P.Q., la souveraineté-association. Il a voulu présenter le produit sous son emballage le plus attrayant, M. Lévesque a tenté de vendre l'idée en mettant l'accent sur tel ou tel aspect et en mettant au contraire en veilleuse tel ou tel autre aspect, selon les auditoires auxquels il s'adressait, selon les attentes diverses de ces auditoires (indépendantistes ou américaines, par exemple).

Le P.Q. a par ailleurs nettement tranché sur le gouvernement précédent en ne privilégiant pas la télévision comme médium de publicité. Il a au contraire retenu les journaux régionaux et locaux comme élément de communication au même titre que les autres média. Sous cet angle, le vrai pouvoir d'informer (ou de refuser d'informer) est demeuré dans les différents ministères et aux mains des associations régionales et locales du parti québécois. En ce sens, on est très loin de l'époque où un ou deux membres du Bureau du Premier ministre contrôlaient toute l'information gouvernementale. Ceci ne signifie cependant pas que le grand public soit mieux informé! Les techniques de mise en marché des divers ministères et sociétés d'État sont toutes utilisées pour inculquer un même message aux citoyens. C'est l'appel viscéral au peuple, le sentiment d'appartenance au Québec qui sous-tend toute la mise en marché. En ce sens, la coordination des techniques de marketing est peut-être aussi efficace qu'une centralisation des structures d'information. Une telle coordination, on le sait, a fréquemment été décrite comme «lavage de cerveaux» par le parti libéral du Québec depuis deux ans.

La personnalité même de M. René Lévesque, sons sens inné de la «communication viscérale», continue par contre d'être un atout à la télévision. Sa capacité de rendre «évident» ce qui ne l'est pas toujours, sa ténacité à l'égard de son projet constitutionnel et son intégrité financière personnelle lui ont permis de l'emporter sur un adversaire qui éprouvait des difficultés sur ce plan. Or, celui-ci ne fut remplacé qu'en avril 1978, 500 jours après la défaite de son parti. L'image du P.Q. se limita ainsi à ne pas paraître trop mal préparé à exercer le pouvoir.

Le gouvernement péquiste a pourtant eu le temps, durant cette période, de faire adopter à l'Assemblée nationale un certain nombre de projets de loi. Il ne s'est pas, de façon générale, appuyé sur les avis de la haute fonction publique pour y parvenir. On a même fait état des difficultés qu'éprouvait le P.Q. à travailler avec «la deuxième génération de hauts fonctionnaires» nommés à ces postes après la Révolution tranquille. Les concepteurs des grandes politiques élaborées depuis novembre 1976, ce furent les membres des cabinets personnels de ministres d'État (langue, culture, référendums), c'est-à-dire des hauts fonctionnaires du Conseil exécutif recrutés après le 15 novembre; et, au sein des ministères, l'exécution des politiques est placée sous la responsabilité conjointe d'un sous-ministre venu de la fonction publique et de gens connus pour leur fidélité à la cause péquiste, qui sont entrés récemment à la fonction publique au rang de sous-ministre adjoint. Dans bien peu de cas le gouvernement a-t-il fait confiance aux fonctionnaires déjà en place (amiante, par exemple). Il s'est en effet vite aperçu que l'approche des fonctionnaires — si sympathiques au projet péquiste aient-ils été dans le passé — n'est pas celle des hommes politiques. Pour recueillir des données spécifiques, il s'est uniquement fié aux hommes qu'il a lui-même nommés et que l'on retrouve dans l'entourage des ministres.

Pour coordonner l'ensemble du travail gouvernemental, le Premier ministre comptait au départ, au sein de son cabinet personnel,

sur des conseillers d'une génération plus jeune que lui. Peter Desbarats a bien montré dans sa biographie de M. Lévesque comment
cet entourage avait fait peu à peu le vide autour de lui. Le Premier
ministre s'est donc mis en frais, en 1978, de recruter des conseillers
de sa propre génération, lui qui a toujours eu besoin de s'entourer
d'hommes de confiance pour pouvoir travailler.

Il a en effet conservé depuis 1976 certains traits manifestés
durant ses années comme ministre de la Révolution tranquille.
L'image du «p'tit gars frondeur» qui, devant un obstacle, fonce tête
basse demeure exacte. Il continue aussi de faire des fugues, au
grand désespoir de la Sûreté du Québec qui craint le blâme de l'opinion publique, si jamais le Premier ministre était victime d'un attentat.
Par contre, contrairement à l'attitude qu'il manifestait il y a quinze
ans, M. Lévesque ne montre pas le leadership dont il avait fait
preuve, par exemple, lors de la nationalisation de l'électricité; il est
mis en minorité au Conseil des ministres et se laisse entourer de gens
du Parti beaucoup moins tolérants et ouverts que lui. En outre,
il travaille au-dessous de ses moyens en l'absence de quatre ou cinq
conseillers qui le «tasseraient» intellectuellement comme le faisait
Michel Bélanger à cette époque-là — M. Lévesque ne recherche plus
ce type de personne. Et son côté bohème commence à agacer ses
ministres les plus sédentaires, à mesure qu'ils prennent connaissance
de ses activités nocturnes. Bref, le Premier ministre donne peu à peu
l'impression, depuis deux ans, d'accepter de se laisser coincer par
son Conseil des ministres et son parti... Le vrai pouvoir à Québec est
maintenant plus difficile à localiser.

PREMIÈRE PARTIE

LE VRAI POUVOIR SOUS
JEAN LESAGE
DANIEL JOHNSON
JEAN-JACQUES BERTRAND

1960-1970

Les spécialistes de l'organisation du pouvoir distinguent deux grands types d'exercice de ce pouvoir: les structures hiérarchiques et les structures compétitives. [1] Les structures hiérarchiques sont dominées par un seul homme ou par une clique. Les structures compétitives, par contre, sont celles des souverainetés rivales, c'est-à-dire celles de la compétition active de groupes de conseillers pour avoir accès au Président des États-Unis, ou au Premier ministre du Canada ou du Québec, afin de le convaincre de l'à-propos de leurs gestes. Ces personnes détiennent des compétences dans l'une ou l'autre des trois dimensions de l'exercice du pouvoir: les objectifs du gouvernement ou le contenu des politiques (par exemple, Henry Kissinger auprès du Président Richard Nixon); leur mise à exécution dans un environnement partisan, ou la gestion des affaires publiques par un gouvernement s'appuyant sur un parti majoritaire (par exemple, Claude Ducharme auprès du Premier ministre Jean Lesage); et enfin, les «règles de la publicité» (*rules of exposure*) ou l'utilisation de la communication comme ressource politique [2] (par exemple, Charles Denis auprès du Premier ministre Robert Bourassa). Si chaque groupe de conseillers s'active librement dans son domaine de compétences, on parlera de souverainetés rivales dans l'exercice du pouvoir exécutif au Québec. Si, à l'opposé, quelques personnes ou l'un des trois groupes dominent la structure du pouvoir, on parlera de structures hiérarchisées.

Ce modèle théorique se retrouve avec des composantes fort différentes d'un Président ou d'un Premier ministre à l'autre. Le chef de cabinet du Président Nixon dominait toute la structure du pouvoir en isolant effectivement le Président de ses ministres et conseillers. [3] John Kennedy, au contraire, recherchait à tel point les avis de ces trois types de conseillers, en étudiant toutes les facettes d'une question, qu'il en retardait la prise de décision —

1. Morton Gorden, *Comparative Political Systems*, New York, 1972, pp. 14-15.
2. Voir l'annexe I.
3. Voir l'annexe II.

on a même dit qu'il ne prenait pas de décision du tout: c'est le désavantage d'embaucher des conseillers avertis... lorsque chacun d'eux formule des recommandations opposées à celle de ses collègues. [4] À Ottawa, la prédominance des spécialistes de la cybernétique et de la planification durant les années 1968-1972 a fait place, dans l'entourage du Premier ministre Trudeau, à des politiciens défaits, conseillers plus partisans et plus conscients de l'importance de la communication avec l'électorat.

Au Québec, l'impressionnante machine du pouvoir, depuis 1970, fait contraste avec l'absence quasi-totale de personnel à plein temps dans la structure des partis politiques et dans l'entourage du Premier ministre à la fin des années 1950 et au début des années 1960. La présence de hauts fonctionnaires au centre du pouvoir décisionnel découle, elle, de la participation de l'État aux activités socio-économiques de la nation. Et l'arrivée, au cœur même de l'exercice du pouvoir réel, de spécialistes de la communication et de la publicité correspond, enfin, à la montée de la télévision, devenue depuis dix ans l'un des pouvoirs dominants au Québec, comme ailleurs en Amérique du Nord. En dix ans — la décennie 1960-1970 —, les techniques du pouvoir politique sortirent de la petite enfance.

La première partie de cet ouvrage reprend ces trois dimensions de l'exercice réel du pouvoir exécutif durant les années 1960-1970. Partisans, technocrates et fabricants d'images ont contribué à l'exercice du pouvoir par les Premiers ministres Jean Lesage, Daniel Johnson et Jean-Jacques Bertrand. Dans quelle proportion et dans quelle harmonie, voilà la vraie question.

4. Richard E. Neustadt, *Les pouvoirs de la Maison Blanche*, Paris, Seghers, 1968, pp. 299-300 (traduction de *Presidential Power*).

PREMIER CHAPITRE

LE VRAI POUVOIR SOUS JEAN LESAGE (1960 1966)

Dans ce chapitre, ceux que nous appellerons d'abord les conseillers partisans sont, au sens plus courant du terme, les conseillers politiques, ceux qui «font de la politique». Mais comme, en fin de compte, les trois groupes de conseillers se préoccupent tous de politique, on privilégiera ici les conseillers qui entretiennent des relations quotidiennes avec le parti majoritaire à l'Assemblée nationale, avec les députés et les militants de ce parti. Car le pouvoir du Premier ministre repose sur sa majorité à l'Assemblée: le système parlementaire est ainsi fait. Les lacunes de ces partis peuvent être grandes, mais ceux qui en connaissent les rouages détiennent un vaste pouvoir auprès du Premier ministre. Les conseillers partisans occupent des postes de cadres permanents du parti; parfois des ministres, ou des amis de longue date du Premier ministre jouent ce rôle. Il arrive aussi qu'ils exercent plutôt leur fonction au Bureau du Premier ministre. Il s'agit d'une fonction qui tient moins aux institutions du pouvoir qu'au climat politique dans lequel elles baignent; les conseillers partisans délimitent ce que sera l'ambiance, l'environnement, ce que l'on appelle la culture politique. [1] Le climat de réforme politique, par exemple, au début des années 1960, a été créé, puis entretenu par ces conseillers partisans. Le choix de certains ministres répondait en outre, chez M. Lesage, à ce même souci de bien vibrer au diapason de la culture partisane ambiante: ces ministres n'entraient en effet pas au Cabinet pour entreprendre des réformes colossales dans les domaines qu'ils se voyaient confier!

Ce qui frappe d'abord de cette époque, en particulier à la fin des années 1950 et au début des années 1960, c'est sans doute

---

1. *«While the decision-maker is the focal point, he is not viewed as operating within a vacuum. His environment (...) is organized as an important factor, both as a shaper of the objectives which he is trying to achieve and as a set of limits which help to determine what he can and cannot do in seeking his goals.»* (Charles Lindblom).

la petite quantité de personnes qui étaient payées par les fonds publics ou par le parti au pouvoir pour conseiller le Premier ministre du Québec. Par conséquent, ces rares personnes jouaient plus qu'un rôle de gestion, devenant parfois concepteurs de politiques, parfois même fabricants d'images — selon qu'ils arrivaient au bureau plus tôt que les autres, le matin.

a) Les libéraux de 1960 1966

La Fédération libérale du Québec (F.L.Q.) est née le 5 novembre 1955, en prévision des élections générales que l'on savait imminentes.[2] Elle est née sans l'accord enthousiaste du groupe qui contrôlait la machine et les finances du parti, groupe que l'on appelait du joli nom de « comité des ancêtres ». Ou plutôt est-elle née de l'aveu d'impuissance de ce comité : l'Union nationale de Maurice Duplessis détiendrait toujours une plus grosse caisse électorale ; puisqu'une élection générale aurait lieu en 1956, peut-être les libéraux pourraient-ils suppléer à ces lacunes financières par le militantisme des partisans. Mais les premiers cadres actifs de la F.L.Q. étaient appelés, eux, « les rêveurs ». C'est tout dire. Ils n'exerceront pas leur influence durant cette décennie 1956-1966 en prenant le contrôle de la machine du parti, mais bien plus en créant le climat politique dans lequel baigneraient les libéraux au pouvoir à compter de 1960. Le président de la Fédération était Me François Nobert, avocat de Trois-Rivières, ami de M. Lesage, expert en compromis bien plus que réformiste des mœurs électorales. Non, le pouvoir des réformistes appartenait aux cadres permanents du parti à Montréal : M. Gérard Brady avait été le premier engagé à plein temps ; M. Guy Gagnon, qui fonda en 1954 le journal du parti, *La Réforme,* avec son frère Jean-Louis, et en assuma la direction jusqu'en 1962 ; M. Maurice Sauvé, ancien secrétaire de la commission Glassco, d'abord engagé en 1958 comme penseur par la F.L.Q., mais qui influença de façon décisive toute la vie partisane des quatre années suivantes.

Deux événements marquèrent chez les libéraux les quarante mois précédant leur arrivée au pouvoir. D'abord, la constitution de la F.L.Q. était claire : le parti devait tenir un congrès chaque année. En octobre 1956, le comité des ancêtres s'opposa à la tenue d'un congrès et indiqua à la F.L.Q. qu'il ne le financerait pas. Ainsi,

---

2. Sur la naissance de la F.L.Q., voir Georges-Émile Lapalme, *Le vent de l'oubli*, Montréal, Leméac, 1970, pp. 186-189.

pour la première fois, les militants ont payé pour participer à une activité du parti; qu'ils aient accepté de le faire se reflétait sur le sourire de M. Gérard Brady ce soir-là. Déjà, cependant, M. Georges-Émile Lapalme avait annoncé à ses amis qu'il ne serait pas de nouveau leader du parti lors des prochaines élections; ses amis lui avaient demandé d'attendre avant de rendre publique sa démission. M. Lapalme avait dû subir une lutte constante des financiers de son parti; le président du comité des finances, M. Philippe Brais, était même son principal adversaire au sein du parti.[3] La petite histoire veut que M. Brais lui ait préféré M. George Marler dès 1948-50.

Cette rivalité des « rêveurs » et des « ancêtres » se manifesta, dès lors, à l'occasion du choix d'un successeur à Me Lapalme. À la fin de 1957 et au début de 1958, ce furent M. Brais et ses associés qui lancèrent le nom de M. Lesage, alors député fédéral, qui avait été ministre à Ottawa jusqu'à la défaite de 1957.[4] M. Lesage refusa leur offre. Chez les jeunes, c'est le nom de M. Maurice Lamontagne qui revenait le plus souvent; celui-ci agissait à l'époque comme sous-ministre de M. Lesage.

C'est, en fait, M. Lamontagne qui mit en contact M. Lesage et les leaders de la F.L.Q. Déjà, cependant, on percevait un clivage entre les « ancêtres », très liés à l'aile fédérale du parti, et les réformistes, dont M. Brady et l'organisateur en chef du parti, M. Alcide Courcy, étaient les protagonistes. Cette rivalité se manifesta aussitôt, lors de la mort de M. Alcide Côté, ministre fédéral conservateur et député de Saint-Jean. Les « ancêtres » présentèrent comme candidat libéral M. Armand Ménard, ancien organisateur de l'Union nationale, choix qui insulta les réformistes. Ceux-ci n'acceptèrent le choix qu'à la condition d'un appui de M. Ménard au candidat libéral provincial lors de la prochaine élection.

Ces tensions entre réformistes et ancêtres marquèrent la culture politique des six années de pouvoir libéral. Les deux premières années furent dominées par la présence de M. Maurice Sauvé et de Me Claude Ducharme. Le premier accentua le climat de démocratisation des mœurs électorales, jusqu'à son départ pour Ottawa

---

3. On lira avec intérêt les pages que M. Lapalme consacre à ce sujet dans *Le vent de l'oubli*.

4. Les libéraux perdirent le pouvoir en 1957. M. Pearson devint chef du parti dans l'Opposition. En mars 1958, le Premier ministre Diefenbaker fut réélu de façon décisive. Au Québec, traditionnel bastion libéral, seuls vingt-cinq candidats libéraux furent élus, contre cinquante députés conservateurs.

au début de 1962. Le second, avocat prestigieux de Montréal, détenait sans doute autant d'influence partisane sur M. Lesage que M. Sauvé ou M. Bona Arsenault, ministre et ami écouté de M. Lesage depuis l'époque où, ils avaient été tous deux députés fédéraux. L'envergure de M. Sauvé dépasse le seul rôle de conseiller partisan; le pouvoir d'influence de MM. Ducharme et Arsenault se limite, au contraire, à cette dimension. Mais celle-ci inclut, n'en doutons pas, le pouls partisan que voulait prendre le Premier ministre au sujet des grandes politiques novatrices. Par exemple, au sujet de la création d'un ministère de l'Éducation, les deux hommes furent consultés.

Le pouvoir personnel de M. Maurice Sauvé tient plus à sa personnalité qu'au poste de cadre permanent du parti qu'il occupait au 2600, Côte Sainte-Catherine, à Montréal depuis 1958. [5] Doté du titre de chargé des relations publiques de la F.L.Q., il créa un comité de stratégie, permanent et non pas uniquement en périodes électorales — groupe qui agirait comme comité de propagande. Le tout premier travail de Sauvé consista à colliger les résolutions adoptées au congrès du parti; c'était là l'esprit de la F.L.Q., les militants créeront un programme répondant à ce besoin de réforme. MM. Sauvé et Lesage se voyaient chaque lundi, le Premier ministre venant à Montréal ce jour-là, et ils se téléphonaient constamment durant la semaine.

Ce ne sont pas tellement les relations institutionnelles, tenant à leurs fonctions, qui conférèrent tant d'influence à M. Sauvé: c'est plutôt son tempérament de bulldozer. Ses objectifs d'efficacité et de rentabilité en faisaient un administrateur unique. L'administration de militants d'un parti politique revêt cependant parfois des caractéristiques différentes de celles que réclame l'administration d'une usine de pneus. Enlever à Georges-Émile Lapalme son bureau au siège du parti, parce qu'il n'y venait plus guère depuis la désignation de M. Lesage pour lui succéder, parut malhabile. M. Lapalme symbolisait toujours ce souffle de réforme, dont M. Sauvé était d'ailleurs un des fers de lance. De 1958 à 1962, M. Sauvé a joui d'un pouvoir réel, sur M. Lesage*. Grâce à sa forte personnalité, il a littéralement imposé au chef libéral la priorité du programme et de l'équipe sur le leader. M. Lesage, qui arrivait d'Ottawa avec sa conception traditionnelle de la politique, avait déjà fait préparer les

---

5.   Pour un portrait plutôt défavorable de M. Sauvé, voir G. E. Lapalme, *Le vent de l'oubli*, pp. 235-6.

*   Le 22 juin 1960, M. Lesage avait été élu Premier ministre du Québec.

milliers de photos de lui-même qui devaient servir de publicité au parti. M. Sauvé et ses collègues le convainquirent tant bien que mal de l'avantage de leur nouvelle approche. De même, sauf dans une dizaine de circonscriptions où le candidat libéral fut désigné par le comité central, le choix des porte-étendards libéraux demeura aux mains des associations locales. L'approche réformiste de la démocratisation impliquait cette démarche. M. Lesage ne l'apprécia guère en rencontrant pour la première fois ces candidats lors d'assemblées électorales dans leurs circonscriptions : ces porte-étendards n'appartenaient certes pas aux catégories «dignes d'être candidats de son parti», disait M. Lesage d'un ton subitement tranchant. Avant l'élection de 1966, il annonça même que deux de ses élus ne pourraient briguer de nouveau la bannière libérale. Les éléments plus traditionnels du parti notèrent ce choix des candidats de 1960 ; dix ans plus tard, lorsque leur nouveau chef, Robert Bourassa, l'emporta à la convention, ils s'assurèrent que ses candidats seraient davantage triés sur le volet.

La force de caractère de M. Sauvé lui attira des problèmes de relations interpersonnelles avec ministres et cadres du parti. En 1962, il se présenta aux élections fédérales et l'emporta. Les réformistes se désintéressèrent de la dimension partisane durant les années qui suivirent. Peut-être croyaient-ils tous les militants acquis à la nécessité de se concentrer sur «la grandeur du Québec», les politiques novatrices. Certes, au sein du parti, les éléments plus partisans (au sens préjoratif du terme) ne purent guère retarder le rythme de mise en marche de ces grandes politiques, ni revenir aux années de patronage et de corruption gouvernementales. Mais, ici encore, le climat de retour au pouvoir des libéraux, en 1970, baignait dans cette frustration des années 1961-1966. Cette fois, les réformes s'adapteraient au climat politique ambiant ; les militants libéraux de 1970 décideraient du type et du rythme des grandes priorités.

Ces militants partisans, financiers, élus, ou militants étaient menés en 1960 par deux notables fort influents auprès de M. Lesage, MM. Claude Ducharme et Bona Arsenault. Me Ducharme appartenait à l'étude légale Desjardins, Ducharme, Desjardins & Bourque, dont l'allégeance partisane libérale était connue. Me Jérôme Choquette était, à l'époque, «junior» à ce bureau d'avocats. L'opinion de Me Ducharme avait un poids considérable sur tout aspect partisan ; le Premier ministre lui téléphonait à peu près tous les jours, il le rencontrait chaque fois qu'il venait à Montréal. Le comité qu'il présidait avait décidé, en 1960, de démocratiser le choix des candidats du parti ; Me Ducharme fut ensuite tout-puissant quant au choix des candidats lors de l'élection de 1962. Il était en outre fasciné par la montée de John Kennedy au firmament politique américain ; il avait lu tout ce qu'on avait écrit à ce sujet, y compris les reportages sur les débats télévisés de 1960 et le marketing de candidats qu'on «vendait» comme s'il s'était agi de produits de beauté. Certes, il apparut plutôt comme un simple concepteur de la «scientification» de la vie politique au Québec. Il fallut en effet attendre les élections de 1970 et l'arrivée de M. Paul Desrochers comme éminence grise pour que l'on mette effectivement en pratique ses modèles conceptuels. Mais déjà il jouissait d'une forte influence auprès de M. Lesage. Une influence axée sur les perceptions partisanes des grandes politiques et du climat de réforme. Mais il y eut deux moments significatifs où M. Lesage ne l'écouta pas ; deux moments révélateurs de l'exercice réel du pouvoir durant ces années. Lors des élections de 1966, M. Lesage «déclara formellement», le 21 avril, que les députés libéraux Bernier et Laroche ne seraient pas de nouveau candidats du parti. Les réformistes l'avaient emporté, indice que depuis six ans les grandes politiques et la réforme du climat politique avaient primé sur les préoccupations partisanes. Par ailleurs, lors de cette même campagne électorale de 1966, Me Ducharme perdit à peu près toute influence réelle en soulignant à M. Lesage que les sondages révélaient des difficultés. À plusieurs reprises, en effet, il lui fit part de la catastrophe qui s'annonçait. Quand M. Lesage se mit à douter de la bonne foi de son principal collaborateur, les témoins de leurs conversations comprirent que la participation à l'exercice réel du pouvoir repose sur une répartition informelle des compétences au sein de l'Exécutif. Une répartition suscitée par le leader. M. Lesage assuma, après l'élection, tout le blâme de la défaite.

M. Bona Arsenault, lui, avait «pistonné» M. Lesage à la F.L.Q. durant les années 1957-58. Député fédéral avec M. Lesage, il était devenu son intime. Il se retrouva ministre provincial en 1960. Il n'avait guère bonne presse ; lui seul tenait au titre d'Honorable. L'émission *Les Couche-Tard* — fort populaire à l'époque — le caricaturait presque chaque semaine. Mais son pouvoir ne portait pas sur l'articulation des grandes politiques, ni même du fait qu'il siégeait au Conseil des ministres. Les seuls critères de sélection des ministres, en 1960, avaient été : qui est le plus «ministrable» dans chaque région, et est-il accepté des militants de cette région ? Non, M. Arsenault était influent parce que M. Lesage avait confiance en son jugement ; celui-ci aurait recherché ses conseils même si M.

Arsenault n'avait pas été ministre. Cette influence se faisait sentir sur les questions touchant le parti et sur les perceptions partisanes des grandes réformes. En fait, sur la création du ministère de l'Éducation, celle de la Société générale de financement, ou la nationalisation des firmes hydro-électriques, M. Arsenault suggérait de ralentir les moteurs réformistes. Comme les financiers du parti ou les militants très liés aux milieux d'Ottawa, M. Peter Thompson, le sénateur Langlois ou M. Marler, M. Arsenault affirmait que le Québec n'avait pas «les reins assez solides», que les partisans ne comprendraient pas tous ces bouleversements. M. Lesage tranchait en général en demandant aux concepteurs des grandes politiques de convaincre ces leaders traditionnels.

En somme, à cette époque, le pouvoir des réformistes appartenait aux cadres permanents de la F.L.Q. du bureau de Montréal : l'accent était mis sur le climat démocratique qu'il fallait créer dans les mœurs électorales du parti ; on se désintéressait peu à peu des questions de patronage, voire même de l'habitude de consulter les militants sur les grandes réformes. Ce pouvoir ne se situait pas encore au Bureau du Premier ministre — cela viendrait sous M. Daniel Johnson. À la permanence du parti à Québec, l'homme fort était M. Henri-A. Dutil : on comprit dès septembre 1962 que son pouvoir était plutôt limité aux questions d'intendance : en effet, non seulement ne fut-il pas invité à la réunion d'urgence du Lac-à-l'Épaule, mais de plus on ne le prévint même pas, qu'une élection était déclenchée pour novembre ! Il était pourtant cadre permanent du parti à Québec depuis 1948. Voilà l'indice suggérant que les aspects partisans ne feraient que retarder la prise des grandes décisions qui s'élaboreraient par la suite[6]. L'exception majeure[7] semble être la volonté de certains ministres influents, et en particulier celle de M. René Lévesque, de créer une structure autonome partisane libérale, distincte des libéraux fédéraux. Tenant certes à la conception de M. Lévesque du fédéralisme canadien et des grandes politiques à créer dans une Confédération profondément réformée elle a néanmoins directement trait aux dimensions partisanes du parti majoritaire et du gouvernement au pouvoir, tant à Ottawa qu'à Québec. Le 5 juillet 1964, en effet, les délégués au congrès de la

---

6. En 1966, une partie de la clientèle libérale vota pour le R.I.N., croyant au contraire que les conseillers partisans ralentissaient beaucoup trop les réformes.
7. D'autres situations de ce type surgiront après la défaite des libéraux. Lors du congrès de novembre 1966 de la F.L.Q., René Lévesque dénonça la caisse électorale, voulut démocratiser les finances du parti. Éric Kierans, jadis peu connu pour ses préoccupations partisanes, fut même élu président du parti.

Fédération libérale du Québec décidaient de séparer leur organisme de la Fédération libérale du Canada. La présence partisane des libéraux fédéraux dans les affaires provinciales paraissait ainsi abusive aux plus autonomistes des membres de la Fédération.

Cette présence des libéraux fédéraux se manifestait tant dans les finances du parti que dans les entrées qu'elle leur permettait auprès du Premier ministre Lesage. Certains ministres et les membres de la commission politique du parti formulaient à propos d'une telle structure monolithique trois types de reproches. D'abord, elle accordait un pouvoir indu à des gens qui n'avaient jamais perçu la F.L.Q. comme un mécanisme de démocratisation de la vie politique au Québec. Ces gens contrôlaient par exemple la caisse électorale du parti (Me Antoine Geoffrion était le trésorier, au Québec, des activités libérales tant provinciales que fédérales); ils ne se souciaient guère de l'ouvrir aux militants. En outre, les loyautés inconditionnelles de ces dirigeants se tournaient vers Ottawa, ce qui ne correspondait pas à la nature de la répartition des pouvoirs entre deux niveaux souverains de gouvernement. Ils étaient perçus comme reflétant le point de vue d'Ottawa, chaque fois qu'ils faisaient part au Premier ministre de leur point de vue. Ils furent de ceux, enfin, qui voulurent constamment ralentir les réformes que préconisaient les ministres Lévesque, Lapalme et Gérin-Lajoie.

Certes, comme le soulignait alors Claude Ryan, «un parti politique provincial risque de se détruire en se collant de trop près au programme et à la machine de son grand frère fédéral».[8] Pourtant, M. Lesage et ses collègues plus modérés ne tenaient pas à se faire couper les fonds; ils avaient au contraire besoin d'une caisse électorale bien garnie. D'ailleurs, le pouvoir réel des tenants de l'unité de structure se révéla au congrès de 1964, lorsque seule fut soumise aux 1,400 délégués la partie de la résolution concernant la création d'une association autonome au niveau provincial: au niveau local en effet, il continuera de n'exister qu'une seule association libérale dans chaque circonscription, responsable des activités du parti tant en matière fédérale que dans la vie politique provinciale. La commission politique de la F.L.Q., elle, avait au contraire souligné dans son rapport:

«Il faut surtout considérer que si la distinction des cadres n'est pas réalisée au niveau des comtés, les associations de

---

8. «Partis politiques et démocratie», *Le Devoir*, 9 juillet 1964, p. 4.

comté devront recevoir leur orientation de deux organismes supérieurs distincts. » *

Or, ce rapport de la commission politique ne fut pas soumis aux délégués le 5 juillet 1964, et les discours de MM. Lesage et Guy Favreau, ministre responsable des structures libérales au Québec, furent joliment moins explicites à ce sujet. L'ombre du grand frère fédéral demeurera constante dans la dimension partisane de l'activité politique du parti libéral québécois, qu'il soit au pouvoir ou dans l'opposition.

C'est le président de la Fédération libérale du Québec (1963-1965), Me François Aquin, qui fut le grand responsable de la séparation des ailes fédérale et provinciale du parti libéral. Jadis président des Jeunes libéraux du Canada, cet avocat de Montréal, d'une très forte capacité intellectuelle, était un des meilleurs orateurs politiques de l'époque et signait chaque semaine dans le journal du parti, *La Réforme*, des textes qui ne manquaient jamais de troubler les dirigeants libéraux. Du début à la fin, c'est François Aquin qui fut le principal animateur de cette croisade en faveur de la désaffiliation. Pendant des mois, il a parcouru la province pour rencontrer les militants de la base et dénoncer la tutelle du grand frère fédéral sur l'aile provinciale. C'est également François Aquin qui avait présidé, sinon orienté, ce congrès spécial du 5 juillet 1964 sur la constitution du parti. Les fédéraux avaient dépêché d'Ottawa leurs plus gros canons, les ministres les plus dynamiques de l'époque comme les sénateurs les moins débiles. Les tenants de la désaffiliation avaient par ailleurs l'appui des ténors de la commission politique (Brière, Beaulé, Lévesque, Chauvin, Brossard et compagnie) et des cadres réformistes de la permanence de Montréal. Au moment de prendre le vote, le président de l'assemblée a séparé les belligérants qui se sont rangés debout, face à face, de chaque côté de la grande salle du motel des Laurentides. C'est au terme d'un débat hautement émotif et par un vote serré que les autonomistes ont finalement remporté la victoire qu'ils ont célébrée tout au long d'une nuit marquée de plusieurs bagarres.

---

* « Comme ces organismes supérieurs n'auront pas les mêmes intérêts, et même que leurs intérêts pourront de par la force des choses être en conflit, les associations de comté seront constamment sujettes à l'écartèlement et à la confusion, risquant d'y perdre leur cohésion, leur unité et leur force. »

b) *Les conseillers gouvernementaux sous Jean Lesage : une stratégie de ballon-panier*

Les spécialistes de l'analyse comparative distinguent deux types de gestion de l'appareil étatique, qu'ils assimilent, par comparaison, à la stratégie d'une équipe de ballon-panier et aux structures militaires. Selon eux, toute administration des structures gouvernementales emprunterait à l'une ou l'autre de ces méthodes, ou un peu aux deux à la fois.

Ce que les spécialistes décrivent comme une gestion «concurrentielle» de l'appareil gouvernemental, d'autres le comparent en effet à la stratégie d'une équipe de ballon-panier : tout le monde en mouvement tout le temps. On l'associe, au Québec, à la période 1960-1966. Quelques membres du Conseil des ministres touchaient à tous les dossiers, et au cabinet personnel du Premier ministre presque personne n'avait de poste nettement défini. Quatre ou cinq ministres prenaient goût à lancer le ballon dans n'importe quelle direction et tenaient à ce «qu'il soit continuellement en rebond».[9] Ce type de gestion, notons-le, ne craint pas un peu de désordre administratif. À première vue, le bilan de la Révolution tranquille paraît en effet le même, qu'on l'effectue en 1967 ou qu'on se le remémore en 1977. En 1967, Jean-Marc Léger décrivait les années 1960-1966 en termes de «climat, élan, conscience aiguë de l'urgence d'agir».[10] En 1977, Peter Desbarats soulignait que le rôle de l'État, «en tant qu'instrument politique suprême», avait été intensément débattu au sein du parti libéral durant les années '50 ; il s'agissait d'un «programme de mesures positives» en réplique à la conception duplessiste du rôle de l'État, écrivait-il.[11] Pourtant, sur les structures de conception et de gestion de ce programme deux thèses s'affrontent, tant au Québec que dans d'autres pays où un type analogue de gestion a été utilisé. En bref, après avoir décrit les composantes essentielles de ce type d'administration gouvernementale, on notera les deux thèses qui s'affrontent au sujet de son efficacité.

La pierre angulaire de cette méthode de gestion reposait sur la volonté du Premier ministre Lesage de s'entourer de ministres dont, bien souvent, les idées au départ différaient des siennes sur le plan des objectifs gouvernementaux. Trois traits, parmi d'autres,

---

9. Sur ce type de gestion, voir Douglass Cater, *Qui gouverne à Washington ?*, Paris, Seuil, 1964, p. 104.
10. Jean-Marc Léger, «Des Québécois bien tranquilles», *Le Devoir*, 5 juin 1967, p. 4.
11. Peter Desbarats, *René Lévesque ou le projet inachevé*, Montréal, Fides, 1977, p. 96.

caractérisaient M. Lesage: il était superficiel comme le sont beaucoup d'hommes politiques, il était plus intelligent que beaucoup d'entre eux, et, étant assez intelligent pour se savoir superficiel, il sut s'entourer de ministres remplis d'imagination créatrice qui formèrent une sorte de comité des priorités. Ce comité, bien informel, constitua le nerf moteur de la Révolution tranquille.

M. Lesage n'a probablement pas lu un seul livre durant ses dix années de pouvoir; il ne se sentait sans doute vraiment à l'aise qu'en discutant de finances publiques*. En ce sens, on l'a considéré comme un homme superficiel, peu apte à concevoir des politiques à long terme comme la réforme de l'éducation ou la planification du secteur économique. Mais il a non seulement su s'entourer de ministres vedettes, perçus comme ombrageux et particulièrement qualifiés dans leurs secteurs d'activités, mais il a aussi gouverné le Québec en équipe avec quatre autres ministres: Paul Gérin-Lajoie, René Lévesque, Pierre Laporte et Eric Kierans. Georges-Émile Lapalme fut aussi de la partie durant les premières années. Notons tout de suite une caractéristique de cette période: l'arrivée au Conseil des ministres d'hommes forts élus lors d'élections complémentaires, hommes clés que M. Lesage est allé chercher sans hésitation: Pierre Laporte en décembre 1961, le président de la Bourse de Montréal, Eric Kierans, en août 1963 et le juge Claude Wagner en octobre 1964.[12] Sous beaucoup d'aspects, ces hommes et leurs collègues Lévesque et Gérin-Lajoie ne se rejoignaient pas: leurs antécédents étaient différents, tout comme leur attachement au parti libéral ou leurs liens avec les milieux d'affaires. Mais ils constituaient quinze ans avant son institution, un comité des priorités touchant à tous les dossiers, à tous les sujets d'actualité des affaires gouvernementales, peu importe le ministère ou les deux ministères que M. Lesage leur avait confiés. Ajoutons que chez les ministres eux-mêmes — Paul Gérin-Lajoie et René Lévesque par exemple —, chacun recruta son «policy-maker» principal — Arthur Tremblay et Michel Bélanger dans ce cas. M. Lesage n'a lui-même recruté que Claude Morin, comme sous-ministre des Affaires fédé-

---

* Témoignage de Georges-Émile Lapalme: «Intellectuellement, Jean Lesage saisissait tout, instantanément. (...) Là où il se baignait, intellectuellement, c'était dans la finance, dans les lois qui la pliaient aux goûts du jour, aux besoins plutôt. Il se promenait dans le social, par exemple, avec des chiffres, des tonnes de chiffres, sans jamais perdre de vue une seule équation.» *Le paradis du pouvoir*, p. 59.

12. Ajoutons qu'en décembre 1960, George Marler avait été nommé par M. Lesage leader du gouvernement au Conseil législatif et membre du Conseil des ministres.

rales-provinciales, et Claude Castonguay, chargé du dossier du régime des rentes. Mais même dans ces cas apparents de création sectorielle, on retrouvait des liens avec les autres membres du « super-cabinet » et avec le parti : René Lévesque et Michel Bélanger élaborèrent le projet de nationalisation de l'électricité en s'appuyant sur une étude préparée par l'économiste Douglas Fullerton qui était un ami de Maurice Sauvé ;[13] Claude Morin avait été membre de la commission politique du parti où il avait bien connu Paul Gérin-Lajoie.

Donnons, à titre d'illustration, trois exemples de ce type d'administration gouvernementale.

En mars 1961 éclatait « l'affaire de l'hôpital Jean-Talon » dans laquelle un des administrateurs, le sénateur Henri Courtemanche, n'avait pas eu une conduite exemplaire. Au journal Le Devoir, le journaliste Guy Lamarche revérifiait toutes ses sources une dernière fois et s'apprêtait à faire éclater la vérité dans une série d'articles. La publication du premier article était prévue pour le lendemain matin. C'était le 20 mars. Le rédacteur en chef André Laurendeau était en train, par téléphone, de « briefer » (le terme est de Lamarche) le ministre René Lévesque. Lévesque voulait soumettre la question au Conseil des ministres qui débuterait, le lendemain matin, à peu près à l'heure où Le Devoir arriverait à Québec, c'est-à-dire 10 heures 30 environ. Lévesque était ministre des Ressources naturelles et des Travaux publics. Le dossier relevait normalement du Dr Alphonse Couturier, ministre de la Santé. Pour sa part, Le Devoir se comportait apparemment comme s'il était au pouvoir. Non pas qu'il ait existé des liens institutionnels avec le parti libéral, mais son rédacteur en chef entretenait des liens soutenus avec les membres du « super-cabinet » (Pierre Laporte n'avait d'ailleurs pas encore quitté le journal pour se lancer en politique) ; Lévesque et Laurendeau se parlaient quotidiennement au téléphone et traitaient de tous les dossiers gouvernementaux. On peut en outre présumer de conversations entre Lévesque et Paul Gérin-Lajoie avant le conseil des ministres du 21 mars. Ce qui frappe de ce premier cas, c'est que M. Lévesque était plus au courant d'un dossier ayant trait à un hôpital que le ministre de la Santé, qu'il n'hésita pas à soumettre lui-même le sujet à l'attention du Conseil des ministres sans en parler d'abord au ministre titulaire, et que, faute sans doute de conseillers attachés au Conseil des ministres, il s'en remettait

---

13.   Sur les discussions qui se déroulèrent entre MM. Lévesque et Fullerton à la résidence de Maurice Sauvé, voir Desbarats, *René Lévesque*, p. 57.

au jugement d'André Laurendeau — qui, ce jour-là, demanda à Guy Lamarche de faire part au ministre Lévesque de ce qu'il écrirait à ce sujet. Lévesque attendait à l'autre bout du fil. [14]

Ces liens informels entre l'aile réformiste du Conseil des ministres et certains journalistes [15] se retrouvent également entre le Cabinet fédéral et celui du Québec. Ces liens reposent cette fois sur le respect mutuel qui unissait les deux Premiers ministres au sein du parti libéral. Ils se traduisirent, en janvier 1965, par l'offre que transmit M. Pearson à M. Lesage de lui succéder à la tête du parti libéral du Canada. [16] De 1960 à 1966, on retient un aspect de tels liens : M. Lesage prévenait M. Pearson par téléphone, à l'approche d'une conférence fédérale-provinciale, de la position qu'y soutiendrait le Québec, des déclarations qu'il rendrait publiques, et du compromis que constituaient en fait ses exigences de base. Pourtant, le sous-ministre Claude Morin, à la toute dernière minute, réussissait à convaincre le « super cabinet » d'exiger plus. C'est ce que fit M. Lesage à plusieurs reprises et qui rendit M. Morin suspect aux yeux de plusieurs libéraux.

Ces réunions fédérales-provinciales se tenaient à huis-clos pour la plupart ; certaines négociations s'effectuèrent même tard dans la soirée, dans des chambres du Château Laurier ou du Château Frontenac. On note que M. Lesage ne négociait jamais seul ; il était toujours accompagné de M. Paul Gérin-Lajoie, spécialiste du droit constitutionnel, et parfois de M. René Lévesque. Même dans le cas des négociations ultra-secrètes d'avril 1964 sur la création du régime des rentes du Canada (*Canada Pension Plan*), M. Lesage était accompagné des deux ministres lorsqu'il rencontra les émissaires

---

14. Un des témoignages recueillis, celui de Guy Lamarche, a été rendu public le 9 août 1975, à l'émission *Noir sur blanc*, à la radio de Radio-Canada.
15. Peter Desbarats dit dans son livre que durant ces années, Laurendeau a eu sur René Lévesque plus d'influence que quiconque.
16. Dans le troisième tome de ses mémoires, publié (1975) après sa mort, M. Lester B. Pearson révèle en effet ce qui n'avait pas été confirmé publiquement. Par conséquent, il paraît important de citer en quels termes l'offre fut faite : « When we were both on holiday in Florida in January 1965, Lesage drove over from Miami to visit me at Hobe Sound. In our conversation, I brought up the question of the importance of a strong federal government to protect and strengthen the right kind of national unity. I said that I hoped he would join me in Ottawa in whatever Cabinet post he chose. He seemed flabbergasted, but pleased. I told him that he had a duty to return to federal politics and that his return at this time undoubtedly would be interpreted as indicating that he would become the leader when I retired, as I proposed to do so as soon as possible. » p. 263.

fédéraux.[17] Lors des négociations particulièrement délicates du 11 avril à Ottawa, deux hommes quittèrent même la pièce pour aller négocier dans une salle de toilettes: c'étaient MM. Tom Kent, conseiller du Premier ministre Pearson, et Maurice Sauvé, ministre «junior» à Ottawa mais ancien cadre permanent de la F.L.Q. Outre les deux ministres du «super-cabinet» et M. Sauvé, seules deux autres personnes participèrent durant ces cinq jours aux négociations au nom du chef du gouvernement du Québec: MM. Claude Morin et Claude Castonguay.[18] Les négociations aboutirent à la création conjointe du Régime des rentes du Québec et de celui du Canada avec l'accord de toutes les parties en présence. Ceci constituait un précédent perçu comme précieux à la fois par les tenants du fédéralisme et par les nationalistes québécois.[19]

Retenons un dernier cas. Dans ses négociations avec l'appareil étatique, la Fédération des médecins omnipraticiens du Québec (F.M.O.Q.) a dialogué avec les mandataires de plusieurs Conseils des ministres. Au moment où les négociations se trouvaient dans une impasse, en 1975, le Dr Gérard Hamel, président de la F.M.O.Q., se plaignait de ne pouvoir obtenir d'entrevue avec le Premier ministre Bourassa et de n'être reçu qu'avec réticence par le ministre des Affaires sociales, M. Claude Forget. Il se remémorait alors la situation de 1965-1966, où après avoir négocié le jour avec les mandataires gouvernementaux, lui et ses collègues poursuivaient — le soir, sans que les journalistes l'apprennent — les discussions avec MM. Lesage, Lévesque et Kierans. «On négociait dur, mais face à face, toutes visières levées», disait-il. Le climat n'était pas à la méfiance ni à l'insécurité. M. Kierans avait été nommé ministre de la Santé le 14 octobre 1965, en même temps que M. Lévesque devenait ministre de la Famille et du Bien-être.

On retrouve dans ces trois cas les mêmes éléments de gestion de l'appareil gouvernemental. Le Premier ministre Lesage savait utiliser les ressources de son entourage, et les décisions étaient prises

---

17. «While permission had been given by Pearson to meet only one Quebec minister besides Lesage, actually Education Minister Paul Gérin-Lajoie and Natural Resources Minister René Lévesque were both present. Kent, Sauvé and Morin presented the ministers with the results (as of Wednesday morning, April 8).» Richard Simeon, *Federal-Provincial Diplomacy*, U. of Toronto Press, 1972, p. 57.

18. Sur «ces cinq jours qui transformèrent le fédéralisme canadien», voir, outre Simeon, les sources suivantes: Peter Desbarats, *The State of Quebec*, Toronto, 1965, pp. 125-132; Peter C. Newman, «The Secret Deal that Saved the C.P.P.», *Toronto Star*, 12 novembre 1964; *Id.*, *The Distemper of our Times*, chap. 22.

19. Claude Morin, *Le pouvoir québécois en négociation*.

par un petit groupe de ministres, qui détenaient avec M. Lesage le pouvoir réel de concevoir et de mener à bon port les politiques gouvernementales. M. Lesage essayait toujours de sonder M. Lévesque sur tous les dossiers; il tentait de savoir ce que lui, plus particulièrement, en pensait. Jusqu'en 1965, il ne douta pas un instant que M. Lévesque fût un atout pour le gouvernement. Quant à M. Lévesque, il décrivait Éric Kierans, avec admiration en l'appelant: «ce bâtard d'Irlandais plein d'imagination». Enfin, un petit groupe de conseillers techniques — qui devinrent peu à peu sous-ministres — fut chargé de créer les structures de la réforme, dans les principaux secteurs de la Révolution tranquille.

Mais peut-on mesurer le succès d'un tel type de gestion? Deux thèses s'affrontent. L'une constitue une critique assez sévère de cette stratégie du mouvement continu. «Le gouvernement Lesage était certes disparate», conclura Claude Ryan. [20]

> *Le Premier ministre aime se vanter de n'avoir pas d'idées fixes. L'idée de «mouvement» est probablement celle qui le définit le mieux. Mais la mobilité a sa contrepartie: celle-ci a nom insécurité.* [21]

Les idées foisonnaient, en effet. MM. Jean-Marie Nadeau et Georges-Émile Lapalme en avaient conçues plusieurs à la fin des années 1950, avant l'arrivée des libéraux au pouvoir; la commission politique du parti poursuivit leur œuvre, et Me François Aquin fut même élu à la présidence du parti en 1963, en s'appuyant sur des idées plutôt que sur une machine électorale. Pourtant, durant les années 1960, ces idées ne devenaient des objectifs du gouvernement que si le Premier ministre les faisait siennes. En ce sens, il ne s'agit guère, pour notre étude, de déterminer quelle avait été l'idéologie initiale de M. Lesage en 1960, son intention bien déterminée: la nationalisation de l'électricité et la création d'un ministère de l'Éducation, par exemple, n'en faisaient pas partie. Les objectifs d'un gouvernement, pour fins d'analyse, se fondent plutôt sur les «engagements irréversibles de suivre certaines lignes de conduite bien définies». [22] Par ailleurs, la distinction à ce titre entre les méthodes de gestion d'un Président des États-Unis et d'un Premier ministre en système parlementaire de type britannique paraissait ténue en 1960.

---

20. *Le Devoir*, 14 janvier 1966, p. 4.
21. «La fin du cabinet Lesage», *Le Devoir*, 8 juin 1966, p. 4.
22. Neustadt, *op. cit.*, pp. 290-1.

Les spécialistes des systèmes politiques comparés ne considèrent pas la division inhérente des pouvoirs dans le système américain comme susceptible de créer automatiquement un type différent de gestion du système parlementaire britannique. Dans les deux cas, le pouvoir paraît personnalisé dans la demeure où «une connaissance instinctive de ce qu'est l'influence et la virtuosité de son utilisation» constituent un atout majeur entre les mains de tel Premier ministre, elles représentent une grave lacune dans le cas de tel autre.[23]

C'est par tempérament que M. Lesage associait un ou deux ministres et un ou deux hauts fonctionnaires à toute prise de décision ; il eût été Président des États-Unis, qu'il aurait procédé de la même façon. De la stratégie du «ballon-panier», certains comme Claude Ryan ont surtout retenu les défauts. Cette méthode de gestion évitait à M. Lesage, en période de crise, de poser les questions pertinentes qu'il lui eût fallu poser lui-même. Superficiel, il paraissait incapable de réunir lui-même les pièces indispensables à un jugement. Par tempérament aussi, il n'avait pas choisi de confier le poste de chef de cabinet à quelqu'un (Alexandre Larue) qui puisse jouer ce rôle — alors que Marc Lalonde, par exemple, avait joué un rôle clé comme chef de cabinet du Premier ministre Trudeau de 1968 à 1972. M. Larue s'occupait surtout des rendez-vous de M. Lesage[24], un peu comme Ken O'Donnell durant la première année de la présidence de John Kennedy. L'affaire de la Baie-des-Cochons (le débarquement raté à Cuba), en 1961, avait révélé, a-t-on écrit, que le Président Kennedy n'avait pas réuni lui-même les pièces indispensables à un jugement personnel, et qu'il n'avait pas non plus spécifiquement confié à quelqu'un d'autre la tâche de le faire.[25]

Les trois cas cités plus haut et les méthodes d'organisation du cabinet personnel du Premier ministre Lesage laissent entrevoir un type semblable de gestion, de 1960 à 1966 au Québec ; à ce titre, les témoignages sont concluants. Les premiers arrivés parmi les con-

---

23. La différence, peut-être, c'est que le système britannique tend à masquer les faiblesses du Premier ministre et à faire ressortir sa force ; dans le système présidentiel américain, c'est l'inverse. *Ibid.*, p. 284.
24. M. Larue avait été chef de cabinet du Premier ministre Godbout, puis de M. Georges-Émile Lapalme dans l'Opposition. À ce titre, c'était un homme de bon conseil, mais qui ne détenait guère de pouvoir réel dans la conception et la gestion des politiques.
25. Laurin L. Henry, «The Transition: The New Administration» in Paul T. David (ed.), *The Presidential Election and Transition 1960-1961*, Washington, Brookings Institute, 1961, p. 256 & Arthur Krock, «In the Nation», *New York Times*, 30 juin 1961.

seillers se voyaient confier les dossiers urgents, à leur entrée au bureau le matin; la plupart du temps, telle personne n'avait pas du tout suivi le dossier et, qui plus est, elle ne détenait aucune compétence en la matière.

Ainsi, MM. Denys Paré, attaché de presse et René Arthur, rédacteur des discours de «circonstance», qui arrivaient toujours vers 7 heures 30, se voyaient parfois confier par M. Lesage de plus importants dossiers que d'autres qui ne se présentaient jamais avant 8 heures 30. L'image de la stratégie du «ballon-panier» s'applique par ailleurs à rebours; dans l'équipe s'appuyant sur une stratégie du mouvement, le joueur qui n'occupe pas un poste pour capter le «rebond» jouit de moins de pouvoir.

Sous Jean Lesage, il n'y avait pas que ceux qui arrivaient tôt au bureau qui parvenaient à s'attribuer plus d'autorité dans l'exercice du pouvoir réel de conception et de gestion des politiques. Il fallait surtout s'arranger pour graviter dans l'entourage du Premier ministre. Au moins deux exemples de l'époque illustrent bien ce trait capricieux du leadership de M. Lesage. Conseiller en télévision au Bureau du Premier ministre, Maurice Leroux avait son oreille et jouissait d'une influence qui dépassait de loin les limites de sa compétence. Au cours de la même période, Guy Gagnon, à titre de secrétaire des comités interministériels et de secrétaire politique du Premier ministre, fut un des conseillers les plus écoutés — le seul d'ailleurs à être admis aux réunions du Cabinet. L'un après l'autre, M. Leroux en 1964 pour devenir directeur des relations publiques et M. Gagnon en 1965 pour assumer la coordination des activités du parti, ils furent tous deux rapatriés au secrétariat de la Côte Sainte-Catherine à Montréal. Dès lors, ne faisant plus partie de l'entourage immédiat, ils perdirent l'essentiel de leur influence auprès du Premier ministre.

L'insécurité s'est avérée, également, un facteur important dans le leadership que pratiquait Jean Lesage. Lorsque les Kierans, Lévesque, Aquin et Leroux se mirent à contester en 1965 les ralentissements de la Révolution tranquille, du même coup, les conseillers partisans, René Arthur, Claude Ducharme, Henri Dutil, Raymond Garneau et Guy Gagnon retrouvèrent leur influence.

Cette «insécurité» dont parlait Claude Ryan, un observateur de l'époque l'a traduite par l'image suivante: M. Lesage organisait le petit groupe de gens dont il recherchait les avis «comme un cuisinier suédois prépare un smorgasbord». Du point de vue de la gestion et de la mise en marche des objectifs, trois caractéristiques semblent en découler: un «éparpillement des avis» que MM. Lesage et Kennedy recevaient, «un dédoublement des efforts» et un «relâchement de l'organisation» [26] qui, dans le cas de la Révolution tranquille, aboutit à «tant d'embouteillages que M. Lesage perdit le contrôle intellectuel du Conseil des ministres». [27] Tout en retenant plusieurs aspects de ce diagnostic, on doit peut-être le nuancer quelque peu avant de faire part de la thèse adverse. Ce premier diagnostic paraît en effet faussé par le parallèle trop rigide entre la première année de l'administration Kennedy aux États-Unis et les années 1960-1966 au Québec. Kennedy mettait l'accent sur de larges options lorsqu'il soumettait le problème à ses «conseillers disparates»; il voulait ainsi intervenir très tôt dans le processus décisionnel. C'est par la suite qu'il ne formulait pas son propre jugement face à des avis partiels ou contradictoires. M. Lesage, lui, ne formulait pas lui-même les «options», il n'intervenait pas «très tôt, au stade où les options ne sont pas encore cristallisées»; [28] les ministres du «super-cabinet» et leurs conseillers techniques formulaient eux-mêmes les options.

Le Président Kennedy a en outre rejeté cette argumentation; selon lui, les déficiences de la Baie-des-Cochons tenaient au choix particulier de tel ou tel conseiller et non pas au type d'organisation des structures de décision. [29] L'action, les réformes «allaient à l'encontre d'un trop bon ordre administratif», disait-il. À ce titre, consciemment ou inconsciemment, les méthodes de gestion de M. Lesage se rapprochaient de celles de John Kennedy: conserver sa souplesse par rapport au groupe de gens dont l'un et l'autre suscitaient les avis, faire des ministres et de leurs hauts fonctionnaires des individus responsables, et restituer à la vie du parti le piment du jugement humain. [30]

Cette thèse, plus favorable, se fonde sur les dangers des structures militaires: si le Premier ministre s'appuie uniquement sur les avis d'un seul conseiller en matières économiques, d'un seul autre en matières sociales et ainsi de suite (voire, si tous les avis doivent être filtrés et disséqués par un seul adjoint principal — quel que soit son titre officiel), alors il dépend totalement des avis d'une seule personne et en devient en quelque sorte le prisonnier. Ainsi, suivant un tel type de gestion, les conseillers gouvernent le Premier ministre!

---

26. Hans J. Morgenthau, «Failure and Challenge», *The New Leader*, 3 juillet 1961.
27. Peter Desbarats, *René Lévesque*, p. 121.
28. Richard Neustadt, *Les pouvoirs de la Maison Blanche*, p. 9.
29. Conférence de presse du 28 juin 1961.
30. Douglass Cater, *Qui gouverne à Washington?*, p. 107.

Bref, M. Lesage pourrait répondre que les structures hiérarchiques et le trop bon ordre administratif ont eu tendance, sous Dwight Eisenhower, de 1952 à 1960, et Richard Nixon, de 1968 à 1974[31], à scléroser l'imagination créatrice.

Mais, en fin de compte, c'est par tempérament, semble-t-il, que M. Lesage était sans cesse en quête de moyens et d'hommes nouveaux pour le conseiller; ce n'est qu'en matière de finances publiques qu'il formait son propre jugement. [32]

c) *Le pouvoir des publicitaires sous Lesage*

La troisième dimension des activités du Premier ministre concerne ses liens avec l'électorat, la communication qu'il établit avec la population du pays. C'est là un secteur, une discipline qui s'est peu à peu développée au Québec au cours de cette décennie, grâce à la popularité grandissante d'un médium super-puissant, la télévision.

Depuis 1960, la télévision rejoint la majorité des foyers du Québec et constitue le passe-temps favori de millions de citoyens-électeurs. Au début de la décennie, cependant, les spécialistes en publicité partisane ne maîtrisaient pas encore ce médium et ne l'utilisaient d'ailleurs que dans de grandes occasions. Jusqu'à la fin de la décennie, la presse écrite est demeurée le véhicule privilégié des politiciens et de la publicité partisane. Aussi, c'étaient, de préférence, les manchettes des quotidiens que les leaders politiques visaient particulièrement.

Un aspect particulièrement frappant des années 1960-1964, c'est le pouvoir réel mais limité qu'ont exercé les spécialistes en publicité. Au début, en 1959-1960, ce sont des organisateurs politiques, Gérard Brady, Maurice Sauvé, Claude Ducharme qui façonnaient la publicité du parti. Au moment de la campagne de 1960, des spécialistes en communication et publicité, Guy Gagnon et Jean-François

---

31. Voir l'appendice II de ce livre.
32. Avant son arrivée au pouvoir — durant les années 1958-1959 —, trois hommes eurent une influence sur le contenu des discours de Jean Lesage et contribuèrent à leur rédaction: MM. Maurice Lamontagne, Jean-Louis Gagnon et Jean-Marie Nadeau. Durant la campagne électorale de 1960, M. Claude Morin était le cerveau. C'est lui qui écrivait les discours de M. Lesage; il constituait un *brain trust* à lui tout seul. Jean Bienvenue le remplaçait parfois lors de la rédaction de certains discours. C'est d'ailleurs une caractéristique importante de M. Lesage: s'il pouvait «rendre» un discours mieux que quiconque au Québec, il était apparemment incapable d'en écrire ne serait-ce que le plus petit paragraphe.

Pelletier, ainsi que Mme Florence Martel, se joignirent à eux. Mais à cette époque, la publicité et la projection de l'image du parti ou du programme électoral ne constituaient que l'un des secteurs d'activité des «faiseurs d'élections».

Avec l'arrivée de Maurice Leroux, au début 1960, comme «spécialiste en télévision» auprès du Premier ministre Lesage, on reconnaissait pourtant, pour la première fois, le rôle fondamental que la télévision jouerait dans la vie politique québécoise. Mais on n'y croyait certes pas au point de concevoir toute la campagne, voire toute l'activité gouvernementale en fonction de ce médium; ce n'est qu'en 1970 que l'on «fabriquerait» un Premier ministre à partir d'un studio de télévision. Citons des éléments qui révélèrent, de 1960 à 1964 environ, le pouvoir réel mais limité de Maurice Leroux et des nouvelles techniques de marketing empruntées aux Américains.

Maurice Leroux fut engagé, aux frais du parti et non du gouvernement, comme technicien, comme spécialiste d'un médium nouveau en politique, la télévision. Il avait travaillé, de 1955 à 1960, comme réalisateur à Radio-Canada; il avait, en particulier, porté à l'écran *le Survenant* de Germaine Guèvremont. Il n'était pas un militant libéral et il l'avait dit à M. Lesage «Je suis un socialiste». Ce dernier avait uniquement besoin qu'on l'aide à passer l'écran, lui avait-il répondu; sa conception de la société importait peu. Auparavant, M. Lesage avait demandé l'aide du Père Émile Legault, qui lui faisait beaucoup de reproches mais ne lui disait guère quoi faire devant les caméras.

Au tout début, c'est Maurice Sauvé qui s'était offert pour piloter M. Lesage dans les studios de télévision. Mais le style bulldozer, les reproches brusques de M. Sauvé eurent tôt fait de traumatiser le chef libéral qui ne pouvait plus le supporter et préférait se débattre seul devant les caméras. Puis, ce fut finalement Maurice Leroux qui fut d'abord chargé de réaliser les émissions *Lesage vous parle*, où sa présence modifia ou accentua deux attitudes caractéristiques de M. Lesage. Comme tous les politiciens des années 1950, M. Lesage avait tendance à parler fort à la télévision, à projeter sa voix comme il le faisait sur les «hustings». Dans un vaste studio, il oubliait de donner l'allure d'une conversation avec des amis assis dans leur salon. Leroux s'aperçut rapidement du problème et suggéra de tourner le décor pour que M. Lesage soit assis face à un mur rapproché; cela lui donnerait l'effet d'une petite pièce de la maison dans laquelle il dialoguerait avec des amis. Par ailleurs, on exploiterait le talent de M. Lesage à jouer avec les chiffres. Ce goût, évoqué au chapitre précédent, M. Lesage le révéla à maintes reprises au tableau noir durant les émissions que Leroux produisit, additionnant ou soustrayant selon les besoins de l'exposé — techniques qui contribuèrent à donner l'image d'un leader qui «passe l'écran», qui communique son message aux téléspectateurs.

Cet atout contribua à sa réélection en 1962. Durant le célèbre débat télévisé du 11 novembre, quarante-huit heures avant l'élection, son aisance, sa tactique (cherchant à s'adresser aux électeurs et non à M. Johnson, et tentant plutôt de mettre ce dernier en colère) étaient empruntées aux débats Kennedy-Nixon de 1960, qu'il avait visionnés en compagnie de MM. Leroux, Ducharme et Sauvé.

Le rôle de Maurice Leroux devint plus controversé lorsqu'il assuma la direction des relations publiques de la F.L.Q. et quitta Québec pour Montréal. Il chercha alors à faire jouer l'influence du marketing dans le choix des politiques gouvernementales. Le film qu'il produisit, *Jeunesse: Année zéro*, soulignait la désapprobation des jeunes à l'égard des politiques et de la personnalité même de M. Lesage. Ce film voulait éveiller les consciences libérales; Leroux avait recommandé qu'une législation touchant les jeunes et une autre touchant la politique familiale soient votées avant les prochaines élections*. Le film fut pourtant mal accueilli des militants libéraux, et fut plutôt perçu comme alimentant le conflit croissant entre la commission politique et les éléments plus traditionnels du parti. Maurice Leroux se joignit, comme François Aquin, à ceux qui contestaient de l'intérieur le gouvernement Lesage.

Peu après la victoire de l'Union nationale, on fit savoir à Leroux que le Premier ministre Johnson voulait discuter avec lui d'un emploi. Et, de dire Maurice Leroux, lorsque je me suis présenté à l'adresse indiquée, c'est Jean Loiselle qui m'a ouvert la porte!

L'anecdote est révélatrice de l'influence qu'ont exercée les conseillers en publicité (Leroux, «Gaby» Lalande, Loiselle...) durant cette première décennie. Pourtant, si ce pouvoir fut bien réel de 1960 à 1965, il fut néanmoins limité, confiné au secteur de la commu-

---

* En 1974 alors qu'il était devenu cinéaste «free lance» (selon son expression), M. Leroux voulut utiliser la même technique pour faire prendre conscience au Premier ministre Bourassa de l'hostilité grandissante à l'égard de ses politiques — ou plutôt à l'égard de l'absence de politiques. Il aurait même voulu insérer au sein de ce film couleur des extraits noir et blanc de son film *Jeunesse: Année zéro* pour mieux faire comprendre au Premier ministre le sens de sa démarche. M. Leroux ne put cependant pas trouver les fonds nécessaires à la production de ce film.

nication avec l'électorat et de la vulgarisation des politiques sans se substituer à ce processus de création de nouvelles politiques. Nous donnerons ici, également, des éléments qui illustrent, cette fois, les limites du pouvoir des conseillers en publicité.

En septembre 1962, Maurice Leroux (conseiller en télévision du Premier ministre) apprit après tout le monde que des élections générales auraient lieu le 14 novembre. Il n'avaient pas assisté à la réunion du Lac-à-l'Épaule. Guy Gagnon avait été rappelé de vacances pour préparer les militants à l'idée d'une élection; mais comme rien n'avait vraiment filtré entretemps, c'est avec stupéfaction que Leroux reçut le coup de fil du Premier ministre, tôt le matin, le samedi suivant la fête du Travail. Il était huit heures, Leroux était en train de prendre un bain, et lorsqu'il prit l'appel, c'était le Premier ministre qui lui annonçait qu'il était entré la veille à l'hôpital. Une seule idée vint à l'esprit de son conseiller: M. Lesage a été victime d'une crise cardiaque! «Non, non», le rassura le Premier ministre; c'était un «check up» normal avant les élections générales «qui auraient lieu dans deux mois, le 14 novembre». En si peu de temps, les techniques de marketing ne peuvent guère s'appliquer. Il faut en effet quelque dix-huit mois pour faire prendre conscience aux gens d'un besoin et pour leur faire désirer un programme et une équipe qui satisferont à ce besoin (le thème majeur de la campagne, la nationalisation de l'électricité, avait cependant été évoqué par le ministre René Lévesque depuis plus de dix-huit mois). En deux mois, l'efficacité de Leroux fut plutôt utilisée pour la préparation du «décor» d'un débat télédiffusé dont on avait confié l'organisation à Guy Gagnon. Comme le dira plus tard M. Lesage, ses conseillers lui avaient suggéré de tenter de mettre son adversaire en colère. Lorsque M. Johnson mordit à l'appât[33], M. Lesage sut qu'en termes d'image présentée à l'électorat, c'est lui qui avait gagné le débat. Ainsi, le rôle des conseillers en publicité avait consisté à suggérer des techniques — un débat télévisé; mais lorsque la décision de «faire des élections» sur le thème de la nationalisation de l'électricité avait été prise, Maurice

---

33. Extraits du débat Lesage-Johnson, reproduits dans Mario Cardinal *et al.*, *Si l'Union nationale m'était contée*, Boréal Express, 1978, pp. 50-51: (Jean Lesage) — Or, qu'est-ce que disent les commissaires? — et je me fie à eux. Ils disent bien que M. Daniel Johnson a acheté 150 unités, soit la valeur de $21,000 à $140 l'unité... chez Forget... (Daniel Johnson) — C'est faux... (Raymond Charette, modérateur du débat) — Monsieur Johnson — Je m'excuse, Monsieur Lesage —, Monsieur Johnson vous avez accepté de vous conformer à la procédure, les échanges... (Daniel Johnson) — Et non pas de laisser répéter des faussetés. J'ai donné ma parole. Et c'est faux... (Raymond Charette) — Monsieur Johnson, je vous rappelle à l'ordre s'il vous plaît.

Leroux n'était même pas présent à la réunion du Lac-à-l'Épaule. En somme, le choix de la date de l'élection et de son thème majeur échappa totalement au spécialiste en télévision du Premier ministre.

Enfin, lorsque plus tard M. Leroux quitta Québec pour assumer à Montréal ses nouvelles fonctions de directeur des relations publiques de la F.L.Q., non seulement son pouvoir réel diminua-t-il du fait de son éloignement du Bureau du Premier ministre, mais aussi parce qu'il s'aligna avec les réformistes (ou les contestataires, selon les points de vue) contre les éléments plus traditionnels au sein de la Fédération libérale. Il se servit de son nouveau poste pour embaucher d'autres relationnistes qui contesteraient le gouvernement de l'intérieur. La tension devint tellement grande, en 1964 et 1965, que Leroux fit changer les serrures de son bureau et de ceux de ses alliés, de sorte que les femmes de ménage (ou toute autre personne) ne pouvaient y pénétrer.

En fait, Maurice Leroux quitta le parti libéral un an avant l'élection de 1966; celle-ci fut menée par M. Lesage qui sembla faire campagne seul et être, par conséquent, mal conseillé à la fois dans sa stratégie de marketing et dans la rédaction de ses discours. Les sondages révélaient en effet qu'il était moins populaire auprès des électeurs que MM. Lévesque, Kierans, ou Gérin-Lajoie; et pourtant, en termes de projection d'image (photos officielles, visites des circonscriptions), l'accent était mis sur lui seul, sur le chef du gouvernement, plutôt que sur l'équipe ou le programme du parti comme ce fut le cas en 1960 et 1962.

Ce que l'on retient des années 1960-1966, c'est la présence de groupes disparates avec lesquels le Premier ministre Lesage devait composer. Ces groupes vinrent au parti libéral à cause de leur opposition au régime de Maurice Duplessis, mais souvent pour des raisons diverses et surtout à des moments bien différents les uns des autres. Certains militaient dans le parti libéral bien avant que M. Lesage ne vienne d'Ottawa; d'autres n'apparurent qu'après avoir pris connaissance du programme du parti en 1959-1960. Malgré l'amitié qu'il vouait à certains de ces groupes ou individus (Bona Arsenault, le Premier ministre Pearson, Claude Ducharme) plus qu'à d'autres, M. Lesage n'hésita pas à recourir aux avis d'Éric Kierans, des « rêveurs » et d'un conseiller en télévision qui se décrivait comme socialiste! En somme, de 1960 à 1964 environ, Jean Lesage réussit à établir un équilibre bénéfique entre ses trois groupes de conseillers (partisans, concepteurs et communicateurs).

TABLEAU I

Principaux conseillers du Premier ministre Jean Lesage

Conseillers partisans:
Claude Ducharme, avocat de pratique privée
Arthur Dupré, commerçant
Bona Arsenault, député
Guy Gagnon, cadre permanent du parti et fonctionnaire au conseil exécutif
Henri Dutil, cadre permanent du parti
Antoine Geoffrion, trésorier du parti

Concepteurs de politiques:
Paul Gérin-Lajoie, ministre
René Lévesque, ministre
Pierre Laporte, ministre (1961-1966)
Éric Kierans, ministre (1963-1966)
Claude Morin, professeur puis sous-ministre
Maurice Sauvé, cadre permanent du parti (1960-1962)

Communicateurs:
Maurice Leroux, conseiller en télévision au Bureau du Premier ministre et cadre permanent du parti.

TABLEAU II

Le pouvoir exécutif à Québec en 1964

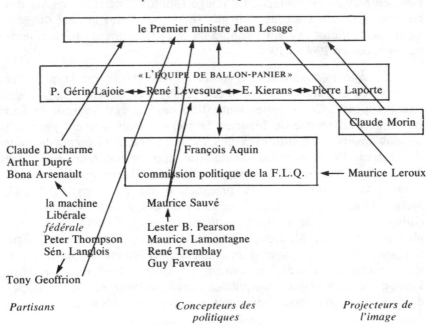

le Premier ministre Jean Lesage

« L'ÉQUIPE DE BALLON-PANIER »
P. Gérin-Lajoie — René Lévesque — E. Kierans — Pierre Laporte

Claude Morin

Claude Ducharme
Arthur Dupré
Bona Arsenault

François Aquin
commission politique de la F.L.Q. — Maurice Leroux

la machine   Maurice Sauvé
Libérale
fédérale   Lester B. Pearson
Peter Thompson   Maurice Lamontagne
Sén. Langlois   René Tremblay
                     Guy Favreau
Tony Geoffrion

Partisans   *Concepteurs des*   *Projecteurs de*
                     politiques   *l'image*

DEUXIÈME CHAPITRE

LE VRAI POUVOIR SOUS DANIEL JOHNSON (1966-1968)

Les historiens pourront-ils juger adéquatement le bref passage au pouvoir de Daniel Johnson? Ce dernier mourut deux ans à peine après son élection au poste de Premier ministre, et durant ces années 1966-1968 il fut souvent malade et dut alors prendre du repos hors du Québec. Les gens intéressés par l'étude du pouvoir gardent, pour leur part, une certaine fascination devant la pratique du vrai pouvoir durant ces deux années.

Beaucoup d'anglophones ont décrit Daniel Johnson comme un crypto-séparatiste; beaucoup d'intellectuels québécois l'ont dit vendu au capitalisme américain. Ce que l'analyse du pouvoir met pourtant en lumière, c'est plutôt une recherche du «faisable» de la part de M. Johnson. Une telle analyse oblige à nuancer les opinions émises par ces anglophones ou intellectuels. Johnson dut lutter contre son propre parti pour faire progresser plusieurs dossiers, refaire son image personnelle du tout au tout, et convaincre les hauts fonctionnaires que sa conception de l'activité étatique correspondait à la leur. Au contraire des libéraux de 1960, l'Union nationale de 1966 n'avait pas cinq ou dix ans de recul sur lesquels s'appuyer. Sauf aux plus chauds partisans de «l'Union nationale à papa», Johnson voulait plutôt faire oublier ces années. Il revenait lui-même de loin.

a) L'Union nationale de Daniel Johnson (1966-1968)

Ce qui caractérise la période où M. Daniel Johnson et son équipe furent au pouvoir, c'est le souci de conserver l'équilibre entre les conseillers technocratiques et les partisans: c'est-à-dire, en fait, de privilégier, au contraire de la période libérale précédente, la culture politique du parti, des militants. Ceci se manifesta très tôt, de deux façons en particulier: le parti et M. Johnson ne voulaient plus que se répète «l'affaire des faux certificats» de 1962; et la dimension partisane, le souci de consulter constamment les militants devinrent une sorte d'institution avec la présence de Me Mario Beaulieu au plus haut niveau de l'Exécutif — d'abord comme chef de Cabinet du Premier ministre, puis comme sous-ministre au Conseil exécutif.

Dès les premiers mois, voire les premiers jours, qui suivirent le retour au pouvoir de l'Union nationale à l'été de 1966, on parla surtout, en coulisses, des réformes administratives à apporter au ministère de la Justice, de la création d'un poste d'ombudsman, de la protection des droits des individus. Sous-jacente à ces discussions de réformes on trouvait l'affaire, en apparence lointaine, des faux certificats de 1962.

En pleine campagne électorale, à onze jours du scrutin de novembre 1962, un sac de voyage contenant 4 000 faux certificats d'électeurs était retrouvé dans un casier de la gare Windsor — le casier 5-T-7 de la consigne automatique.[1] Le sac contenait deux colis adressés aux candidats de l'Union nationale Paul Dozois et Edgar Charbonneau, aux soins de M. André Lagarde, l'organisateur-en-chef du parti pour les cinquante-cinq comtés de la grande région de Montréal. M. Lagarde fut arrêté, mais son enquête préliminaire n'eut lieu qu'en janvier 1963, deux mois après l'élection; il fut libéré, le juge ayant noté «l'absence totale de preuve».[2] Le parti croit qu'il a perdu l'élection à cause de ce qu'il a appelé un «coup monté». Dans son ouvrage publié en 1964, M. Lagarde met clairement en cause Me Jean-Paul Grégoire, qu'il décrit comme «organisateur-en-chef du parti libéral pour le district de Montréal».[3]

Des sondages révèlent que l'Union nationale avait entrepris la campagne électorale en talonnant de près les libéraux. Certains, effectués pour le compte de l'Union nationale par l'équipe du Centre de psychologie et d'orientation que dirigeait M. Gérard Désautels, plaçaient les candidats unionistes en tête. D'autres, réalisés par M. Gérard Brady de la F.L.Q. mettaient en évidence les difficultés des libéraux. Il est difficile de démontrer que ce seul «coup monté» ait fait tourner le vent et reporté les libéraux au pouvoir*. Il est

---

1. M. André Lagarde a donné sa version de tous ces événements dans son livre *Le scandale des faux certificats. La clé du casier 577*, Laval des Rapides, La Compagnie de publication LeSieur Ltée, 1964, 160 p.
2. On comparera, à la fin de ce chapitre l'impression donnée d'une part par la page frontispice de *La Presse* du 3 novembre 1962 et, d'autre part, par le jugement du tribunal.
3. pp. 112-113 du livre de M. Lagarde.
* Résultats de l'élection de novembre 1962: Libéraux: 63 sièges
U.N.   : 31
Indépendant : 1
—————
95 sièges

clair cependant qu'en 1966, M. Johnson et les principaux responsables
de son parti baignaient dans cet environnement partisan : bien que les
dirigeants de l'Union nationale eussent été «lavés» de toute accusa-
tion par la Cour, ils avaient pourtant beaucoup souffert de cette
atteinte à leur réputation. Ces souffrances les avaient rapprochés les
uns des autres. Il ne s'agissait pas de faire subir le même sort aux
libéraux, mais il n'était pas question non plus de gouverner sans les
militants unionistes. L'influence de ces événements de 1962 marqua
l'arrivée au pouvoir de M. Johnson. Non, il n'y aurait pas de vendetta
sous son gouvernement, s'était-il promis ; pas d'enquête Salvas pour
salir d'autres réputations. Mais les citoyens persuadés que la machine
de l'État avait terni leur réputation auraient des possibilités de recours. En ce sens, ces événements dominaient encore le climat politique de 1966 ; ils révélaient l'influence partisane sur le siège du
pouvoir.

Le principal conseiller de M. Johnson était Me Mario Beaulieu. M. Johnson lui avait demandé, deux ans plus tôt, d'entreprendre
à plein temps la restructuration du parti. Lors de la victoire, il en fera
son chef de Cabinet ; mais, plus tard, il le nommera sous-ministre
au ministère du Conseil exécutif (dont le titulaire était M. Johnson
lui-même), ce qui permettra à l'œil partisan[4] de scruter tout ce que le
gouvernement avait pour mission de gérer. Me Beaulieu logeait à
Québec, dans la suite du Premier ministre, au Château Frontenac.
Il fut associé à la plupart des décisions que prit «seul» M. Johnson
(il est très difficile d'identifier et d'isoler l'œuvre de chacun).

Son influence provient d'abord de son rôle dans le choix des
candidats du parti : il a choisi personnellement quelque soixante
candidats. Lors de la campagne électorale, il les avait virtuellement
«dans sa poche». Ayant lui-même été candidat en 1962, il savait que
les candidats, à force d'être adulés, se prenaient «pour des prima
donna» (c'est sa propre expression) ; il leur téléphonait souvent, leur
réaffirmait combien importante était pour l'Union nationale une victoire dans leur comté. En 1966, des 56 élus, 36 étaient des néophytes.
La plupart des membres du caucus du parti continuèrent ainsi à
vouvoyer Me Beaulieu et même à l'appeler «Monsieur», ce qui semblait l'agacer passablement : la plupart des députés étaient en effet
plus âgés que lui.

On dénote tout de suite le contraste avec la période précédente.
Chez les libéraux de 1960, les associations locales avaient été libres

---

4. Me Beaulieu demeurait directeur général du parti. L'adjectif « partisan », répétons-
le, ne revêt aucune connotation péjorative.

de choisir leurs candidats. Certaines têtes d'affiche, M. René Lévesque par exemple, s'étaient associées au programme du parti, mais la culture partisane ne faisait pas partie de leur environnement. Les principaux cadres permanents du parti, M. Gérard Brady en particulier, ne « dérangeaient pas » le Premier ministre Lesage à tout propos. Comme il disait si bien, il « savait que le Premier ministre avait autre chose à faire ». La culture partisane au gouvernement du Québec, en 1966-68, était tout autre.

La plupart des députés avaient d'abord été choisis personnellement par l'alter ego du Premier ministre ; puis M. Johnson avait ratifié ce choix après une rencontre avec l'individu. Ensuite seulement, une convention de comté ratifiait ce choix. Puis, la culture partisane fut instituée au Conseil des ministres par l'entrée de quelques vieux militants vibrant au même diapason que les masses populaires. Le Premier ministre consultait par ailleurs régulièrement un certain nombre de conseillers partisans aux quatre coins du Québec, militants de longue date du parti dans les diverses régions. Et il nomma même aux postes de sous-ministres adjoints de différents ministères un certain nombre de technocrates partageant sa culture politique [5] et pénétrés de l'ambiance dans laquelle baignait son parti en 1966.

Voilà donc quatre éléments de la culture partisane des années de pouvoir de l'U.N., de 1966 à 1968. Le parti décida, en 1966, de mener la lutte comté par comté. Le contenu du programme électoral ne ferait pas partie des techniques de marketing : il s'agissait plutôt, circonscription par circonscription, de vendre à l'électorat un candidat qui refléterait le plus fidèlement possible les caractéristiques idéologiques de cette population — dans Kamouraska, par exemple, un conservateur rétrograde, dans L'Assomption au contraire, un notable progressiste. M. Beaulieu se rendit sur place pour tenter de dénicher ce candidat-miroir. Dans Hull, il se rendit en vain à plusieurs reprises. Dans Gatineau, il ne put trouver non plus. Dans l'île de Montréal, la répartition ethnique des circonscriptions posait un problème particulier. Dans Saint-Henri par exemple, même si la circonscription compte une bonne partie d'Italiens — 40 p. c. des votes unionistes, disait Me Beaulieu —, la majorité est d'origine québécoise francophone. Or, le nom du candidat mentionné par plusieurs, Camille Martellani, était clairement d'origine italienne, même si personne parmi ses informateurs ne mentionnait cette caractéristique. Me Beaulieu anticipait une défaite si le candidat était Italien ; par contre, s'il

---

5. On définit la culture politique comme étant l'ensemble des idéologies, des attitudes politiques et des croyances socio-politiques émotives d'une société.

était Canadien-français de nom italien, il pourrait recueillir les votes des deux groupes ethniques. Il se rendit donc lui-même dans Saint-Henri, et dans plusieurs restaurants du coin, en prenant un café ou achetant des cigarettes, il amorçait ainsi la conversation :

— Martellani, le gars qui veut se présenter aux élections, c'est-y un Canadien ?

— Ah, j'sais pas, mais il parle comme nous autres.

— Ah, il parle comme nous autres ?

Le hochement de tête indiquait l'intégration du candidat dans la famille québécoise, il parlait québécois sans accent ! Élu député, ce candidat se souviendra qu'il n'aurait pas été choisi sans ce « spot checking » (vérifications sectorielles) du futur chef de cabinet du Premier ministre. Dans soixante comtés, le processus fut le même.

L'ambiance partisane fut de plus instituée au sein même du Cabinet. À côté de ministres choisis pour administrer ou concevoir de nouvelles politiques, quelques-uns furent nommés pour contrebalancer le contenu trop technocratique de certains projets. Ces ministres, MM. Edgar Charbonneau et Francis Boudreau par exemple[6], rencontraient soixante personnes par jour à leurs bureaux. Ils gardaient un contact intime avec leurs électeurs, de sorte qu'ils sauraient tout de suite que tel projet de loi était incompris ou mal reçu du « petit peuple » (l'expression est de M. Johnson): au conseil des ministres, ils le diraient. Et M. Johnson les écouterait. En fait, ces ministres ne parleraient pas souvent lors des conseils des ministres ; mais lorsqu'ils le feraient, le Premier ministre tiendrait compte de leurs commentaires. Cet équilibre entre les conseillers technocratiques et ces conseillers partisans n'implique cependant pas que M. Johnson ait offert des postes de ministres à tous les vieux députés du parti ; seuls quelques-uns entrèrent au Cabinet pour éviter les trop grands « bonds en avant », une erreur des libéraux que M. Johnson s'était promis de ne pas répéter. M. René Bernatchez par exemple, député de Lotbinière depuis 1944 et frère du général Bernatchez, ne fut pas nommé. Le soir de l'assermentation du Cabinet en 1966, Mme Bernatchez avait dit au Premier ministre: « M. Johnson, vous êtes un ingrat. » Elle n'avait pas compris en quoi MM. Charbonneau et Boudreau, conseillers partisans, servaient de contrepoids dans l'exercice du pouvoir exécutif. Mais deux ministres de ce type suffisaient.[7]

---

6. Âgés de 65 et 64 ans respectivement, ils étaient les doyens du Cabinet de 21 ministres.
7. Le jour de l'assermentation du Cabinet, le Premier ministre avait « piqué une crise », brève mais reflétant bien son ascendance irlandaise ! Deux de ses conseillers avaient expliqué que Mme Bernatchez venait de lui faire sa remarque. La

M. Johnson, en effet, comptait en outre sur tout un réseau informel de conseillers dans les régions. Le pouls du Québec, de l'environnement politique, M. Johnson le recueillait certes lors des caucus du parti; mais les députés étaient un peu irrités d'apprendre que le Premier ministre avait également téléphoné à tel ou tel vieux militant de l'Union nationale de son comté — par exemple, M. Roger Dugré dans la circonscription de M. Jérôme Proulx à Saint-Jean. M. Dugré avait été l'associé du ministre Paul Beaulieu dans leur bureau de comptables agréés, M. Johnson le connaissait depuis vingt-cinq ans. Il effectuait de cette façon des dizaines de coups de téléphone, deux ou trois avant-midis par semaine, de sa suite du Château Frontenac.

La culture politique de l'Union nationale, son idéologie, se retrouvent même enfin dans une série de nominations effectuées en novembre 1966 aux plus hauts niveaux de la fonction publique. Non pas pour limoger les hauts fonctionnaires de la Révolution tranquille: ceux-ci s'aperçurent que M. Johnson et eux visaient essentiellement les mêmes objectifs et ils demeurèrent à leurs postes. Mais il s'agissait de «contrebalancer leur influence», titrait La Presse[8] en faisant état d'une douzaine de nominations. Celles du ministère d l'Éducation en particulier paraissaient à l'image de la façon de procéder de ce gouvernement. Le même jour, on nommait sous-ministres adjoints MM. Jean-Marie Beauchemin et Yves Martin. Le premier avait agi jusque-là comme secrétaire de la Fédération des collèges classiques, qui s'était montrée inquiète du rythme des réformes et de leur nature radicale. Sa nomination avait pour but de ralentir les moteurs et de rassurer ce secteur. Mais, comme plusieurs hauts fonctionnaires auraient sans doute remis leur démission plutôt que de servir sous M. Beauchemin, on nommait également M. Martin, jusque-là directeur général de la planification au ministère de l'Éducation et l'un des artisans des réformes.

L'association de cette culture politique propre à l'Union nationale et des grandes réformes des technocrates constitue sans doute l'une des réalisations majeures des deux années de pouvoir de M. Johnson. Le pouvoir, aimait-on à penser, n'appartenait ni totale-

---

tradition parlementaire québécoise voulait que tous les plus anciens députés obtiennent en priorité des postes de ministres. M. Johnson avait visiblement été blessé de la remarque de Mme Bernatchez.
Ce soir-là, il ne fallait pas lui marcher sur les pieds... ou lui demander ce qu'il pensait du serment que MM. Marcel Masse et Jean-Noël Tremblay venaient de prêter à Sa Majesté la Reine!

8. Pierre O'Neill et Gilles Daoust, «L'U.N. veut contrebalancer l'influence de la révolution tranquille», La Presse, 26 novembre 1966, p. 9.

ment aux mandarins, ni totalement aux « patroneux ». De façon presque symbolique, M. Johnson citait le cas du « chemin du Roy » de 1967 comme la meilleure façon d'exercer le pouvoir, comme le meilleur exemple de ces contrepoids. Il tenait à ce que l'accueil du Québec au Général de Gaulle soit hors de l'ordinaire ; il n'était pas encore revenu de la splendide réception qu'avait offerte le Général au Premier ministre et à sa suite à Paris, quelques semaines plus tôt. Il s'agirait, le long du chemin du Roy, d'intégrer la dimension de l'accueil du peuple à celle, plus technocratique, de l'État québécois utilisant cette visite pour marquer des points sur le plan constitutionnel et sur le plan international. L'organisation matérielle du parcours le long du Saint-Laurent avait été confiée conjointement à MM. André Patry et Maurice Custeau. À la demande personnelle du Premier ministre, Me Patry, chef du protocole de l'État du Québec, grand technocrate, ancien professeur d'université, voulait par cette visite du Général créer des précédents sur le plan juridique, M. Maurice Custeau, ancien ministre de l'Union nationale, organisateur politique de longue date, ne frayait guère avec les mandarins. Ni l'un ni l'autre n'avaient accueilli avec enthousiasme l'annonce de leur travail conjoint. (« Sa-cra-ment, Mario, avait demandé M. Custeau à Me Beaulieu, Daniel est-il en train de perdre les pédales ? ») Le parcours de Québec à Montréal avait permis de constater en quoi les deux hommes se complétaient. M. Custeau avait téléphoné à son ami Maurice Bellemare qui avait pris en charge la grande région de Trois-Rivière. Des « petites gens » avaient été massées tout le long du parcours ; les débats constitutionnels ne les préoccupaient guère, mais ils voyaient en de Gaulle « un grand homme », disaient-ils, et leur député ou président d'Association de l'Union nationale leur avait demandé d'être présents sur la place de l'église lorsque le maire de leur village ferait son petit discours de bienvenue au Général. Ils verraient de Gaulle s'enthousiasmer à mesure que le périple progressait, appeler leur chef « mon ami Johnson », ils auraient l'impression de vivre un événement important, dont ils ne saisissaient cependant pas l'étendue. Cette autre dimension touchait le plus long terme et relevait de Me Patry et des hauts fonctionnaires. Un à-côté de cette journée, dira plus tard le Premier ministre, n'a pas fait la première page des journaux : ce sont les boutons de manchettes échangés par les deux organisateurs*, qui avaient appris à se connaître et à se respecter. Les deux dimensions de leur travail pouvaient être compatibles.

---

* Il s'agit apparemment des boutons de manchettes frappés du fleurdelysé stylisé dont Gaby Lalande avait eu l'idée et que M. Johnson avait offerts à tous ses ministres. Il offrit de tels boutons aux deux organisateurs du Chemin du Roy.

Dans quelques autres cas cependant, la dimension populiste s'est manifestée au sein du caucus, chez certains députés du parti. Et ce n'est pas, cette fois, par une collaboration des députés et des hauts fonctionnaires qu'un consensus a pu être atteint. M. Johnson avait été élu par moins de 41 p.c., des voix ; son assise électorale l'obligeait à composer continuellement avec ses interlocuteurs, et il n'obtenait finalement un consensus que grâce à son sens politique inégalé. Le meilleur exemple est le projet de loi 21, créant les CEGEP : l'opposition est venue des rangs unionistes, mais les députés réticents ont finalement approuvé le projet de loi. Car M. Johnson, contrairement à M. Bourassa plus tard, n'a jamais paru céder aux éléments les plus traditionalistes de son caucus. M. Bertrand risqua, lui, des défections en imposant les projets de loi auxquels il tenait. Les modes de consensus qu'ont utilisés les trois Premiers ministres paraissent plutôt différents, comme on le verra dans les chapitres suivants. L'environnement idéologique et partisan s'était fort modifié d'un Premier ministre à l'autre. On était en outre en présence de trois types de personnalité très différents.

M. Johnson avait fait la campagne de 1966 contre les réformes trop rapides, en particulier dans le domaine de l'éducation. Il s'en était néanmoins pris à quelques hauts fonctionnaires, dont le sous-ministre de l'Éducation, M. Arthur Tremblay. Plusieurs de ses candidats attaquaient la « laïcité » des réformes ; les Libéraux étaient « ceux qui avaient sorti les crucifix des écoles ». Le bill 21 fut déposé en commission parlementaire en juin 1967... et la dimension confessionnelle de ces nouvelles institutions n'était pas clairement garantie ! Mais la stratégie était simple : convaincre les députés les plus inquiets que le Premier ministre avait déjà ralenti les moteurs des technocrates les plus progressistes, et laisser M. Jean-Jacques Bertrand — perçu par les partisans comme l'intégrité même — réitérer son « intention ferme et profonde de ne rien enlever ni à la majorité ni à la minorité quant aux droits relatifs à la confessionnalité ou à la non-confessionnalité » [9]. Même les députés les plus récalcitrants votèrent finalement en faveur du projet. Deux ans plus tard, sous le gouvernement de M. Bertrand, le consensus ne fut pas atteint et le Dr Gaston Tremblay — leader des récalcitrants — quitta le parti pour une question similaire.

Du caucus des députés, et de façon plus générale du climat partisan, M. Johnson a saisi les limites, les « corridors idéologiques » de son action législative : certains projets de loi trop technocratiques

---

9. *Le Devoir*, 3 juin 1967, p. 1.

furent retirés, d'autres ne furent jamais déposés à l'assemblée ; d'autres, le bill 21 par exemple, durent subir divers amendements proposés par des députés du parti. Beaucoup, enfin, furent retardés de quelques mois, le temps d'en faire mieux saisir la substance par les militants. En fin de compte cependant, la culture partisane n'a pas eu raison des hauts fonctionnaires de la Révolution tranquille, qui perçurent chez M. Johnson les mêmes visées que les leurs. Dans sa situation de leader élu par une minorité, ne pas se trouver prisonnier ni de son caucus ni des technocrates paraît révéler un flair politique que lui reconnaissaient même ses adversaires.

b) *Des concepteurs en compétition*

Les deux années de pouvoir de Daniel Johnson présentent deux caractéristiques majeures, l'une ayant trait à la conception des politiques, l'autre au type de gestion administrative de l'appareil d'État. La conjonction de ces deux caractéristiques donne une bonne idée de « l'idéologie » de ce gouvernement — au sens donné plus haut de l'idéologie, c'est-à-dire ses engagements irréversibles pris en cours de route.

La conception des politiques s'est essentiellement effectuée par le Premier ministre en relation étroite avec les hauts fonctionnaires de la Révolution tranquille. Le Premier ministre Johnson, à la surprise générale, se montra dans certains secteurs en accord complet avec les sous-ministres.[10] La présence du Québec sur la scène internationale en constitue le meilleur exemple. Le sous-ministre Claude Morin décrira plus tard M. Johnson comme « un gars pas mal extraordinaire ». Le pouvoir des provinces dans la fédération canadienne demeura également un domaine où la position québécoise fut conçue par les sous-ministres en liaison étroite avec le Premier ministre et ses rares conseillers techniques — voire technocratiques : M. Jacques Parizeau, par exemple. Les ministres semblent à ce sujet d'une grande unanimité : pour la plupart, ils éprouvaient plus d'inquiétude que M. Johnson à l'idée de poser des gestes qu'Ottawa percevrait comme hostiles ; ils se révélaient moins favorables que les sous-ministres à l'idée d'instituer des liens entre le Québec et la francophonie. Cet accord du Premier ministre et des sous-ministres se révéla constant dans ces domaines. Par contre, M. Johnson mit

---

10. « Ceci provoquait à l'intérieur même du parti des déchirements, des incompréhensions qui laissent croire que M. Johnson, souvent, gouverne contre son propre parti. » Louis Martin, « L'U.N. sans Duplessis », *Le Magazine Maclean*, juin 1967, p. 16.

moins l'accent que son prédécesseur sur la présence de l'État dans les activités économiques; en ce sens — on le verra plus loin — il percevait que son électorat naturel, plus conservateur, ne l'appuierait pas dans ce secteur.

La gestion de l'appareil gouvernemental, l'exécution des politiques furent par ailleurs marquées d'une dimension «pragmatique» que l'on ne retrouvait guère durant les six années précédentes. M. Johnson avait parlé de la nécessaire combinaison des «huma nistes» et des «technocrates» dans le choix des personnes aux avis desquelles il recourait. Le technocrate articule les options qui se présentent à lui, pèse le pour et le contre du choix qu'il formule, et il y tient de façon toute rationnelle jusqu'à ce que ce choix devienne finalement la loi en la matière — c'est-à-dire au cours des trois lectures du projet de loi à l'Assemblée et durant toutes les audiences de la commission parlementaire à ce sujet. L'approche humaniste, au contraire, se fonde sur l'intuition. Elle s'appuie, certes, sur une certaine vision de la société, mais elle se traduit en geste politique et en loi, en tenant compte des revendications et des pressions qui se manifestent — par exemple, au cours des audiences de la commission parlementaire. [11]

M. Johnson recherchait systématiquement et de façon parallèle les avis de ces deux types de personnes: un homme d'une formation théorique — le sous-ministre — et un homme d'une formation plus pratique. Celui-ci, selon les circonstances, a pu être le notaire Marcel Faribault, l'homme d'affaires Paul Desmarais, l'administrateur Jean-Guy Cardinal (Trust Général du Canada): en général, un homme qui avait fait sa marque, rue Saint-Jacques, au sein du monde des affaires. C'est là un type de gestion que les spécialistes des systèmes politiques qualifient de «concurrentiel»: [12] le sous-ministre et l'éminence grise n'entrent pas en contact, ils ne se consultent pas, ils formulent des avis totalement indépendants l'un de l'autre.

Ce type de gestion s'appuyait en outre sur une qualité admirée chez M. Johnson: son «flair» politique. Comme le souligne le professeur Neustadt, parlant de la Présidence des États-Unis, «pour

---

11. Dans sa dichotomie, M. Johnson percevait Benjamin, alors étudiant en science politique, comme un «technocrate». C'est sans doute pourquoi, ce soir-là, au petit bar du Château Frontenac, il mit plutôt l'accent sur la nécessité de conseillers «humanistes» pour faire contrepoids aux hauts fonctionnaires. Ces derniers devaient cependant être des «technocrates», dans l'esprit de M. Johnson.
12. «L'universitaire demanda au président Kennedy quels seraient ses rapports avec l'autre collaborateur. La réponse fut brève et catégorique: «Aucun». Le président ajouta (...): «Je ne puis tout simplement pas me permettre de n'avoir qu'un seul «jeu» de conseillers».» D. Cater, *Qui gouverne à Washington*, p. 88.

découvrir un modèle général» de gestion gouvernementale il ne suffit pas d'analyser uniquement «la technique du (Premier ministre) en face d'une situation donnée», sa façon rationnelle de constituer les options, puis de formuler son choix. Que le Premier ministre «prononce les paroles qu'il faut à l'heure qu'il faut», qu'il donne le coup de téléphone judicieux le jour qu'il convient, qu'il s'informe à la personne pertinente pour tirer la conclusion acceptable au plus grand nombre, cela constitue également un atout chez un chef de gouvernement. [13] De l'avis de tous les observateurs, on retrouvait régulièrement cette habileté chez M. Johnson.

Cette volonté de ne pas gouverner sans les «humanistes» a néanmoins imposé des contraintes à ce type d'administration: elle a empêché l'accès de M. Arthur Tremblay au poste de secrétaire général du gouvernement et, de façon plus générale, elle a — au contraire de la Révolution tranquille — défini les balises de ce que Schlesinger a appelé «l'équilibre du pouvoir gouvernemental».

Le poste de secrétaire général du gouvernement ne fut pas créé sous M. Johnson. Celui-ci avait en quelque sorte confié ce rôle — avant le titre — à son chef de Cabinet et organisateur principal du parti, Me Mario Beaulieu, lorsqu'il le nomma au poste de sous-ministre au ministère du Conseil exécutif (dont le ministre titulaire était M. Johnson lui-même). Dans les projets de M. Johnson, cette création du poste de secrétaire général du gouvernement s'ajoutait à un autre aspect de la réforme gouvernementale qui ne se concrétisa pas non plus: la création de sept super-ministères. Six mois avant l'élection de 1966, M. Beaulieu avait convaincu M. Johnson de la nécessité de créer ces postes, devant «l'impossibilité de diriger n'importe quel conseil de direction de trente membres». Pourtant, quatre seulement parmi les élus de 1966 furent perçus susceptibles de gérer de tels mastodontes: MM. Johnson, Bertrand, Dozois et Bellemare, qui à eux seuls se réservèrent la quasi-totalité des ministères importants. Ce sont d'ailleurs moins les qualités de gestionnaires que recherchait M. Johnson que l'habileté à défendre ces ministères à l'Assemblée. On créa ainsi au sommet des structures informelles de super-ministères, sans que cet aspect ne devienne cependant, à aucun moment durant ces deux années, un élément primordial des réformes administratives. Ces structures témoignent plutôt de l'importance qu'attachait M. Johnson à la vie parlementaire, au moment où l'on prédisait que l'Opposition serait dévastatrice (MM. Lesage, Laporte, Gérin-Lajoie, Lévesque, Kierans, Wagner, etc.).

13. Neustadt, *Les pouvoirs de la Maison Blanche*, p. 102.

Un aspect plus marquant de ce type d'administration s'est manifesté dans les rapports qu'a entretenus M. Johnson avec quatre hauts fonctionnaires connus des journalistes sous le nom du « Cabinet noir » et qui avaient la réputation de faire trembloter un certain nombre de ministres: MM. Arthur Tremblay, Claude Morin, Roch Bolduc (Commission de la fonction publique) et Julien Chouinard. M. Johnson avait vigoureusement dénoncé, durant la campagne de 1966 l'influence technocratique (les instruits au pouvoir) qu'il décrivait comme non-démocratique. Ainsi, les concepts de planification, régionalisation, la « boîte à lunch » des jeunes écoliers et « le grand prêtre de l'athéisme » (Arthur Tremblay) avaient été dénoncés par M. Johnson ou ses partisans. Dès le lendemain de l'élection, M. Johnson nuança pourtant ses propos, refusa de réaffirmer que M. Tremblay serait remplacé et demanda à son nouveau ministre de l'Éducation, M. Jean-Jacques Bertrand, dans quelle mesure il pouvait travailler avec lui. [14] Peu à peu, après quelques semaines de discussions individuelles entre le Premier ministre et les hauts fonctionnaires, se répandit de bouche à oreille la nouvelle qu'ils acceptaient de demeurer à leurs postes. « Ils s'aperçurent que leur conception du Québec était également celle de M. Johnson », dira plus tard Mario Beaulieu.

En 1965, celui-ci avait quitté son cabinet de notaire pour deux ans. Il avait dit à M. Johnson qu'il consacrerait tout son temps au parti durant ces deux ans, mais qu'ensuite il devrait retourner à ses affaires. En 1967, il commença donc à évoquer cette possibilité avec M. Johnson. Il suggérait de scinder son poste en deux, en créant un poste de secrétaire général du gouvernement et un autre de secrétaire général du parti. Les deux hommes discutèrent non seulement de cette éventualité, mais aussi du choix de l'homme qui remplirait le mieux ce rôle. À mesure que M. Beaulieu faisait pression pour qu'un successeur soit désigné, deux noms ressortaient: Arthur Tremblay et Jean-Guy Cardinal. Un après-midi, à la fin de l'été 1967, M. Johnson quitta son bureau en affirmant que sa décision était prise et qu'il offrirait le poste à Arthur Tremblay, signe très net de la confiance qu'il lui témoignait. Il n'a en fait jamais offert le poste à M. Tremblay et il a été impossible d'établir avec précision à qui M. Johnson avait passé des coups de fil le lendemain matin. Mais le lendemain midi, il indiquait à ses collaborateurs immédiats qu'après avoir « démoli » Tremblay comme il l'avait fait durant la cam-

14. *Le Devoir*, 9 juin 1966, p. 3.

pagne, le fait de lui offrir maintenant ce poste constituerait un « suicide politique », selon sa propre expression. [15]

De façon plus générale, l'équilibre du pouvoir gouvernemental qui a caractérisé cette période tranchait sur la période précédente. Les années 1960-1966 avaient en effet été marquées d'une « rhétorique de grandeur » ayant trait non seulement aux réformes internes mais aussi à la « libération économique » du Québec. Ce thème avait entre autres dominé le débat télévisé opposant les deux chefs de parti en 1962. Le caucus des députés et les militants du parti s'étaient vu confier la tâche de convaincre les Québécois de la nécessité de cette « Révolution tranquille ». Pour leur part, M. Johnson et l'Union nationale n'avaient jamais cru que le gouvernement libéral pût, politiquement et économiquement, prendre à ce point ses distances avec Ottawa et les milieux financiers. Ce que M. Johnson décela et évalua durant ses deux années d'exercice de l'autorité, c'est un nouvel équilibre du pouvoir gouvernemental : « cet équilibre était celui des solutions praticables », étant donné les appuis électoraux dont jouissait le parti et les appuis extérieurs sur lesquels le gouvernement pouvait compter. [16]

C'est la dimension nationaliste qu'il accentua, parce que M. Johnson y décelait de plus grands appuis électoraux ; au contraire, concevant des politiques économiques moins interventionnistes, il n'aurait recueilli l'appui que de sa clientèle électorale plus traditionnelle. [17] En ce sens, durant l'année 1967, la visite de M. Johnson en France au mois de mai, puis celle du Général de Gaulle au Québec en juillet, et la présence de M. Cardinal au Gabon en février 1968 constituent des moments privilégiés dans l'analyse de l'exercice réel

---

15. Pour sa part, M. Jean-Guy Cardinal devint plutôt ministre de l'Éducation... parce que M. Marcel Faribault refusa l'offre de M. Johnson. M. Cardinal était doyen de la Faculté de droit de l'Université de Montréal après avoir œuvré dans les milieux financiers de la rue Saint-Jacques. Lorsque M. Faribault téléphona qu'il avait changé d'idée, M. Johnson lui offrit le ministère des Finances (M. Dozois serait devenu ministre de l'Industrie et du Commerce). Ce mois-là (octobre 1967), M. Faribault devenait plutôt conseiller économique et constitutionnel de M. Johnson et prenait un siège au Conseil législatif sans se départir de ses intérêts dans diverses entreprises financières. M. Cardinal devenait, sans être élu député, ministre de l'Éducation en même temps qu'il était lui aussi nommé Conseiller législatif.

16. Arthur M. Schlesinger, *The Age of Roosevelt*, vol. 2: *The Coming of the New Deal*, Boston, Houghton Mifflin, 1959, p. 151 : « Le champ d'action de ses groupes de constituants, l'importance des sollicitations qu'ils font peser sur le Président, conjuguées avec l'incertitude de leurs réactions, le rendront habile à déceler et à évaluer l'équilibre du pouvoir gouvernemental. »

17. « L'Union nationale fut reportée au pouvoir grâce principalement à l'appui massif d'éléments conservateurs dans lesquels elle refusa après coup, sans oser cependant les désavouer ouvertement, de se reconnaître », Claude Ryan, *Le Devoir*, 6 juin 1967, p. 4.

du pouvoir. Il en est de même, des conférences fédérales-provinciales durant ces années 1967 et 1968. [18]

Chaque fois la stratégie fut élaborée par le Premier ministre et quelques hauts fonctionnaires (sous-ministre ou conseiller attaché directement au conseil exécutif — Jacques Parizeau ou Marcel Faribault, par exemple). Parfois cette stratégie fut testée en Conseil des ministres. [19] Et celle-ci « utilisait » toujours l'un ou l'autre de trois groupes de pression: quelques ministres des plus nationalistes (Marcel Masse, Jean-Noel Tremblay), deux Premiers ministres d'autres provinces (Robarts et Roblin) et le Général de Gaulle.

Les réunions du Conseil des ministres se déroulaient sans ordre du jour: cela laisse penser que M. Johnson s'en servait surtout comme tremplin, pour tester ses politiques. En ce sens, le conseil des ministres ne constituait pas un organe décisionnel au sein de l'exercice du pouvoir. Les ministres étaient d'ailleurs très divisés, Paul Dozois, J. J. Bertrand, Roch Boivin s'opposant à toute confrontation avec Ottawa tandis que Marcel Masse et Jean-Noël Tremblay la recherchaient.

Même à l'Assemblée nationale, les grands débats étaient dominés par le Premier ministre, tant en matière d'éducation que dans les dossiers intergouvernementaux. Souvent, le débat paraissait improvisé; mais, « pour l'Union nationale, on ne retient qu'un seul nom », celui du Premier ministre. Après une année de pouvoir exercé par le gouvernement Johnson, Claude Ryan écrivait: « À part une exception (J. J. Bertrand), aucun autre ministre n'apporta une contribution valable au débat (en Éducation); la même observation vaut pour des députés soi-disant versés dans les questions d'éducation comme André Bousquet, Jean-Marie Morin, Jérôme Proulx et autres. Où étaient Marcel Masse, Paul Dozois, F. Lafontaine, J. P. Cloutier? Le compte rendu (du Journal des débats) ne le dit pas. » [20]

L'utilisation par M. Johnson de ministres comme instruments de pression se déroulait à peu près toujours de la façon suivante. « Un

---

18. Dans ces domaines, Daniel Johnson a accéléré la Révolution tranquille. C'est du moins ce que soutient Peter Hopkins dans sa thèse « Daniel Johnson et la Révolution tranquille », Sciences politiques, Université Simon Fraser, thèse de Maîtrise, 1977.
19. Le Conseil des ministres siégeait généralement deux ou trois fois par semaine, dont chaque mercredi soir après la séance du soir de l'Assemblée lorsque celle-ci siégeait. Cette réunion du Conseil avait lieu de 10: 30 à 12: 30 ou 1: 00 a.m. Au total, le Conseil siégeait durant environ cinq heures chaque semaine. Après la séance du mercredi soir, M. Johnson poursuivait les discussions, parfois jusqu'à l'aube, avec quatre ou cinq personnes. Parmi celles-ci, MM. Marcel Bélanger, Jacques Parizeau, Mario Beaulieu et Jean-Guy Cardinal étaient perçus comme influents.
20. Le Devoir, 21 juillet 1967, p. 5.

jour, je voyais apparaître Claude Morin dans le cadre de la porte. (C'est M. Johnson qui raconte la scène.) Morin disait: «On n'a pas fait beaucoup de progrès depuis quelque temps (en matières fédérales-provinciales). Il y a cette conférence sur l'habitation...» Et moi, j'ai dit: «Je vais y envoyer Masse!»»

Le sourire du Premier ministre indiquait que ce discours serait extrême par ses revendications. Ceci constituait néanmoins un moyen de pression qui, en tant que tel, plaisait à M. Johnson. Les propos qu'y tiendrait le ministre Marcel Masse (ou dans d'autres cas Jean-Noël Tremblay) ne constituaient cependant pas la politique du Québec, telle qu'élaborée par M. Johnson et les sous-ministres.

De même, les liens se resserrèrent entre les Premiers ministres conservateurs de l'Ontario et du Manitoba, et M. Johnson. Les trois hommes se rencontrèrent souvent durant ces mois, jusqu'à ce que M. Roblin, Premier ministre manitobain, annonce qu'il serait candidat à la chefferie des conservateurs fédéraux à l'automne de 1967. Ils se virent à quelques reprises au su et au vu des journalistes et du gouvernement fédéral, mais ils se rencontrèrent également plusieurs fois sans que les journalistes l'apprennent. Peu à peu, les trois devinrent des alliés sûrs — M. Roblin le devint plus lentement que M. Robarts, Premier ministre ontarien —, à un point tel que certaines rencontres servirent à élaborer, de façon informelle, une position commune «to fuck the federal», disait M. Johnson avec un sourire. Les trois Premiers ministres s'estimaient suffisamment les uns les autres, pour que la politique suggérée par deux d'entre eux devienne également celle du troisième membre du trio; en ce sens, chacun céda également sur certains aspects. Un observateur notait à l'époque: «C'est peut-être l'action la plus significative et la plus importante du régime Johnson dans la recherche d'une solution à l'impasse constitutionnelle, bien que les mérites en reviennent tout autant à M. John Robarts».[21] En ce sens, les Premiers ministres conservateurs provinciaux ont joué un rôle d'éminences grises auprès du Premier ministre du Québec, tout comme ils ont servi de forces d'appui à M. Johnson, voire d'instrument de «déstabilisation» du *statu quo* fédéraliste, au service du Premier ministre du Québec.

La visite du Général de Gaulle, enfin, doit être perçue comme un instrument de pression utilisé par M. Johnson pour révéler aux autorités fédérales que le Québec comptait sur l'appui d'une puissance étrangère dans sa volonté d'épanouissement collectif. À ce sujet, la

---

21. Pierre-C. O'Neill, «Les relations entre Québec et Ottawa changent de style», *La Presse*, 3 juin 1967.

question que tous se posaient après la visite du Général était: M. Johnson savait-il que le Président de la République française se remémorerait la libération de Paris (1944) et crierait «Vive le Québec libre»? Les seuls éléments de réponse proviennent de M. Johnson lui-même et de son entourage immédiat. M. Johnson n'a apparemment jamais voulu répondre précisément à la question, même pas à Mario Beaulieu. Mais lorsqu'il ne répond rien, en général c'est qu'il donne raison à son interlocuteur. Or, l'interlocuteur a dit un jour à M. Johnson: lors de votre visite officielle en France en mai 1967, vous avez dit au Général «Je veux faire de grandes choses pour le Québec. Il nous faut votre aide. Seul, je ne suis pas assez puissant vis-à-vis d'Ottawa». Et M. Johnson n'a pas interrompu son interlocuteur ni commenté ses propos.

Tout indique, par conséquent, qu'il savait que de Gaulle poserait des gestes en ce sens lors de son séjour au Québec. C'est d'ailleurs pour cette raison qu'il avait demandé à Me Beaulieu de «superviser» personnellement le travail d'organisation de MM. Maurice Custeau et André Patry.

Il n'a pas demandé l'accord du Conseil des ministres à ce sujet. Plusieurs ministres ont été effrayés ou ulcérés par les propos du Général. Le Dr Fernand Lizotte, ministre des Transports et Communications, sans doute le plus francophobe de tous les ministres, ne s'était même pas opposé, lors de la réunion du Cabinet, à l'invitation que M. Johnson avait formulée au Général de venir au Québec. Mais dans leurs cœurs et leurs conversations privées, la situation était tout autre. Aussi, la déclaration que ferait M. Johnson après la visite — nécessaire pour stabiliser son autorité — requit plusieurs heures d'efforts: «Le gouvernement du Québec est heureux de l'avoir invité. Le Québec est libre de choisir sa destinée...»[22] Dans le cas de l'invitation officielle de la part du Gabon d'assister à une conférence des ministres francophones de l'Éducation, la décision fut également prise à ce très haut niveau. Le ministre Jean-Guy Cardinal voyagea avec un sauf conduit français de peur d'être, à son retour, arrêté pour haute trahison par les policiers fédéraux s'il utilisait son passeport canadien.[23]

---

22. «Le Général de Gaulle a reçu un accueil triomphant. Le gouvernement du Québec est heureux de l'avoir invité. Le Québec est libre de choisir sa destinée et possède le droit incontestable de disposer de lui-même. Le gouvernement poursuivra l'objectif fondamental qu'il s'est fixé: l'adoption d'une nouvelle constitution. Bien sûr, de telles réformes ne peuvent venir du jour au lendemain. Elles exigent beaucoup de réflexion et de nombreux échanges de vues...»

23. En plus des nombreuses autres analyses de cette conférence, M. Cardinal a lui-même décrit et commenté publiquement ces événements à deux reprises, d'abord

On peut par conséquent déceler les traits dominants du type d'administration gouvernementale qui caractérisait cette époque. Le Premier ministre Johnson et les hauts fonctionnaires étaient en train de créer un reseau de nouvelles institutions (ombudsman, ministère de l'Immigration, Office du Plan, Collèges d'enseignement général et professionnel, Université du Québec...) qui deviendraient lois après la mort de M. Johnson. Ces nouvelles institutions, gérées par les différents ministres, faisaient progresser l'autonomie du Québec dans ces domaines. Le Premier ministre a utilisé à cette fin l'appui extérieur des Premiers ministres des provinces voisines et celui du Président de la France. Ces politiques, enfin, avaient trait aux domaines culturels et intergouvernementaux beaucoup plus qu'aux dimensions socio-économiques, parce qu'il n'existait pas de consensus au sujet de la présence de l'État sur le plan économique. L'Union nationale, qui n'avait été portée au pouvoir que par une minorité des voix exprimées, devait agir avec prudence dans les domaines controversés.

Par ailleurs, deux éléments ont plus spécifiquement trait au type de gestion exercée. Le premier, Paul Cliche le notait à la suite des nombreuses grèves de 1966: «Avec un peu de recul, écrivait-il, on s'aperçoit que les personnages clés ne se retrouvaient pas au Conseil des ministres, à l'Hydro-Québec ou dans les hôpitaux, mais dans quelque officine au bureau du Premier ministre.» Ce sont les conseillers chargés de la publicité qui créèrent l'ambiance propice au règlement des conflits — on le verra plus loin — et c'est M. Jacques Parizeau qui détermina les taux d'augmentation des salaires que le gouvernement imposa, par loi spéciale lorsque nécessaire, aux fonctionnaires de profession libérale et qu'il réussit à faire accepter aux employés d'hôpitaux.[24] Ainsi, M. Johnson gouvernait «seul», écrit Jérôme Proulx, c'est-à-dire sans le parti, et souvent contre lui.[25] Il lui fallait utiliser tout le flair politique et tout le charme personnel qu'on lui connaissait pour atteindre son objectif.

Par ailleurs, des structures parallèles furent constamment utilisées par M. Johnson lorsqu'il suscitait les avis dans tel ou tel domaine. C'est au moment de l'arrivée de MM. Marcel Faribault et Jean-Guy Cardinal, le 31 octobre 1967, que plusieurs observateurs prirent pour la première fois conscience de l'existence — jusque-là non institution-

---

le 9 septembre 1974 lors d'une entrevue accordée à l'émission «Présent québécois» à la radio de Radio-Canada, puis lors d'une entrevue au quotidien Le Jour lorsqu'il annonça sa candidature sous la bannière du parti québécois en 1976.

24. Socialisme 66, décembre 1966, p. 103.
25. Le témoignage de Jérôme Proulx est, en ce sens, particulièrement convaincant. Voir Le panier de crabes. Un témoignage vécu sur l'Union nationale sous Daniel Johnson, Montréal, Parti pris, 1971.

nalisée — de ce type de mécanismes de consultation en matières constitutionnelles et économiques. La présence de M. Faribault lors de la conférence interprovinciale de novembre 1967, à Toronto, révélait en effet au grand jour l'influence que celui-ci exerçait auprès de M. Johnson depuis déjà quelques années. « Nous considérons, déclara M. Johnson à cette occasion, que le mandat qui nous a été donné en 1966 est de rechercher un statut d'égalité par étapes pour la nation canadienne-française et non pas de faire l'indépendance.[26] Même dans l'intimité, M. Marcel Masse n'a jamais blâmé M. Johnson du ton modéré de ses propos ; il mit plutôt le blâme sur M. Faribault qui, devenu conseiller législatif, fut beaucoup plus souvent aperçu dans les parages du bureau du Premier ministre. Les journalistes ont même noté à quelques reprises les propos aigres-doux échangés par M. Faribault et Jean-Noël Tremblay ; celui-ci ne goûtait guère qu'une éminence grise, « non élue », rôde si souvent dans les couloirs de l'Assemblée.[27]

Peter Newman, enfin, a décrit l'influence que le financier Paul Desmarais exerçait sur M. Johnson, au point de s'inviter lui-même auprès du Premier ministre, à son pied-à-terre de repos à Hawaii, après sa crise cardiaque. Des conseils de M. Desmarais face à la situation économique du Québec découla « la déclaration d'Hawaï ».[28]

Les deux années de pouvoir de M. Johnson révèlent que, dans la plupart des domaines de conception et de gestion des politiques prioritaires, le Premier ministre disposait de cette façon de deux « jeux » de conseillers, travaillant en parallèle sans se consulter. La situation économique et constitutionnelle fluctuante incitait M. Johnson à retenir les conseils de l'un plutôt que de l'autre, selon les circonstances. On décrit ce système comme « concurrentiel ».

En outre, on note, avec plus de netteté que sous le gouvernement précédent, l'influence de personnes non élues — sous-ministres ou éminences grises —, par rapport aux ministres et députés élus.

---

26. *Le Devoir*, 4 décembre 1967, p. 4.
27. *Le Devoir*, 30 novembre 1967, p. 2.
28. Peter C. Newman, *The Canadian Establishment*, Toronto, McClelland & Stewart, 1975. M. Desmarais s'était fait accompagner de M. Marcel Faribault, écrit Newman, après avoir appris que des hauts fonctionnaires étaient en train de préparer un projet d'indépendance du Québec d'ici cinq ans. Rien, dans les notes prises par M. Benjamin à cette époque ni dans les conversations subséquentes à la parution du volume de Newman, ne laisse croire que M. Johnson ait attaché une grande importance à la préparation de ce document administratif. Raison de plus pour souligner l'impact que Paul Desmarais a dû créer à Hawaï, pour que M. Johnson se sente obligé de réaffirmer sa foi dans le fédéralisme canadien !

Très peu parmi ces derniers peuvent prétendre avoir exercé un pouvoir réel de conception des politiques sous M. Johnson.

L'arrivée sur la scène politique fédérale de Pierre-Elliot Trudeau, enfin, força en quelque sorte M. Johnson à retenir de façon plus soutenue les avis d'un groupe de personnes plutôt que l'autre. La conférence fédérale-provinciale de février 1968, à Ottawa, marqua, en effet, le début de la riposte conflictuelle de la part du gouvernement fédéral: l'animosité [29] des deux protagonistes apparut sur les écrans de télévision lorsque M. Johnson fit référence au nouveau ministre fédéral de la Justice (P. E. Trudeau) en le réduisant au statut de « député de Mont-Royal »; celui-ci lui rendit la pareille (« le député de Bagot »), et le Premier ministre Pearson dut, de façon répétée, interrompre les séances pour des pauses-café qui calmeraient les esprits. Les structures de consultation, de la part d'un Premier ministre québécois, peuvent-elles être du même type en période de consensus qu'en période de confrontation? Sans pouvoir complètement répondre à partir du seul cas de 1968, on ne peut s'empêcher de noter que M. Johnson concevait, seul, son idéologie à mesure que l'année avançait; il semblait craindre d'écouter de façon trop systématique les avis des sous-ministres, perçus à Ottawa comme trop nationalistes, et ceux de MM. Faribault et Desmarais lui paraissaient aller à l'encontre des « aspirations profondes » d'une partie croissante de son électorat. Son successeur, M. Jean-Jacques Bertrand, décidera de ne plus utiliser ce type « concurrentiel » de consultation; il créera plutôt une structure hiérarchique conférant à un chef d'état-major « licence exclusive de l'informer et de fixer pour lui le calendrier de ses choix ». [30]

c) *Les spécialistes de la publicité sous M. Johnson*

De 1960 à 1966, l'image de l'Union nationale et de son chef Daniel Johnson avait représenté un problème. Tout au long de la Révolution tranquille, la politique éditoriale, y compris les caricatures, des grands journaux de Montréal leur était très défavorable: on y retrouvait M. Johnson, revolver à la ceinture, la barbe longue, appuyé par les éléments les plus traditionnels de l'U.N. des années '50 et n'ouvrant la bouche que pour prononcer des discours négatifs et démagogiques. En 1963-64, M. Johnson était attendu par les étudiants de l'Université de Montréal sur l'air de « Venez, divin Messie »;

---

29. Voir à ce sujet l'éditorial de Claude Ryan, « Le duel Johnson-Trudeau », *Le Devoir*, 7 février 1968, p. 4.
30. Neustadt, *Les pouvoirs de la Maison blanche*, p. 239.

il fut ensuite accueilli par un couplet de «Il est né, le divin enfant» chanté en chœur dans le *grand hall du Centre social*, rue Maplewood[31], où tous les hommes politiques défilaient jour après jour pour tenter de vendre leur message et de se gagner des votes. Il avait connu des problèmes personnels dans le passé[32] et subi en 1964 une première crise cardiaque décrite comme «sévère»; il échappa de justesse à une révolution de palais cette année-là. Le message des fiduciaires de la caisse du parti était clair: s'il voulait conserver son leadership, il devrait refaire son image physique et intellectuelle, perdre du poids, représenter une solution «crédible» qu'on pourrait opposer à Jean Lesage.

A «Gaby» Lalande, il avait, l'année suivante, candidement demandé: «Je ne trouve personne pour refaire mon image, tu n'accepterais pas, toi?» Lalande était le patron du bureau francophone montréalais de l'agence de publicité américaine Young & Rubicam, situé dans l'édifice de la Banque de Commerce où M. Johnson avait également un bureau; souvent, les deux hommes attendaient ensemble l'ascenseur — ce sont les seuls liens que l'on puisse retracer entre eux! Lalande était en poste depuis les débuts de l'agence à Montréal, et il avait participé intimement aux premières expériences de la télévision depuis 1952. Son équipe avait, entre autres, créé le personnage de Mme Blancheville — créer pour le Québec un personnage, c'est rare —, et elle avait la réputation de concevoir des choses simples (personnages, textes, images) qui atteignaient viscéralement le groupe-cible. L'un des principaux clients de Young & Rubicam, la firme Procter & Gamble, avait d'ailleurs envoyé Lalande en Europe à plusieurs reprises pour faire part aux employés de la firme outre-Atlantique de l'expérience acquise par le bureau montréalais.

Ainsi, outre Procter & Gamble et d'autres clients, l'agence «mousserait» dorénavant les ventes d'un nouveau produit: l'Union nationale. La première technique utilisée au début de 1966 fut celle d'une série d'émissions télévisées de trente minutes, le dimanche après-midi, juste avant l'émission de quilles fort écoutée à cette épo-

---

31. Aujourd'hui appelé le Centre communautaire, rue Édouard-Montpetit.
32. Robert Rumilly, *Duplessis et son temps*, Montréal, Fides, 1973, pp. 458-9: [En 1953], «Duplessis a failli perdre un des députés qu'il aime le mieux. Daniel Johnson, bouleversé par un drame de famille et croyant sa carrière brisée, est venu un dimanche au Château Frontenac lui offrir sa démission. Maurice Duplessis est un vieux garçon, mais à qui son poste a procuré une étonnante expérience des hommes. (...) 'Tu vas rentrer chez toi et prendre ta femme dans tes bras. (...) Tu vas beaucoup travailler... Le temps apaise tout.' Maurice Duplessis sauve une famille et une carrière. Daniel Johnson lui écrira, cinq ans plus tard: 'Il n'y a que Dieu qui puisse récompenser de tels actes'.»

que. Le nom de Jean Loiselle fut tout de suite suggéré comme responsable de la série. Loiselle avait été réalisateur à Radio-Canada
à la fin des années '50 et au début des années '60*, puis administrateur
de l'hebdomadaire *La Patrie* dont le directeur et rédacteur en chef
était Yves Michaud depuis 1962. Loiselle avait aussi, tout récemment,
agi comme recherchiste de l'émission « Relevez les manchettes »,
émission présentée sur les ondes de Télé-Métropole et qui ressemblait
à l'émission anglophone «*Front Page Challenge*» encore présentée
de nos jours le lundi soir au réseau national C.B.C. Loiselle se trouvait chaque semaine dans la cabine de réalisation au moment de la
production. Pour coordonner les émissions de l'U.N., le nom de Loiselle fut rapidement accepté comme représentant du publicitaire,
Young & Rubicam, parce que Mario Beaulieu et Jean Loiselle, ancien
condisciples, se connaissaient depuis quinze ans. M. Johnson ne le
connaissait guère pourtant. Il l'avait rencontré à une seule occasion,
apparemment trois ans plus tôt. M. Loiselle s'y était révélé brillant,
les témoignages sont concluants à ce sujet ; il lui avait recommandé
de viser comme groupe-cible les indécis plutôt que les inconditionnels, et pour ce faire il lui avait conseillé de fournir un contenu moins
partisan au journal Montréal-Matin qui était la propriété de l'Union
nationale.

MM. Lalande et Loiselle diagnostiquèrent, en 1966, un manque de candeur de la part de M. Johnson vis-à-vis de l'électorat. Ils
lui suggérèrent donc d'y aller plus franchement dans l'expression
de son point de vue, tant dans le Montréal-Matin que lors de ses
émissions du dimanche après-midi. À ces émissions, on créerait
un format approprié : un seul thème par semaine, M. Johnson prépa-
rerait un exposé de dix minutes, puis trois journalistes l'interroge-
raient à ce sujet.[33] Le texte de départ, le premier jet, était chaque
fois l'œuvre de M. Johnson lui-même ; puis on le discutait en équipe,
la veille de l'émission (Mario Beaulieu, Lalande, Loiselle...). En politicien traditionnel, venant en plus d'un comté rural, M. Johnson
avait vu pendant vingt ans Maurice Duplessis entretenir les préjugés
des gens sans leur dire ce que lui-même pensait vraiment. Aussi, sa
première réaction avait-elle été : « Le peuple ne comprendra pas. »
Lorsque Jean Loiselle apparut dans le décor, sa force provint du
fait qu'il était perçu comme le « gars de l'extérieur » du parti. Il
« engueula » M. Johnson comme seul, sans doute, un gars de l'extérieur pouvait se le permettre (« Baptême, Mario, dis-lui donc, toi, que

---

* Jean Loiselle a quitté la Société Radio-Canada le 17 mars 1964.
33. Il apparaît inutile de répéter ici ce qui a déjà été mentionné à ce sujet dans le livre
     de J. Benjamin (op. cit.).

c'est pas comme ça...»). Sur chaque sujet, il reprochait à son patron de ne pas dire ce qu'il pensait au peuple, et l'assurait qu'il avait au contraire intérêt à se montrer tel qu'il était vraiment. Cette série d'émissions fut perçue comme efficace mais ne put être complétée puisque M. Lesage annonça, à la mi-avril, la tenue d'élections générales.

Ainsi, le pouvoir dévolu aux spécialistes en publicité occupa une place grandissante en 1965-1966 dans l'entourage de M. Johnson, mais une place nettement inférieure à celle des cadres du parti. Ce sont ces derniers qui organisèrent le congrès de la relance en mars 1965, avec l'aide de jeunes penseurs comme Marcel Masse; et ce sont eux aussi — MM. Mario Beaulieu et Fernand Lafontaine en particulier — qui choisirent les candidats les plus représentatifs de l'électorat dans chaque comté. Le contrat de publicité accordé à Young & Rubicam se manifesta au cours de la campagne lorsque, en particulier trois semaines avant la fin, les spécialistes de l'équipe de Gaby Lalande s'aperçurent que le Premier ministre Lesage faisait campagne seul, sans René Lévesque, Paul Gérin-Lajoie, Claude Wagner ou les autres. La publicité écrite et électronique se modifia alors pour s'en prendre au maillon le plus faible de la chaîne, M. Lesage lui-même. Ce fut une publicité de type négatif, mais comme la campagne se déroulait surtout au niveau de chaque circonscription la firme Young & Rubicam ne créa pas les attaques contre la «boîte à lunch» et le transport des écoliers, ou l'avion gouvernemental servant «la politique de grandeur» et le parachutage du candidat Jean Bienvenue dans Matane. Ces attaques vinrent plutôt des associations locales ou des candidats. Dans le cas de Young & Rubicam, il s'agissait uniquement de services techniques que procurait une agence de publicité à un client; M. Lalande ne se mêlait ni d'organisation partisane ni de choix de candidats. Il mettait simplement un bel emballage et présentait le produit sous son plus beau jour. C'est bien d'ailleurs ce que M. Johnson souhaitait. Le soir même de la victoire, lorsque M. Johnson se rendit compte qu'il devenait Premier ministre, M. Lalande comprit que son client était satisfait quand celui-ci lui offrit le premier contrat du nouveau gouvernement... à la condition de l'accorder à une firme québécoise et non pas à Young & Rubicam. En effet, lorsque M. Johnson s'aperçut que la campagne de publicité de Gaby Lalande l'avait conduit au pouvoir, dans la nuit il lui fit savoir que «la première chose à améliorer, c'est le tourisme», et, le regardant droit dans les yeux, il ajouta: «Je te confie le contrat... mais je ne peux pas donner mon premier contrat de publicité à une multinationale.»

Lalande de rétorquer: « Pas de problème, je vais créer SOPEQ, j'y pense déjà depuis quelque temps. »

Durant les années suivantes, ce furent les mêmes personnes de Young & Rubicam qui cumulèrent en même temps les postes-cadres de SOPEQ (Société de publicité du Québec). Cette nouvelle agence québécoise disposait d'une entente de service avec la firme multinationale, dont Gaby Lalande demeurait, le vice-président, à Montréal. En fait, les séries télévisées *Québec sait faire*, puis *Une chance sur treize* (sécurité routière), puis *L'éducation, c'est votre affaire* auraient pu être produites par la firme Young & Rubicam, qui avait les ressources humaines et techniques nécessaires. Si les spécialistes de la publicité ont créé SOPEQ pour des raisons politiques, ce sont toutefois des contrats gouvernementaux qu'ils ont obtenus — et non pas le mandat de manipuler l'information.

Le nouveau Premier ministre tenait pourtant à s'entourer de conseillers qui mettraient le nez dans tous les dossiers, quotidiens comme à long terme; parmi les plus influents, l'un était un économiste, Jacques Parizeau; un autre, un homme du parti, Mario Beaulieu. Mais deux étaient des communicateurs: Paul Gros d'Aillon et Jean Loiselle (ce dernier au début n'y travaillait pas à plein temps). Les témoignages et nos souvenirs du travail de ces derniers sont concluants: ils ne cherchaient pas à substituer des images aux faits, mais uniquement à présenter les faits sous leur plus bel emballage. Cette dimension, qui révèle le pouvoir réel et les limites de ces spécialistes, se retrouve dans la plupart des cas évoqués d'harmonie entre les concepteurs de politiques et les conseillers du parti. Lors du « chemin du Roy » du général de Gaulle par exemple, les conseillers en communication créèrent un réseau radiophonique spécial d'un jour, pour faire part aux citoyens de tous les coins du Québec de l'accueil que les villages et petites villes accordaient au Président français. Roger Baulu agissait comme « *anchorman* » et Jacques Morency, de CKAC, était l'un des deux reporters qui décrivaient les événements à mesure qu'ils se déroulaient. La voiture de ce reporter était même la seule autorisée à précéder le cortège. Comme on pressentait que des choses importantes allaient se produire, la dimension de la communication avec l'électorat ne fut pas négligée. Mais on ne peut décrire cette dimension, à cette époque, comme étant une création d'événement (un mirage); autrement dit, le « chemin du Roy » se serait déroulé ce jour-là, même si les spécialistes de la communication n'avaient pu décrire en direct l'enthousiasme du général qui se mit soudain à parler de son « ami Johnson ». On crut simplement que cette dimension contribuerait à la valorisation du Premier ministre dans l'esprit des Québécois et à sa réélection en 1970.

Le vrai pouvoir de Jean Loiselle avait pourtant grandi, par suite de ses contacts constants avec M. Johnson depuis le début de 1966; à présent, il excédait peut-être cette seule dimension du «bel emballage». C'est Loiselle qui convainquit M. Johnson de porter ses lunettes, et qui fit coudre les poches de ses gilets d'habit. C'est lui aussi qui décida du choix des députés et ministres qui apparaîtraient à la télévision. À cette époque, Loiselle n'était pas constamment dans l'entourage du Premier ministre (il en devint le chef de cabinet lorsque Mario Beaulieu devint, lui, sous-ministre au Conseil exécutif). Les témoins racontent la scène: M. Johnson n'avait pas vu Loiselle à Québec depuis plusieurs jours; au moment où un conflit de travail avait l'air de ne pas se régler, il s'impatientait et le faisait convoquer. Celui-ci venait alors de Montréal et logeait dans la suite du Premier ministre au Château Frontenac.

Car, comme le rappelait Vincent Lemieux, à l'époque de Daniel Johnson, «il y a eu la visite du Général de Gaulle, évidemment, et les débats avec Trudeau»; mais «ce gouvernement a (aussi) été caractérisé par des problèmes assez aigus dans le domaine des relations de travail; il y a eu le premier décret contre les enseignants, la loi 25; il y a eu aussi des problèmes du côté des hôpitaux et des transports publics.» [34] Or, dans ce secteur des relations de travail également, le pouvoir des spécialistes en communication se fit nettement sentir, au même titre que celui des négociateurs gouvernementaux et des conseillers du parti.

En 1966, ce furent d'abord les négociations avec les employés d'hôpitaux. Les négociateurs gouvernementaux, MM. Roch Bolduc et Jacques Parizeau, virent un jour apparaître un individu que M. Bolduc ne connaissait pas. Mario Beaulieu et Paul Chouinard, du Bureau du Premier ministre, venaient souvent jeter un coup d'œil; mais l'inconnu — Jean Loiselle — passa, lui, toute la journée dans la salle des négociations, sans dire un mot. De toute évidence, les négociations piétinaient. M. Bolduc demanda discrètement à son voisin:
— Qui est-ce?
— C'est un collaborateur de M. Johnson.

Or à 17 h. 55, l'inconnu se précipita au bureau de M. Johnson, entra en trombe en passant presque par-dessus Roger Ouellette, et lança au Premier ministre sur un ton que lui seul se permettait:

_____
34. *Si l'Union nationale m'était contée*, p. 59.

« L'heure de tombée est à six heures, vous avez trois minutes pour vous décider. Y aura-t-il session spéciale ? »

Les journaux du lendemain matin annonçaient que le gouvernement avait pris la décision de convoquer, si nécessaire, une session spéciale pour fixer les salaires et conditions de travail des employés d'hôpitaux, et ordonner leur retour au travail. Cette simple menace porta fruit, si l'on en croit M. Bolduc qui, le lendemain midi, commenta : « Maudit que ça négocie bien, ce matin ! » On lui expliqua la situation, et M. Johnson racontant l'incident, ajoutait : il n'a jamais plus voulu négocier sans la présence de Loiselle.

Dans le cas de la grève des enseignants de février 1967, c'est la menace de la dissolution de l'Assemblée et du recours à une élection générale qui incita les enseignants à obéir à la loi 25 qui leur donnait quarante-huit heures pour rentrer au travail. Les observateurs de l'époque sont unanimes à ce sujet : cette rumeur fut soigneusement orchestrée par Jean Loiselle. Le gouvernement, au nom de l'intérêt général, n'accorderait pas aux enseignants les hausses de salaires qu'ils réclamaient, et ferait plutôt une élection générale sur cette question. « La diffusion de cette rumeur se révéla impressionnante », écrivit Tom Sloan dans le *Star*. [35] « C'est surtout la crainte d'une élection qui a amené la C.I.C. (Corporation des instituteurs catholiques) à renoncer à la grève prolongée », de conclure Gilles Gariépy dans *Le Devoir*. [36] Lors du dîner-bénéfice de l'Union nationale ce mois-là, des libéraux auraient même acheté des billets, si l'on en croit Michel Roy, « pour exprimer leur admiration envers un gouvernement qui a assumé ses responsabilités à l'égard du bill 25 ». [37]

Certes, la dimension plus conventionnelle des relations publiques n'était pas négligée pour autant. Ainsi, lors du vote de la loi 25 obligeant les enseignants à rentrer au travail, le gouvernement a confié à la firme SOPEQ la diffusion aux média d'un texte publicitaire, publié dans la plupart des quotidiens du Québec le samedi 20 février et répété le lundi 22 (voir ce texte à la fin du chapitre) ; il en fut de même dans les hebdos de cette fin de semaine. De plus, des messages gouvernementaux ont été répétés à fréquence régulière sur les ondes des stations de radio et de télévision privées. Au poste CKAC, par exemple, le message a été répété douze fois durant deux jours. Le texte, notons-le, ne se limitait pas à résumer la loi

---

35. Thomas Sloan, « Test of the Legislature », *The Montreal Star*, 3 février 1967.
36. *Le Devoir*, 20 février 1967, p. 1.
37. Michel Roy, « Le dîner-bénéfice de l'U.N. a fracassé tous les records », *Le Devoir*, 28 février 1967, p. 3.

25. Il constituait plutôt une interprétation de cette loi ; il soulignait surtout les « garanties » que la loi d'urgence offrait aux élèves, aux enseignants et à tous les citoyens du Québec.[38] C'était là, somme toute, la dimension plus traditionnelle du « bel emballage » conçue pour mousser les ventes d'un nouveau produit.

La conception de Jean Loiselle, pour sa part, paraissait plus novatrice. Il se spécialisait en communications sociales, disait-il, secteur qui englobait non seulement le domaine des relations publiques mais également trois autres domaines distincts : l'information, la publicité et le marketing au sens très précis de ce terme — c'est-à-dire la technique qui consiste à tester sur un échantillon restreint comment un produit va « prendre ». Doté de telles connaissances, multiples et variées, il a pu ainsi frayer avec les *decision-makers* et contribuer à influencer la prise de décision, au lieu de simplement faire part aux journalistes, après coup, de ces décisions (prises par d'autres). En ce sens, le cas de la loi 25 marque peut-être les débuts du vrai pouvoir des spécialistes en communications sociales auprès du Premier ministre du Québec.

La présence de Jean Loiselle illustre en outre l'association partisane que percevaient d'abord les adversaires politiques, puis les communicateurs eux-mêmes. Au contraire de Maurice Leroux, qui se décrivait comme socialiste en 1960 et encore comme tel en 1965, lorsqu'il quitta M. Lesage, Loiselle fut dès 1965-66 perçu par les libéraux comme étant un « bleu ». Cet élément de neutralité dont il se réclamait, en tant que conseiller technique et spécialiste d'une science objective, les libéraux n'y crurent guère, forçant en quelque sorte l'intéressé à s'insérer dans le processus de prise de décision. Un an plus tard, Jean Loiselle était devenu chef de cabinet du Premier ministre ; il prit ensuite position contre M. Jean-Jacques Bertrand lors du congrès de leadership de 1969 et devint même sous-ministre de l'Immigration après la nomination de Mario Beaulieu comme ministre titulaire, le 23 juillet 1969. Comme quoi, en peu d'années, durant cette décennie, un communicateur occupa des postes qui, au moins en puissance, lui conféraient des tâches reliées au parti[39] et même à la conception des politiques.

---

38. Réal Pelletier, « Le gouvernement veut vendre sa loi à l'opinion », *Le Devoir*, 20 février 1967, p. 1.
39. En 1975, J. Iain Gow rappelait la participation de Loiselle au « rapport Loiselle-Gros d'Aillon. Le fait qu'il ait déjà travaillé comme publiciste pour le parti unioniste, écrivait Gow, n'a pas amené M. Loiselle à refuser le contrat pour l'étude du problème de l'information gouvernementale quand M. Daniel Johnson l'a confié à l'Agence Intermédia, dont lui et M. Gros d'Aillon étaient propriétaires. Cela ne l'a pas empêché de proposer dans son rapport une augmentation

Lorsque M. Johnson mourut subitement, les parlementaires ressentirent à quel point la pratique du vrai pouvoir avait connu un temps fort durant les deux années précédentes. (C'est René Lévesque qui le rappelait en 1976, à l'occasion de la réunion de tous les anciens parlementaires québécois des cinquante dernières années encore vivants). Le leadership avait joué un grand rôle, bien sûr. Le sens de l'État, démontré par Daniel Johnson, avait surpris et séduit les mandarins de la Révolution tranquille, qui demeurèrent à leurs postes; le flair politique du chef avait contenté les partisans; et l'image avait été projetée de façon soutenue par des publicitaires experts. Peu de gens se rendirent compte, en effet, du caractère un peu bohème du Premier ministre, de ses retards constants, de son tempérament brouillon dans le quotidien. Sur les grands objectifs, et sur le rythme (le «*pacing*») à imposer lors de l'implantation des politiques, l'exercice du pouvoir par Daniel Johnson et ses conseillers a connu ses meilleurs moments en 1967: ce n'étaient pas les conseillers qui gouvernaient, c'était le Premier ministre. Celui-ci avait réussi à «équilibrer» leur influence, tout en conservant l'estime des plus puissants d'entre eux.

On ne saura pourtant jamais si cette pratique du pouvoir aurait pu connaître le même succès après l'arrivée du «French Power» aux commandes à Ottawa. Ce que l'on constata néanmoins, c'est que le successeur de M. Johnson ne connut pas, lui, les mêmes succès.

---

substantielle (de l'ordre de 300 à 400 p.c.) du budget de l'information et de la publicité du Gouvernement du Québec, ni de recommander le maintien de la politique du recours aux publicitaires-conseils du secteur privé pour les travaux de publicité de préférence à l'idée de créer une agence de l'État.»

TABLEAU III

Principaux conseillers du Premier ministre Daniel Johnson (1966-1968)

Mandarins gouvernementaux	Conseiller partisan	Communicateurs
Les hauts fonctionnaires de la Révolution tranquille	Mario Beaulieu, chef de cabinet du Premier ministre	Gaby Lalande, publicitaire, à l'emploi d'une firme multinationale spécialisée dans ce domaine (Young & Rubicam)
Claude Morin, sous-ministre Arthur Tremblay, sous-ministre Jacques Parizeau, conseiller technique		Jean Loiselle, conseiller en communications sociales, travaillant à son propre compte
Marcel Faribault, conseiller législatif		Paul Gros d'Aillon, cadre permanent du parti, chargé des relations publiques

TABLEAU IV

Composition du Conseil des ministres, telle qu'annoncée par le Premier ministre Johnson le 16 juin 1966

Daniel Johnson, 51 ans, Premier ministre, président du conseil exécutif, ministre des affaires fédérales-provinciales et ministre des Richesses naturelles ;
Jean-Jacques Bertrand, 50 ans, ministre de l'Éducation et ministre de la Justice ;
Paul Dozois, 58 ans, ministre des Finances et ministre des Affaires municipales ;
Maurice Bellemare, 54 ans, ministre du Travail et ministre de l'Industrie et du commerce ;
Raymond Johnston, 52 ans, ministre du Revenu ;
Fernand Lizotte, ministre des Transports et des communications ;
Claude Gosselin, 42 ans, ministre des Terres et forêts ;
Fernand Lafontaine, 43 ans, ministre de la Voirie et ministre des Travaux publics ;
Yves Gabias, 46 ans, Secrétaire de la province ;
Jean-Paul Cloutier, 42 ans, ministre de la Santé et ministre de la Famille et du bien-être social ;
Gabriel Loubier, 34 ans, ministre du Tourisme, de la chasse et de la pêche ;
Jean-Noël Tremblay, 40 ans, ministre des Affaires culturelles ;
Clément Vincent, 35 ans, ministre de l'Agriculture et de la colonisation ;
Francis Boudreau, 64 ans, ministre d'État délégué aux affaires municipales ;
Edgar Charbonneau, 65 ans, ministre d'État délégué à l'industrie et au commerce ;
Armand Russell, 45 ans, ministre d'État délégué aux travaux publics ;
Armand Maltais, 53 ans, ministre d'État délégué à la justice ;
Roch Boivin, 54 ans, ministre d'État délégué à la santé ;
Marcel Masse, 29 ans, ministre d'État délégué à l'éducation ;
François-Eugène Mathieu, 58 ans, ministre d'État délégué à la famille et au bien-être social ;
Paul Allard, 46 ans, ministre d'État délégué à la voirie.

Heureuse décision: pas d'enquête Salvas

Juin 66

BLOCS NOTES

M. Daniel Johnson a semblé jusqu'ici vouloir se montrer assez magnanime dans la victoire. Je crois, en particulier, qu'il faut le féliciter de s'être engagé à ne pas tenir une enquête royale sur l'administration de ses prédécesseurs.

Certes, aucune administration n'est exempte d'erreurs et il peut échapper aux meilleurs intendants des accrocs à la plus stricte honnêteté, mais, dans l'ensemble, personne ne soupçonne sérieusement le gouvernement libéral d'avoir gaspillé consciemment et de façon systématique les fonds de la province. Une enquête, en pareille matière, pourrait faire plus de tort à ceux qui la mettraient en branle qu'à ceux qui en seraient l'objet.

Dans le cas de l'enquête Salvas, le problème était bien différent. Le précédent gouvernement avait été au pouvoir pendant seize ans et les nouveaux élus avaient suffisamment de preuves pour constituer un dossier accablant. Il s'agissait de dévoiler l'existence d'un système de ristournes et, surtout, d'ameuter l'opinion contre un retour toujours possible à de telles pratiques. Le but ayant été en bonne partie atteint, on verrait difficilement, aujourd'hui, la nécessité de récidiver.

En revanche, une enquête genre Glassco, dont le but serait d'analyser tout le processus administratif de la province en vue d'en corriger les points faibles, paraît bien indiquée. Le gouvernement libéral aurait pu l'entreprendre lui-même. A Ottawa, l'enquête Glassco a révélé bien des anomalies : dédoublement de services, achats massifs non justifiés, mauvaise répartition du personnel, trop forte centralisation ici, inutile décentralisation là, etc. Il ne s'agissait pas de blâmer qui que ce soit, mais d'instaurer de nouveaux mécanismes susceptibles de donner au pays une administration à la fois plus économique et plus efficace.

Ce qui fut bon pour Ottawa devrait être bon pour Québec. Après tout, le gouvernement **provincial** doit maintenant administrer un budget de $2 milliards. L'amateurisme, qu'on a d'ailleurs en bonne partie éliminé depuis quelques années, doit faire place à un véritable professionnalisme.

●

L'affaire des faux certificats

Par contre, il faut reconnaître que M. Johnson n'aurait pas tout à fait tort de vouloir rouvrir le fameux dossier des faux certificats d'électeurs. Ce prétendu scandale qui éclaboussa son parti, à quelques jours du scrutin de 1962, n'a jamais vraiment été éclairci. Et, tant qu'il ne l'aura pas été, on aura droit de soupçonner que certains libéraux importants ont trempé dans cette affaire louche.

Comme j'ai moi-même réclamé à diverses reprises, dans le passé, qu'on fasse toute la lumière possible sur ce désagréable épisode de 1962, il m'est bien difficile de blâmer M. Johnson de vouloir y procéder des son arrivée au pouvoir. J'aurais préféré que les libéraux fassent preuve de largeur de vues en acceptant eux-mêmes de la mener à bien, mais puisqu'ils s'y sont toujours refusés, le moins qu'on puisse faire maintenant, c'est de ne pas s'opposer à la décision des nouveaux élus.

S'il importe qu'on connaisse les auteurs d'un tel complot, ce n'est pas tellement pour les punir que pour éviter à d'autres la tentation de les imiter, à l'avenir.

●

Noble attitude de M. Lesage

M. Lesage a reconnu que son attitude rigide à propos du patronage avait probablement été un des facteurs de sa défaite. Mais s'est-il empressé d'ajouter : "J'étais contre le patronage et j'y demeure tout aussi opposé qu'avant mon échec."

Cette attitude mérite d'être soulignée. M. Lesage n'avait pas aboli tout patronage. Il n'en faisait peut-être même plus qu'il ne croyait à son insu. Mais ce patronage n'était plus érigé en système comme il l'avait été auparavant. Un grand pas avait été fait dans la bonne voie.

Il est sûr que beaucoup d'électeurs n'ont pas apprécié cette politique nouvelle. Surtout, évidemment, les électeurs libéraux. Depuis 16 ans, ils avaient attendu ce moment de passer à table, à leur tour, et voilà que, ce moment venu, on ôte la table. Ce changement, qu'il fallait applaudir des deux mains, aura probablement été trop brusque. On n'y était pas suffisamment préparé.

De toute façon, il est heureux que, même battu, M. Lesage ne s'en repente point. Quand une bonne action entraîne une défaite, cette défaite n'en devient que plus honorable.

C. Ryan

TROISIÈME CHAPITRE

LE VRAI POUVOIR SOUS JEAN-JACQUES BERTRAND (1968-1970)

M. Jean-Jacques Bertrand ne demeura que dix-huit mois au poste de Premier ministre. On ne saura jamais dans quelle mesure il aurait fait meilleure figure en s'entourant de ses propres conseillers : il hérita en effet des conseillers de Daniel Johnson. En dix-huit mois, il fit face à une difficile lutte de leadership, le climat changea dramatiquement au sein du parti, et les structures réelles d'autorité se modifièrent tout autant. Le Premier ministre apparut pourtant coincé, dépassé par les événements qu'il avait lui-même contribué à susciter. En ce sens, il révéla peut-être mieux que tout autre l'existence de talents spéciaux nécessaires à la pratique du pouvoir — talents qu'il ne détenait pas avec la même assurance que ses prédécesseurs.

a) *L'Union nationale de Jean-Jacques Bertrand*

La culture partisane sous-jacente à cette époque allant de la fin de 1968 jusqu'à l'élection d'avril 1970 tient à deux grands traits : l'impression des militants que des gens, présumés membres de la pègre, faisaient des affaires d'or avec le gouvernement, et aussi l'impression que le pouvoir n'appartenait pas au Conseil des ministres, mais à un obscur petit groupe manipulant le Premier ministre.

On devine la difficulté de traiter de cette époque. Nous n'avons guère pu trouver d'éléments très substantiels qui démontreraient précisément que l'impression des militants se révélait fondée. La culture partisane, cet environnement du parti majoritaire, baignait dans cette impression que le pouvoir exécutif québécois avait, en 1969, les mains liées. Cette culture partisane s'alimentait, entre autres, des confidences de ministres en poste qui avouaient ne jamais venir au club Renaissance de Montréal de peur d'y découvrir des tractations « pas très catholiques » : en voyant le type d'individus qui se trouvaient au rez-de-chaussée, hommes de mains des caïds, ils s'imaginaient bien quel genre d'individus se trouvaient à l'étage, en train de brasser des affaires. («Je n'y allais pas en 1969-70; j'avais toujours peur de me faire casser les deux jambes.»). Certes, des contributions financières du monde interlope en échange de protection font partie, dans une certaine mesure, de nos mœurs politiques nord-américaines : il serait naïf de croire à la «propreté» totale des caisses électorales de tous les partis américains, canadiens ou québécois. Mais en dix-huit ans, ce fut sans doute le seul moment où la culture politique québécoise a cru cette présence capable d'exercer une influence cer-taine sur le pouvoir.[1] Deux témoignages pourraient corroborer cette culture partisane : le premier est tiré du *Journal des débats de l'Assemblée nationale du Québec*[2] et rappelle des propos tenus par le ministre Jean-Noël Tremblay à la suite du congrès de juin 1969, consacrant le Premier ministre Bertrand comme chef du parti aux dépens de Me Jean-Guy Cardinal; ces propos mentionnaient la pré-sence «de la mafia dans le parti de l'Union nationale du temps». Le Premier ministre Bourassa a également fait état d'un enregistrement en possession de la Sûreté du Québec, dans lequel un des présumés leaders de la pègre montréalaise — qu'il identifie nommément — par-lait «de ses amis de l'Union nationale auxquels il ne fallait pas toucher».[3]

Ce type de climat politique se retrouve chez les militants de la base de l'U.N. qui, à cette époque, parlaient de conjuration contre le Premier ministre. En 1968-69 en effet, plusieurs membres du Bureau du Premier ministre, demeurés à leurs postes après la mort de M. Johnson, étaient perçus comme hostiles à M. Bertrand. Mais comme ils agissaient surtout en communicateurs, c'est à ce titre que leur pouvoir est analysé[4] dans cet ouvrage. Notons par ailleurs que, malgré les rumeurs, il existe assez peu d'indices au sujet de pré-sumés attentats et d'embauchage de tueurs à gages.

---

1. Cela se produisait alors que, de tous les Premiers ministres de cette décennie, M. Bertrand était celui qui «se fichait» le plus de la caisse électorale. Cette situation est d'ailleurs moins paradoxale qu'elle n'en a l'air : un Premier ministre plus intéressé aux finances de son parti aurait pu mettre fin aux rumeurs...
2. Voir le *Journal des débats de l'Assemblée nationale* du 1er décembre 1971, p. 4570 pour d'autres détails.
3. Manchette du *Montreal Star* du 21 avril 1975, p. 1; l'article se réfère à une entrevue accordée par le Premier ministre à la station CJMS de Montréal.
4. Voir à ce sujet l'analyse de Michel Roy dans *Le Devoir* du 19 octobre 1969 : «Ils sont les principaux artisans du renouveau et de la modernisation de l'Union nationale; ils sont aussi les grands spécialistes de la communication, de la télé-vision, de l'information, de «l'image» projetée par le parti. Ce sont les «urbains», voire les «aubains», qui en imposent aux «provinciaux», aux élites des petits centres et autres «ruraux». »

De façon générale, ce que l'on note aussi, c'est que l'argent suit le pouvoir exécutif: la « protection » désirée ne s'obtient que de la part du gouvernement. Ce qui existait auprès des libéraux s'est déplacé auprès de l'Union nationale de M. Johnson, mais sans que, ni dans un cas ni dans l'autre, cette présence impose l'image d'une force capable d'une telle influence sur l'exercice du pouvoir. C'est après la mort de M. Johnson et à mesure que l'année 1969 avançait, que les militants ont perçu cette présence insolite auprès du pouvoir institutionnel. Cette perception était-elle fondée ou non? Il faudra attendre quelques années avant de tenter de le démontrer. Cette impression qu'une clique d'organisateurs politiques détenait la réalité du pouvoir s'est propagée à la suite de certaines réunions du Conseil des ministres. Lors de ces réunions, en effet, des décisions fermes étaient prises, puis totalement ignorées — ce qui irritait particulièrement les ministres les plus touchés. Ils répandirent la rumeur qu'un groupe de l'Union nationale — une demi-douzaine d'organisateurs et de financiers de l'entourage de M. Bertrand — contrôlait toutes les décisions administratives, et même les décisions prises par le Conseil des ministres. On désignait sous le nom de « la main noire » ce groupe d'organisateurs et de financiers, véritables dirigeants de l'Union nationale.

Le cas le mieux documenté concerne l'emplacement de l'aéroport de Sainte-Scholastique. En décembre 1969, après un long dialogue de sourds entre Québec et Ottawa, le Conseil des ministres avait décidé que si une élection était nécessaire au sujet de l'emplacement de l'aéroport, « on irait jusque-là » [5]. Or, dès le lendemain de ce vote du Conseil des ministres, il n'était plus question « d'aller jusque-là ». Cela fit naître la rumeur que certains propriétaires de terrains dans la région de Sainte-Scholastique avaient intérêt à ce que l'aéroport s'y construise, peu importe ce qu'en pensait le Conseil des ministres. Il n'existe aucune preuve de ces conflits d'intérêts; il existe même une autre explication de ce volte-face. L'ambiance partisane n'en percevait pas moins, à tort ou à raison, un Premier ministre manipulé par des conseillers partisans.

Dans le cas de l'aéroport, en effet, les réunions entre les deux niveaux de gouvernement — fédéral et provincial — avaient débuté en 1968, et c'est en mars 1969 que le Premier ministre fédéral annonça

---

5. L'échange de lettres entre les deux Premiers ministres dura plusieurs mois. C'est à la suite de l'échange des lettres (reproduites à la fin de ce chapitre), que la décision du Conseil des ministres du Québec fut prise. On lira en particulier la quatrième page de la lettre de M. Trudeau.

le choix du site à son homologue québécois. Pour le Dr Lussier, ministre des Affaires municipales, ce choix aurait dû plutôt se fixer à l'est de Montréal (au nord-est ou au sud-est, peu importe mais à l'est de Montréal) pour développer l'axe économique Montréal-Québec, et non pas Montréal-Toronto. Comme il le dira lui-même à propos des négociations, « ça se réchauffe à partir de mai 1969 », les deux gouvernements tenant chacun au site déjà indiqué. Après de très nombreuses rencontres infructueuses, le Premier ministre Trudeau refusait, dans une lettre datée du 27 novembre, de rouvrir le dossier du site de l'aéroport. C'est au cours du Conseil des ministres subséquent que la décision fut prise de déclencher, si nécessaire, une élection à ce sujet.

Il existe pourtant une autre explication, complémentaire ou contradictoire, de cette volte-face. Elle tient à la conception même du pouvoir chez M. Bertrand. Alors que beaucoup ont parlé de sa « faiblesse », de son absence de leadership, certains hauts fonctionnaires l'ont plutôt décrit comme un homme de « pondération » et de « modération ». Et l'un des observateurs lointains de la scène québécoise, le professeur Édouard McWhinney de l'Université Simon Fraser, a pu écrire que ce refus d'agir, même à la suite d'un vote du Conseil des ministres, correspondait parfaitement à sa personnalité,[6] sans que nécessairement des forces occultes aient dû faire pression tout de suite après ce vote du Cabinet. L'impression d'ensemble des militants perdure cependant. Dans d'autres cas, même les ministres ressentaient cette toute-puissance d'un petit groupe d'organisateurs politiques. Il faudra un jour écrire davantage à ce sujet. Cette toute-puissance de l'entourage partisan de M. Bertrand, concluons là-dessus, fait plutôt contraste avec les influences partisanes exercées sur ses deux prédécesseurs, MM. Lesage et Johnson. La dimension partisane fait partie du vrai pouvoir de l'Exécutif au Québec. Cette dimension a pu revêtir des connotations péjoratives auprès des conseillers de M. Lesage, qui l'ont rejetée du revers de la main, elle a par contre été perçue en 1969-1970, par certains ministres, comme dominant tout l'exercice du pouvoir.

Au cours de la période 1960-1966, la dimension partisane fut écartée des grandes décisions. Sortant d'une période noire où cette gestion partisane avait dominé ;[7] les conseillers partisans libéraux

6.　*Vancouver Sun*, 5 mars 1976.

7.　Voir deux critiques dévastatrices de cette période des années 1950 dans Pierre Laporte, *Le vrai visage de Duplessis*, Éd. de l'Homme, 1960, volume plutôt mince, et Georges-Émile Lapalme, *Le vent de l'oubli*, chap. VII, VIII et IX de la 3ᵉ partie, pp. 251-273, pages particulièrement éclairantes.

avaient inculqué à M. Lesage ce rejet du pouvoir partisan, qu'ils ne pouvaient pas percevoir comme légitime. Cette absence relative d'un tel pouvoir de la part des conseillers partisans peut être illustrée par trois événements clés de cette période. D'abord, la réunion du Lac-à-l'Épaule des 4 et 5 septembre 1962. Les cadres du parti voulaient y discuter des difficultés du parti; la nationalisation de l'électricité n'était même pas inscrite à l'ordre du jour lorsqu'elle fut évoquée, la deuxième journée. Le Cabinet ne régla cependant rien des questions partisanes,[8] on ne discuta même pas des sondages révélant que le parti se sentait mal dans sa peau. M. Gérard Brady avait préparé un dossier révélant que les libéraux perdraient l'élection, si celle-ci se déroulait le lendemain; il se fondait sur des sondages qu'il avait lui-même administrés — tant on refusait de confier cette tâche à des firmes extérieures. Les partisans libéraux s'y plaignaient de ce que l'on avait aboli le patronage pour eux, mais non pas pour les architectes, ingénieurs, avocats favorables au parti. Non seulement cette question ne fut-elle pas réglée, mais il allait maintenant falloir préparer l'idée d'une élection qui aurait lieu dans dix semaines! Le secret fut conservé à peu près totalement durant les deux premières semaines de septembre. M. Guy Gagnon, directeur de l'organe officiel du parti, *La Réforme*, fut rappelé de Paris où il était en vacances, pour préparer les militants à l'idée d'une élection. Mais la plupart des cadres du parti l'apprirent, comme les militants, le 19 septembre, lorsque M. Lesage se rendit chez le lieutenant-gouverneur pour lui demander de dissoudre les Chambres.

Ensuite, il y eut les tournées d'information du ministre de la Jeunesse, M. Paul Gérin-Lajoie. Celui-ci y annonçait la création d'un ministère de l'Éducation et l'Opération 55 visant à doter toutes les régions du Québec d'écoles secondaires polyvalentes. Tant politiquement que financièrement, il s'agit là des événements les plus importants des années 1963-1965. Or, dans chaque région, M. Gérin-Lajoie insistait pour rencontrer les autorités religieuses, les commissaires scolaires, les instituteurs et les parents — mais pas les notables du parti libéral. Il était là comme ministre, disait-il, comme ministre de tous les Québécois. Il se souvenait du régime Duplessis qui accordait arbitrairement les octrois aux comtés selon qu'ils votaient « bleu » ou « rouge »! Les partisans libéraux, eux, ne comprenaient pas aisément l'attitude de ce ministre au nom aristocratique qui avait l'air de les « snobber ».

---

8. Voir Lionel Bertrand, *Quarante ans de souvenirs politiques*, Sainte-Thérèse de Blainville, Les Éditions Lionel Bertrand, 1976, pp. 221-228.

Lors de l'élection de 1966, enfin, M. Lesage a paru faire campagne seul, croyant pouvoir être élu en vertu de sa «politique de grandeur». Il a, après la défaite, assumé le blâme de cette rupture avec les militants.

Ce que l'on retient par contre de la brève période de pouvoir de M. Daniel Johnson, c'est l'insécurité de ses assises partisanes, le parti ayant été élu avec 6% de moins de votes que les libéraux. Cet environnement a incité le Premier ministre à ne poursuivre qu'à un rythme acceptable aux militants et au caucus du parti. En ce sens, le poids partisan de l'exercice du pouvoir s'est, en 1966-67, manifesté pleinement, au même titre que le pouvoir technocratique et celui de la communication.

Durant les années 1969-1970, enfin, les structures partisanes, les militants des divers comtés paraissaient plutôt absents du pouvoir réel. M. Bertrand se désintéressait personnellement de cette dimension partisane et se fiait totalement aux frères Roland et Fernand Beauregard pour la bonne marche de la machine électorale de la grande région de Montréal. La rédaction du programme électoral de 1970 a été confiée, à la dernière minute, à M. Marcel Masse. MM. Beauregard et Masse assuraient au Premier ministre que les adjuvants partisans étaient prêts au combat; mais, en fait, seul ce petit groupe d'individus se substituait aux contacts avec les militants de la base. Ceux-ci avaient même peur de se rendre au club Renaissance, de peur de se faire briser les deux jambes!

Une telle délégation de pouvoirs à l'égard du parti, de la part du Premier ministre Bertrand, s'est également retrouvée en matières gouvernementales. Selon toute apparence, c'est par tempérament que M. Bertrand procédait de la sorte. Déléguer des pouvoirs, c'est s'en remettre, en fait, à quelques personnes dont on accepte les conseils. Il s'agit là d'une approche fort différente de celle qu'utilisait Daniel Johnson.

b)   *Des structures gouvernementales de type militaire*

La pratique du pouvoir sous Jean-Jacques Bertrand a été marquée de deux caractéristiques principales: au sein de chaque ministère, l'exercice réel de l'autorité par le ministre; au gouvernement, l'arrivée du premier vrai mandarin québécois, au sens courant du terme, c'est-à-dire un haut fonctionnaire à la fois influent et très, très discret. [9]

---

9. Sur les mandarins britanniques par exemple, voir Anthony Sampson, *Anatomy of Britain*, chap. 14.

À la suite de la mort subite de M. Daniel Johnson le 26 septembre 1968, M. Bertrand posa, à titre de Premier ministre intérimaire, quelques gestes rapides qui révélèrent sa conception de l'exercice du pouvoir («tout ce qui traîne se salit», répétait-il souvent). Il remania le Conseil des ministres pour alléger la tâche des «super-ministres»; M. Paul Dozois en particulier délaissait le portefeuille des Institutions financières pour ne conserver que les Finances; Me Rémi Paul devenait ministre d'État associé à la Justice, remplaçant ainsi en quelque sorte Me Bertrand lui-même. De même, dans des domaines techniques bien précis, M. Bertrand posa rapidement des gestes concrets: Ville Saint-Michel fut annexée à la ville de Montréal, et des élections complémentaires auraient lieu avant la fin de l'année 1968 dans Bagot et Notre-Dame-de-Grâce. [10] Par ailleurs, le Premier ministre voulut s'assurer que les projets législatifs élaborés sous M. Johnson deviennent lois, et une meilleure répartition des portefeuilles faciliterait la tâche, déclara-t-il. Certains ont cependant noté qu'il s'agissait là — du moins lorsqu'on l'utilisait ailleurs — d'un type d'administration qui se caractérisait par une absence de leadership, ou en tout cas par un Premier ministre qui gérait plutôt qu'il n'orientait. En effet, d'autres décisions à plus long terme reflétaient ce type d'administration ou l'expliquaient: M. Bertrand fit adopter par l'Assemblée nationale un amendement à la loi de l'Exécutif, amendement qui créait le poste de secrétaire général du Conseil exécutif, [11] et il nomma à ce nouveau poste son ancien sous-ministre de la Justice, Me Julien Chouinard. Cette nomination eut pour effet d'empêcher les pressions trop directes ou trop soutenues d'un ministre sur le Premier ministre pour faire accélérer les dossiers. Le Premier ministre Bertrand s'appuya en effet, d'octobre 1968 à avril 1970, sur une méthode hiérarchique d'administration de l'État. C'est ainsi que les membres du Conseil des ministres s'aperçurent, avec l'arrivée au pouvoir de M. Bertrand, qu'il ne suffisait plus d'aller présenter un projet au Premier ministre pour le faire progresser. La collégialité avait été remplacée par un type hiérarchique de gestion: M. Bertrand ne se penchait sur aucun dossier qui n'avait d'abord reçu l'assentiment de Me Chouinard. Un tableau d'organisation gouvernementale dont les lignes aboutissaient toutes au Premier ministre fut donc, en fait, remplacé par un organigramme dont toutes les lignes d'exercice du pouvoir passaient par Me Chouinard. Ce fut

---

10. Le député de N.D.G., Éric Kierans, avait été élu député fédéral le 25 juin, et il faisait même partie du Conseil des ministres à Ottawa.

11. Chapitre 12 des *Statuts du Québec de 1968*, article 1, p. 117.

une période où l'on parla au Québec, mi-sérieusement mi-à la blague, d'un « Premier ministre adjoint ».

M. Bertrand était un homme de modération, qui ne voulait pas se faire prendre à endosser un projet de loi à la suite de discussions individuelles avec un ministre trop entreprenant. En fait, il devenait important pour lui « de signer des papiers, de tenir des réunions, de prendre des décisions, petites ou grandes » plutôt que d'élaborer des stratégies à long terme. Il était conscient, a-t-on dit, de la différence qui existait entre son potentiel personnel et l'image que la collectivité québécoise avait de lui ; il savait fort bien qu'il n'arrivait pas, comme Premier ministre, à « occuper l'ensemble du fauteuil ». Il fallait, par des contacts personnels ou des remarques de collègues, sentir cette chose-là ; et ça se sentait fort bien, dira M. Marcel Masse, par exemple, lors d'une entrevue à l'émission *Si l'Union nationale m'était contée*.

Certains spécialistes qualifient de « traditionnel » un tel type d'administration ministérielle. Chaque ministre prenait vraiment charge de la conception et de la gestion des politiques de son ministère, et le Conseil des ministres servait uniquement de lieu où s'effectuaient les compromis mensuels sans vastes perspectives d'avenir ni désignation des priorités. [12] On désigne ce type d'organisation sous le vocable de « traditionnel » parce qu'on le retrouvait surtout avant l'arrivée de la télévision et de l'État-Providence. [13] De la télévision découlerait en effet la personnalisation du pouvoir réel aux mains du Président ou du Premier ministre ; de l'État-Providence proviendrait la complexité des décisions à prendre et l'arrivée des technocrates au cabinet personnel du Premier ministre (ou dans des officines annexes). Au Québec, on retrouvera vraiment ce type plus « moderne » d'organisation réelle au Conseil des ministres en 1976. La période d'octobre 1968 à avril 1970 fut, elle, plutôt marquée d'un retour au pouvoir réel détenu par chaque ministre, et des conflits au cabinet personnel du Premier ministre. Au Bureau du Premier ministre, en effet, M. Bertrand dut faire face à l'absence de loyauté des conseillers techniques qu'il avait hérités de son prédécesseur. Peut-être l'avait-il très tôt pressenti, puisqu'il créa dès le premier mois

---

12. « *The traditional cabinet form was little more than a bargaining centre lacking a collective view of overall government problems.* »
13. Meyer Brownstone, « The Douglas — Lloyd Governments : Innovation and Bureaucratic Response » in Laurier Lapierre *et al., Essays on the Left*, Toronto, McClelland & Stewart ; Paul Tennant, « The NDP Government of British Columbia : Unaided Politicians in an Unaided Cabinet », *Canadian Public Policy*, automne 1977, pp. 491-492.

de son arrivée au pouvoir le poste de secrétaire général du gouvernement et y nomma un homme sûr, Julien Chouinard.

Me Chouinard avait été, de 1966 à 1968, son sous-ministre de la Justice. D'abord nommé à ce poste en 1965, alors que Me Claude Wagner était le ministre titulaire de ce ministère, Me Chouinard demeura jusqu'en mai 1975 un des personnages les plus influents de l'appareil d'État et l'un des moins bien connus du grand public. Lors des accusations de «*security risks*» lancées durant la campagne électorale de 1966,[14] comme à la conférence constitutionnelle de Victoria en juin 1971, en passant par les événements d'octobre 1970, il veillait au grain. Il a servi, discrètement mais de façon soutenue, à titre de plus haut fonctionnaire du gouvernement du Québec. C'est pourtant sous M. Bertrand, en 1969, qu'il a acquis son titre de «Premier ministre adjoint», titre officieux que lui décernaient les ministres de l'Union nationale! Ce n'est guère faire injure à son successeur, M. Guy Coulombe, que de le décrire comme étant «le Julien Chouinard des pauvres»; c'est plutôt confirmer le pouvoir réel qu'exerçait Me Chouinard. Durant les événements d'octobre 1970, on le notera plus loin au chapitre 4, ce sont ses conversations téléphoniques avec les autorités policières qui ont permis de coordonner les opérations «spéciales»; c'est la signature de Me Chouinard qui a autorisé les arrestations. C'est lui qui, par la suite, eut la main haute sur les activités du CAD (Centre d'analyse et de documentation);[15] en ce sens, il contrôla durant les années 1970-1975 «l'appareil de la sécurité de l'État». Mais c'est en 1969 qu'il parut influencer le plus la gestion d'ensemble de l'appareil gouvernemental, et cela pour trois raisons complémentaires: la fidélité des conseillers unionistes n'était pas acquise, loin de là, au nouveau Premier ministre; homme de modération, Me Bertrand voulut ralentir le rythme et «l'agressivité» des *policy-makers* de la Révolution tranquille; enfin, homme d'ordre et de pondération, Me Bertrand se confia souvent à son haut fonctionnaire privilégié, «juriste qui possédait l'esprit de géométrie dont parle Pascal» (dira un jour un des ministres de cette époque).

---

14. Le Premier ministre Lesage avait accusé l'un des agents de la Sûreté du Québec, qui en était le principal leader syndical, d'être un «*security risk*». Après avoir quitté la Sûreté, l'individu visé — Arthur Vachon, refit surface quelques années plus tard comme membre du parti communiste. M. Lesage déclara alors: «Je vous l'avais bien dit», tandis que l'impliqué nia avoir porté atteinte à la sécurité de l'État.

15. Voir chapitre 4.

Par conséquent, le Premier ministre Bertrand se mit peu à peu dans une situation de dépendance à l'égard de son subordonné. Certes, dans toute position d'influence, on trouve des éléments de réciprocité. Mais des structures gouvernementales de type hiérarchique créent souvent des situations de dépendance aiguë à l'égard d'un seul subordonné. Pour l'obtention des renseignements indispensables à la mise au point de ses politiques, Me Bertrand s'en est souvent remis à Me Chouinard. Ce fut particulièrement vrai en matières fédérales provinciales, où M. Claude Morin et les autres sous-ministres ne jouèrent en 1969 qu'un rôle d'automates, d'exécutants. On note la même situation aux États-Unis sous les Présidents Eisenhower et Nixon.[16] Tant que M. Chouinard n'avait pas vu les dossiers, «ça ne passait pas». Aussi les ministres décrivaient-ils cette forme d'administration comme étant de type militaire. Le général Eisenhower se sentait peut-être à l'aise dans de telles structures qui donnaient l'illusion «d'apporter un ordre et une symétrie dans le flot d'information et de choix qui le submergeait». Chez M. Bertrand comme chez Eisenhower, automatiquement le Premier ministre devint le dernier à connaître les détails des dossiers. Une organisation de type militaire, hiérarchique, signifiait «une seule source d'information, le berceau de toutes les questions à trancher».

Comme le général Eisenhower, M. Bertrand a par ailleurs pris en main la tâche de Premier ministre, à la fin de 1968, en se disant qu'un Premier ministre raisonnable n'a pas besoin d'autre pouvoir que la logique de son argumentation — trait de caractère qu'il partageait d'ailleurs avec Me Chouinard. Les dissidents seraient seuls «fous ou fripons».[17] Mais à la suite de ses malaises cardiaques[18] et à mesure que s'écoulait l'année 1969, le Premier ministre se sentait de moins en moins informé de la gestion des différents ministères, et par conséquent il se fiait de moins en moins à son propre jugement dans ces domaines. Cette situation l'amenait donc à dépendre plus étroitement encore des opinions discrètes de son secrétaire général, Me Chouinard.

---

16. Voir l'Annexe II.
17. L'expression est de R. Neustadt, *op. cit.*, p. 76.
18. Sait-on que lorsque le Premier ministre est hospitalisé à l'Institut de cardiologie de Québec, situé hors des limites de la ville de Québec, il cesse d'exercer ses fonctions? C'est M. Jean Loiselle qui conçut cette idée et Me Émile Tourigny en rédigea le libellé quand M. Bertrand fut hospitalisé le 10 décembre 1968. Ainsi, Me Jean-Guy Cardinal devint «Premier ministre en exercice» avec pleins pouvoirs — jusqu'au retour de Me Bertrand à Québec le 26 janvier 1969 —, lorsque, officiellement, il devint vice-Premier ministre du Québec, ce 10 décembre 1968.

Boursier Rhodes et diplômé d'Oxford, Julien Chouinard était aussi militaire et fils de militaire. Lieutenant-colonel et commandant du 6ᵉ régiment d'artillerie de campagne,[19] il fit sa marque à Québec tant dans la pratique du droit que dans l'enseignement de cette discipline à l'Université Laval. Il devint sous-ministre de la Justice en 1965. En juin 1968, il quitta un moment la fonction publique pour briguer les suffrages comme candidat progressiste-conservateur dans la circonscription de Matane, lors des élections générales fédérales. Lors de cette élection, ce parti put présenter des candidats qui ne sortaient guère de ses rangs mais qui s'opposaient à la «conception centralisatrice» du fédéralisme que proposait le nouveau leader des libéraux, Pierre-E. Trudeau. Opposés à cette conception centralisatrice, ces candidats décidèrent — le temps d'une campagne électorale — de devenir membres du parti conservateur. On en comptait une bonne douzaine et demie, y compris Me Chouinard. Comme tous ces nouveaux venus, celui-ci fut défait.

Peu après l'accession de Me Chouinard au poste de Premier ministre intérimaire, M. Bertrand le nomma secrétaire général du gouvernement.

Les grandes orientations de ces dix-huit mois de pouvoir ont d'abord été marquées d'un retrait de l'État des grandes activités socio-économiques, d'une «crainte» apparente, de la part du Premier ministre, de l'intervention de l'État dans les activités socio-économiques de la collectivité. En matières fédérales-provinciales où Me Chouinard a joué un rôle constant, on a assisté à un recul ou à un désistement — peut-être symbolisé par l'attitude de Me Bertrand — dès ses premières semaines au pouvoir, lors de la conférence sur le crime organisé: il se serait agi d'un «malentendu» quand le Québec «réprouva les propos» du ministre fédéral de la Justice qui reprocha au gouvernement québécois son manque de célérité en la matière.[20] Pourtant, Me Claude Wagner, ministre dans le gouvernement de M. Lesage, avait déjà en 1966 déclaré la même chose à l'égard de la Gendarmerie royale du Canada sans ensuite parler de malentendu. Dans ce domaine des relations avec Ottawa, le ministre Paul Dozois, tant qu'il siégea au Conseil des ministres, exerça une influence sur M. Bertrand, parce que son idéologie «modérée» se rapprochait de celle du Premier ministre. En janvier 1969 par exemple, lors du

19. Gilles Lesage, «Après le départ de Julien Chouinard, qui deviendra le plus haut fonctionnaire du Québec?», *Le Devoir*, 27 mai 1975, pp. 1 & 6.
20. «La querelle Turner-Bertrand, simple malentendu?», *Le Devoir*, 10 octobre 1968, pp. 1 & 2.

séjour en France du ministre Jean-Guy Cardinal, M. Dozois rappela que le ministre n'avait pas obtenu de mandat pour signer au nom du gouvernement des ententes avec les autorités françaises. À la suite des protestations des éléments nationalistes du caucus et du Conseil des ministres, M. Bertrand dut reconnaître à l'Assemblée nationale que M. Cardinal avait bien obtenu des ministres le mandat de parapher des lettres d'intention. [21]

Par ailleurs, lorsque M. Bertrand engagea le gouvernement, en particulier en ce qui a trait au projet de loi 63 sur la liberté de la langue d'enseignement, [22] cela eut comme conséquence de favoriser le groupe linguistique anglophone plutôt que de lui faire contrepoids. À cette occasion, M. John Lynch-Staunton a paru exercer une influence considérable sur le Premier ministre en le convainquant de la nécessité de protéger les deux groupes linguistiques au Québec. [23] C'est cette année-là que l'État a commencé à perdre de sa valeur dans l'esprit de beaucoup de Québécois, notamment parce que le Premier ministre Bertrand s'était trop identifié à des groupes particuliers, fédéralistes et anglophones. La recherche de la « politique de l'unanimité », du consensus social qui avait marqué les années 1960-1967, avait fait place à une situation de conflit. [24] La course à la chefferie au sein du parti ministériel a d'ailleurs contribué à détruire le consensus : dès mars de cette année-là, au cours de la campagne, M. Bertrand demanda aux souverainistes de quitter l'Union nationale. M. Johnson avait réussi, lui, à préserver le consensus sur le thème : égalité ou indépendance. [25]

La campagne électorale d'avril 1970, enfin, révéla les divisions profondes qui existaient au sein du Conseil des ministres. La situa-

---

21. Jérôme Proulx commente ces péripéties dans *Le panier de crabes*, *op. cit.*, pp. 125-6.
22. Lorsque M. Bertrand voulut créer une commission d'enquête sur la situation linguistique et que le président pressenti se désista à la dernière minute, c'est M. Jean-Noël Tremblay qui lui dit : « Moi, je connais quelqu'un », et qui lui mentionna le nom du linguiste Jean-Denis Gendron.
23. « Pour mousser la candidature de M. Lynch-Staunton, M. Bertrand se rendit deux fois dans le comté de N.D.G. ; les électeurs n'avaient qu'une question à la bouche ou à l'esprit : « What about St. Leonard, M. Bertrand ? » se plaçait, lui et son parti, dans une position extrêmement difficile. (...) De nous tous, Denis Bousquet se montrait le plus révolté de l'ascendant qu'exerçait M. Lynch-Staunton sur M. Bertrand. Qu'en aurait-il été si M. Lynch-Staunton avait été élu et nommé ministre ? » Proulx, *op. cit.*, p. 117.
24. Sur ces notions, voir Robert Dahl, *Pluralist Democracy in the United States : Conflict and Consent*, Chicago, Rand McNally, 1967 ; sur le Québec des 20 dernières années, voir à ce sujet la *Revue d'études canadiennes*, septembre 1977.
25. « Bertrand aux souverainistes : quittez l'UN ! », *Le Devoir*, 17 mars 1969, pp. 1 & 2.

tion économique et sociale s'était grandement détériorée en 1969, et l'absence de leadership de la part du Premier ministre en constitue sans doute une cause importante. Les solutions proposées en 1970 étaient interventionnistes et nationalistes si l'on écoutait MM. Marlo Beaulieu et Marcel Masse, et antisyndicalistes et fédéralistes si, au contraire, on écoutait MM. Bertrand et Paul. Mais, en fin de compte, le type de gestion gouvernementale qui caractérisait ce régime paraissait plus adapté au laisser-faire économique qu'à l'État-Providence des années 1960-1968. En ce sens, un Premier ministre seul, sur qui à peine deux ministres (Paul Dozois jusqu'en juillet 1969, puis Rémi Paul) et de rares fonctionnaires (Julien Chouinard) exerçaient une influence, paraissait peu préparé à exercer le pouvoir. [26] Bref, certains observateurs auraient préféré que le Premier ministre utilisât la stratégie d'une équipe de ballon-panier plutôt que les structures militaires. M. Bertrand ne pouvait cependant compter ni sur l'esprit d'équipe ni sur le terrain pour l'aider en ce sens. Son image l'a tué.

c) *Les fabricants d'images : un pouvoir maléfique sous Jean-Jacques Bertrand ?*

Le Premier ministre Bertrand méritait mieux, prétendent certains ; sa vulnérabilité l'a tué. Sa réputation avait été surfaite, répondent les autres ; ses dix-huit mois de pouvoir l'ont révélé tel qu'il était, sans que les spécialistes en publicité aient eu à l'amoindrir aux yeux de l'Histoire.

La première de ces deux hypothèses, son fils Jean-François en a fait part aux auditeurs de la série *Si l'Union nationale m'était contée* : « Depuis 1968, il n'avait pas les conseillers qu'il aurait mérité d'avoir. » Lorsque les organisateurs au sein du parti firent pression pour qu'il demeure chef du gouvernement à la suite de la mort prématurée de M. Daniel Johnson, ces conseillers en publicité auraient dû « jouer le rôle d'avocats du diable et (faire) une certaine critique et lui (dire) que dans le contexte actuel il était préférable qu'il continue à jouer le rôle d'un second capitaine au sein de l'équipe. » [27] Cette image qui paraissait si saine posait donc un problème ? Cette seconde hypothèse rejoint, en un sens, la première, si l'on pose une telle question. Les prémisses de cette seconde hypothèse s'énoncent à peu près ainsi :

---

26. « Unaided Premier in an unaided Cabinet », voilà comment Paul Tennant et George Cadbury décrivent le type « traditionnel » d'administration gouvernementale exercé par un premier ministre. Voir *Canadian Public Policy*, automne 1977, pp. 489-503.

27. *Si l'Union nationale*, p. 123.

«Avant 1968, l'image de M. Bertrand a été le fruit des média, dira un jour l'ancien ministre Marcel Masse.[28] Lorsqu'il a accédé au poste de Premier ministre, puisqu'il n'a pas été conforme à l'image qu'on s'en faisait, évidemment on a été doublement déçu, tant à l'intérieur du parti que dans la population.» Depuis 1961, en effet, l'image de M. Bertrand avait été établie en contraste avec celle de M. Johnson : d'abord l'homme honnête, puis le nationaliste. Cela provenait du besoin des média de créer un bon et un méchant, disait M. Masse. Arrivé au pouvoir, M. Bertrand, «qui était bien conscient de la différence entre son potentiel personnel et cette image», dut par conséquent se fier aux spécialistes de la publicité ;[29] il ne s'aperçut que trop tard de leur infidélité. En fait, le pouvoir réel des fabricants d'images — d'une image destructrice plutôt que rehaussante — s'est manifesté à quelques moments bien précis durant ces dix-huit mois : dans tous ces cas, l'image de M. Bertrand n'en est pas sortie grandie. Conjuration ou non, le pouvoir réel à Québec a ainsi été accaparé par ces spécialistes de la communication avec l'électorat.

D'abord à deux moments, des événements ont été créés, des gestes posés, par le Premier ministre en fonction d'un média particulier, la télévision. En novembre 1968, il a choisi de présider aux cérémonies d'inauguration du «nouveau» Forum de Montréal, et en octobre 1969 et s'est fait laver les cheveux devant les caméras de Radio-Canada. Dans les deux cas, la réception des téléspectateurs ne fut pas des meilleures : M. Bertrand avait été — on n'en doute pas — fort mal conseillé. Des créations d'événements (*event creation*) requièrent à la fois un sens de la dignité et du théâtre que M. Bertrand n'a jamais possédé. Au Forum, le 2 novembre 1968, le discours comprenait trop de lieux communs, faisait trop sérieux, ne cadrait pas avec l'atmosphère de fête. Bref, ce n'était pas l'endroit pour prononcer un discours de cette nature («cette structure magnifique qui ressemble au Québec nouveau»). Les gens avaient d'abord applaudi un Premier ministre qui n'était en poste que depuis quelques semaines ; mais, à mesure que les minutes, s'écoulaient les huées s'intensifièrent. De plus, ce qui mit bien des gens mal à l'aise ce soir-là, le Premier ministre se comportait comme s'il avait été ivre. Un tel comportement ne peut pas être passé inaperçu aux yeux de son entourage, à l'Hôtel Bonaventure, avant qu'il n'arrive dans l'enceinte du Forum. Ne pouvait-on pas s'assurer que le repas qui précéderait

---

28. *Ibid.*, p. 127.
29. Notons que Laurent Laplante soutiendra un jour la thèse opposée : «L'image publique de M. Bertrand ne fut jamais à la hauteur de ses mérites.» *Le Devoir*, 24 février 1973.

le discours fût «sec», si effectivement son comportement s'expliquait par «le verre de trop» qu'il avait ingurgité? Ou, au contraire, M. Bertrand fut-il manipulé?

De même l'émission *Format 60* du 10 octobre 1969 marqua — de façon moins aiguë mais néanmoins très nette — l'électorat du Québec. Les sondages d'opinion révèlent, en effet, que ces deux événements créés pour la télévision (*media events*) provoquèrent un ressac, le Premier ministre apparaissant dans des attitudes qui ne donnaient pas une très belle image de sa fonction.[30] «En fin de compte, ce fut assez gênant», écrivit D. Cater lorsque le Président Truman tenta des expériences analogues, à la fin de son mandat à la Maison Blanche.[31]

La publicité qui entoura la lutte à la chefferie, l'image qui se dégagea de M. Bertrand à cette occasion, ne contribuèrent pas non plus à le revaloriser dans l'opinion publique. Lors de ce congrès de juin 1969, M. Bertrand fut élu chef de l'Union nationale avec 1325 voix; son adversaire, le vice-Premier ministre et ministre de l'Éducation, M. Jean-Guy Cardinal, en recueillit 938. Ce que l'on retient de ce congrès, c'est que M. Bertrand se porta candidat apparemment après avoir signifié qu'il n'en avait pas l'intention; et il fut alors appuyé par les éléments les plus traditionnels du parti: les spécialistes de la publicité, eux, appuyaient son adversaire.

Un congrès à la chefferie n'était pas, en fait, formellement requis. Sans doute, s'ils avaient su, ses organisateurs ne l'auraient pas recommandé. Ou, au contraire, doit-on, ici encore, leur prêter des desseins de conjuration? En termes d'image, de mobilisation des troupes unionistes et d'incitation des indécis, à un an d'une élection un congrès peut être très bénéfique à un parti au pouvoir: c'est ce que répétaient sans cesse les spécialistes en publicité du Bureau du Premier ministre. En janvier et mars 1969, M. Bertrand avait pourtant laissé entendre qu'il ne serait pas le leader du parti lors des prochaines élections — à un point tel que trois ou quatre de ses ministres s'attendaient à son retrait de la vie politique, lorsque M. Bertrand convoqua une importante conférence de presse le 12 mars, à Limoilou. Or, ce jour-là, M. Bertrand annonça au contraire la tenue d'un congrès au leadership, où il se porterait candidat.

---

30. Voir à ce sujet l'ouvrage de D. Nimmo, *The Political Persuaders*, Prentice-Hall, 1970.
31. D. Cater, *Qui gouverne à Washington?*, p. 114. M. Truman, servant de guide pour faire visiter la Maison blanche aux téléspectateurs, «poussa les choses jusqu'à s'asseoir au piano pour jouer un petit air».

À ce titre, le vrai pouvoir des spécialistes en publicité ne s'avéra pas très grand. C'est Mme Bertrand qui, semble-t-il, convainquit son mari de demeurer au poste.[32] Lors de sa période de convalescence à Cowansville, en janvier 1969, M. Bertrand a songé sérieusement à tout abandonner; sa crise cardiaque l'avait fait réfléchir. L'impact de son épouse, « mieux préparée à ce poste par sa famille et ses études », parut alors décisif. La tenue d'un congrès devenait alors utile pour mater les fiduciaires de la caisse du parti. Ceux-ci reprochaient au Premier ministre de ne pas avoir été élu et lui refusaient même le droit de se mêler des questions financières. En ce sens, par conséquent, les responsables de la caisse du parti ont joué — indirectement — un plus grand rôle dans la décision de tenir ce *meeting*. Les autres appuis, enfin, vinrent d'organisateurs plus traditionnels du parti qui percevaient l'arrivée et la montée en flèche de Jean-Guy Cardinal comme incompatible avec « leur » U.N., celle des notables des petites villes de province, partageant des valeurs chères à Maurice Duplessis, conservatrices, populistes, voire anti-intellectuelles. Un doyen d'université, secrétaire-adjoint du Trust Général, frayant en outre avec une des deux grandes blondes dont parlait Jean-V. Dufresne dans son compte-rendu du congrès:[33] c'était un vrai scandale, commentaient-ils entre eux, en souhaitant que ce soit M. Bertrand qui fasse à leur tête la prochaine élection.

L'image de M. Bertrand ne s'améliora pas durant l'année qui suivit le congrès, sans que l'on puisse déterminer exactement si le Premier ministre commettait inconsciemment ses propres bourdes ou si, au contraire, ceux dont il recherchait les avis agissaient intentionnellement pour le montrer vulnérable. Lors du projet de loi 63, par exemple, son entourage avait réussi à le convaincre qu'il s'agissait là d'un moyen de forcer les nationalistes au sein du parti à faire front commun avec le Premier ministre. À la grande conférence de presse qui marqua le lancement de ce projet de loi, des gens connus pour leur nationalisme entouraient M. Bertrand: MM. Jean-Noël Tremblay, Marcel Masse, Jean-Guy Cardinal, Mario Beaulieu. À l'automne, la protection du Premier ministre n'était plus assurée, tant cette loi avait divisé les Québécois. L'image que l'on retient sans doute, c'est

32. Le témoignage de M. Jean Bruneau, lors de l'émission *Si l'Union nationale m'était contée*, révéla publiquement ce que d'autres personnes avaient aussi évoqué à ce sujet.

33. « Puis (Cardinal) commit un sérieux impair: s'afficher dans des réunions de comtés à la campagne, flanqué de deux grandes blondes, lui, un homme marié ! Les épouses dans la quarantaine l'ont grondé, en votant pour l'autre ». « La grande tombola de l'U.N. », *Le Magazine Maclean*, septembre 1969, p. 17.

celle d'un citoyen d'East Angus crachant à la figure de M. Bertrand aux applaudissements de trois cents badauds, tandis qu'un autre manifestant était arrêté le même soir «au moment où, brandissant un bâton, il s'apprêtait à assommer le Premier ministre».[34] À la fin de cette année-là, lorsque M. Bertrand annonça que des élections auraient lieu en 1970, La Presse souhaita, en éditorial, que ce soit le plus tôt possible, pour redonner au Québec le leadership politique qu'il semblait avoir perdu depuis un an.

Durant la campagne électorale, enfin, M. Bertrand s'est plaint publiquement (le 8 avril) d'une conjuration des responsables de l'organisation du parti à Montréal. Or, à ce groupe de «faiseurs d'élections», on associait les spécialistes en communication recrutés par M. Daniel Johnson en 1965-1966. Déjà, au lendemain de la mort de M. Johnson, on avait cru percevoir des tensions entre le «gang de Montréal» — comme on l'appelait — et le nouveau Premier ministre. Ceci était d'autant plus perceptible, avait écrit Michel Roy dès octobre 1968, que le «gang de Montréal» tirait son influence de sa présence au Bureau même du Premier ministre (MM. Jean Loiselle, Paul Chouinard...) et utilisait des techniques que les élites rurales — sur lesquelles M. Bertrand s'appuyait — ne comprenaient guère. «Grands spécialistes de la communication, de la télévision, de l'information, de l'image projetée par le parti»,[35] ils avaient dit, comme M. Jean-Guy Cardinal à Saint-Liboire le 15 octobre: «Pour le moment, je travaille avec M. Bertrand». Or, il est certain que, à mesure que 1969 s'écoulait et particulièrement au moment de la campagne électorale de 1970, MM. Bertrand et Gaby Lalande, par exemple, se respectaient de moins en moins. Le parti confia malgré tout l'image de M. Bertrand et la publicité de l'Union nationale à la firme SOPEQ. Cet élément est souvent cité par certains acteurs de ce drame pour démontrer que M. Bertrand fut prisonnier d'une image qu'il n'avait pas lui-même créée et qui ne reflétait pas ses véritables talents d'administrateur.

La première faille entre SOPEQ et M. Bertrand était survenue peu après la mort de M. Johnson. Lors de la campagne électorale fédérale de 1968, SOPEQ avait obtenu un contrat de publicité du parti conservateur. Il s'avéra que celui-ci payait mal ses factures à la firme de publicité à tel point que Gaby Lalande menaça un jour de tout arrêter en cours de route. Il obtint alors l'assurance du Premier ministre Johnson que les $70,000 qui lui étaient dus lui seraient versés;

34. *La Presse*, 3 novembre 1969, p. 1.

35. Michel Roy, «Il n'y a pas de vacance, il est trop tôt et on ne sait pas s'il y aura un congrès!», *Le Devoir*, 19 octobre 1968, p. 3.

ce serait par le parti conservateur ou par l'Union nationale si nécessaire, mais M. Johnson s'en était porté garant. Or, après la mort de
M. Johnson, M. Bertrand refuse de couvrir cette dette dont il n'avait
pas eu connaissance et qui ne le liait pas.

Par ailleurs, M. Bertrand ne conserva pas à SOPEQ l'exclusivité des contrats gouvernementaux. Dès le début de ses dix-huit mois
à la tête du gouvernement, il accorda des contrats de publicité à d'autres firmes. Puis, lors du congrès au leadership, Gaby Lalande refusa
de créer la publicité de M. Bertrand (il refusa aussi de faire celle de
M. Cardinal); il fut conseillé en cela par «les hautes instances» du
parti, répéta-t-il par la suite. Il n'accepta lors de ces assises que le
contrat de publicité générale du congrès. Pour le congrès, M. Bertrand engagea Jacques Bouchard, perçu comme partisan libéral,
comme son conseiller personnel. Il ne s'agissait alors que de Bouchard, et non pas son agence B.C.P.; mais, après le congrès, cette
agence obtint des contrats gouvernementaux de publicité.

C'est dans ce contexte que se déroula la campagne électorale
de 1970. Alors qu'en 1966 Gaby Lalande avait été le responsable de la
publicité de l'Union nationale qui l'avait emporté difficilement aux
urnes, en 1970 tout le monde se croyait capable de faire gagner
l'U.N.: Ronald Corey, qui avait été engagé par M. Bertrand
comme secrétaire de presse; Jacques Bouchard; Jean Loiselle, qui
était maintenant sous-ministre de l'Immigration; et enfin l'agence de
publicité SOPEQ. C'est là la situation habituelle d'un parti au pouvoir
depuis quatre ans, d'un parti qui a le vent dans les voiles, face à un
tout nouveau chef (Robert Bourassa) et à un nouveau parti politique
(le P.Q.). Tout le monde, ou presque, se mêlait de concevoir la
publicité de l'Union nationale, dont SOPEQ, qui n'aimait pas beaucoup M. Bertrand. Certains éléments de cette projection de l'image
ont d'ailleurs déplu aux fidèles alliés de M. Bertrand: par exemple,
la publicité en très petits caractères publiée dans les quotidiens à
grand tirage à la fin de la campagne — publicité peu attrayante et
difficile à lire [36] — et la photo officielle de M. Bertrand. Lorsque le
choix de cette photo s'est effectué, deux collaborateurs de l'Union
nationale (comptant à eux deux cinquante ans au service du parti)
ont nettement cru que l'on choisissait la moins attrayante des photos
du leader («Il avait l'air d'un mort dans son cercueil.»).

On ne tranchera pas de sitôt le débat, à savoir s'il s'est agi ou
non d'une conspiration pour «couler» le Premier ministre. En tout

---

36.   Voir par exemple *La Presse*, 28 avril 1970, p. 35.

cas, la campagne fut mal orchestrée ; l'image était celle d'un parti désuni, et les sondages révélèrent que le parti libéral avait accru ses appuis de façon constante durant les six semaines de la campagne avec le thème des 100,000 emplois. En somme, M. Bertrand avait trop de conseillers en publicité ; il ne faisait pas confiance à un seul en particulier, il se méfiait du « gang de Montréal », et certains de ses amis continuent de penser qu'il fut même victime d'une conjuration de la part des spécialistes en publicité du parti.

On analyse pourtant l'exercice du vrai pouvoir en regardant agir le Premier ministre lui-même. Les avis qu'il sollicite lui permettent en tout temps d'expédier les affaires quotidiennes, mais ils ne lui donnent pas forcément le pouvoir d'influencer les activités du parti, de l'administration gouvernementale, voire des citoyens marqués par la projection d'images. Le choix des conseillers devient, à ce titre, crucial. Moins que ses deux prédécesseurs, M. Bertrand a-t-il, sur ce plan, répondu aux attentes de l'électorat. Sa législation majeure, la loi 63, a divisé les Québécois. De même, son fédéralisme décrit comme « inconditionnel ». Certes, le Premier ministre avait besoin d'aide, et plus que MM. Lesage et Johnson, M. Bertrand a institutionnalisé le pouvoir exécutif et structuré l'aide qu'il recevait de conseillers. Mais « aider un Premier ministre à accomplir son travail quotidien est une chose. L'aider à discerner ses enjeux dans les choix qu'il doit faire en est une autre. » [37]

Et M. Bertrand a choisi les structures hiérarchiques pour susciter les avis. Croyant à une conjuration, peut-être n'avait-il d'ailleurs pas d'autre solution. Mais la conséquence de ce flux unique fut, en particulier après sa crise cardiaque de la fin de l'année 1968, une série de délégations informelles du pouvoir réel à Julien Chouinard, à Jean Bruneau, à Rémi Paul, à Marcel Masse, à Jean Loiselle... Pourtant, moins le Premier ministre était informé moins il se fiait à son propre jugement. « Cette situation rendait les délégations irrévocables. Moins il se fiait à lui-même et plus il lui *fallait* avoir confiance en eux. »

Ainsi, ces trois chapitres mettent l'accent sur les conseillers gouvernementaux du Premier ministre, c'est-à-dire sur les personnes qui, par les avis que le Premier ministre leur demande, créent puis rendent à terme les politiques gouvernementales. De 1960 à 1970, trois Premiers ministres différents ont choisi comme concepteurs de politiques trois catégories distinctes de conseillers ; et surtout, ils les ont utilisés suivant des modèles fort différents d'exercice du pou-

---

37. Richard Neustadt, p. 238.

voir. M. Lesage s'appuyait sur un petit nombre de ministres, dont il n'était d'ailleurs que le *primus inter pares*, le premier parmi cinq ou six qu'il considérait comme des égaux ; M. Johnson s'appuyait sur les sous-ministres pour la confection des politiques et sur les ministres pour leur exécution ; puis M. Bertrand a créé le poste de secrétaire général du gouvernement, et ses ministres apprirent rapidement que leurs dossiers n'évoluaient pas avant que le titulaire (Me Julien Chouinard) en ait pris connaissance. Par conséquent, une table des matières qui voudrait rendre compte de cette décennie devrait inclure, sous la rubrique « Les conseillers gouvernementaux en 1960-1970 », les trois items suivants :

a)   Sous Jean Lesage, une stratégie de ballon-panier ;
b)   Sous Daniel Johnson, les conseillers en compétition ;
c)   Le pouvoir gouvernemental sous Jean-Jacques Bertrand : le chef d'état-major.

Par ailleurs, durant cette décennie, les spécialistes en publicité ont fait partie à deux moments, de 1960 à 1965 et de 1966 à 1968, des structures compétitives, ajoutant leurs propres avis à ceux que le Premier ministre attendait des conseillers du parti et des concepteurs de politiques. Sous M. Johnson, le pouvoir des communicateurs influença même le déroulement des événements. Dans certains domaines de l'activité gouvernementale, les années de M. Johnson furent des années de continuité : dans la conception des politiques d'éducation et des communautés urbaines, par exemple.

Ces années ont aussi créé des expectatives qui embêtèrent les gouvernements subséquents. À ce titre, le Premier ministre Bertrand n'a pas semblé du tout percevoir le danger d'une telle situation en introduisant le projet de loi 63 ou en laissant construire l'aéroport à Sainte-Scholastique ; chez lui, dans sa façon de livrer son message à l'électorat, la dimension pédagogique n'existait pas. Les spécialistes de la communication, plutôt que de lui faciliter la tâche, ne l'ont pas retenu lorsqu'il s'est placé dans des situations qui ont ruiné son image.

Mentionnons enfin trois aspects de cette décennie qui la différencient à la fois de l'ère de Maurice Duplessis et des années 1970. La première a trait à la quantité et à l'envergure de l'intervention de l'État dans les activités socio-économiques de la collectivité. [38]

Au Québec comme dans tous les pays industrialisés, notait Daniel Latouche dans son étude de la question, le budget national constitue sans aucun doute un des meilleurs indices de la conception

---

38.   Daniel Latouche, « La vraie nature de la Révolution tranquille », *Revue canadienne de science politique*, septembre 1974, pp. 525-536.

du rôle de l'État que se fait un gouvernement. Si l'on retient ce critère, la Révolution tranquille a surtout été caractérisée par l'apparition de nouvelles fonctions étatiques, apparition qui s'est soldée par un accroissement considérable des capacités financières de l'État québécois. Cet accroissement des capacités d'intervention a entraîné une intensification du rôle de l'État (par rapport aux agents privés) dans l'activité économique.

En outre et de façon parallèle, l'importance du cabinet personnel du Premier ministre a grandi avec les années. En 1960-1961, le nombre de membres permanents n'y était guère plus impressionnant que celui des cadres du parti aux permanences de Montréal et de Québec. M. Lesage s'appuya plutôt sur des ministres qui, eux, se dotèrent de « concepteurs de politiques » au sein de leurs cabinets ministériels. M. Johnson se dota, pour concurrencer les sous-ministres, de « *policy-makers* » — que, dans un cas, il nomma au Conseil législatif. Et c'est finalement M. Bertrand qui décida, de façon assez ambitieuse, de remanier les structures du Conseil exécutif pour qu'elles « fonctionnent efficacement à l'avenir, quel que soit le Premier ministre. » L'origine de ses préoccupations, faut-il le noter, se trouvait dans la difficulté qu'il éprouvait à travailler en accord avec les fonctionnaires du Conseil exécutif, tous hérités de son prédécesseur, M. Johnson, décédé prématurément.

La vie parlementaire, enfin, dominait le processus de l'administration gouvernementale. Beaucoup plus que depuis 1970, le rôle de l'Assemblée, le choix des ministres, le travail des conseillers se sont effectués en fonction du système parlementaire : un conseil des ministres dominé — mais sans plus — par un *primus inter pares*, responsable devant l'Assemblée. Les « colères du vendredi » du Premier ministre Lesage et les interventions répétées en Chambre du Premier ministre Johnson lors des grands débats témoignent de la présence assidue du chef du gouvernement à l'Assemblée, non seulement durant la période quotidienne de questions mais durant tous les travaux de la session. Le début des années 1970 tranchera nettement sur la décennie précédente. De même, le rôle de super-conseiller, voire d'éminence grise, écherra après 1970 à des « maîtres Jacques » que le Premier ministre nommera à son cabinet personnel plutôt qu'à tout autre poste. Durant la décennie 1960-1970, ces concepteurs de politiques ou ces grands gestionnaires occupaient plutôt des postes de ministres ou hauts fonctionnaires, ce qui, au moins en apparence, se situait plus dans la tradition parlementaire de type britannique ; en 1970, on parlera au contraire de régime quasi-présidentiel à Québec et de « monarque élu » à Ottawa.

TABLEAU V

Principaux conseillers de Jean-Jacques Bertrand (1969-1970)

Influences partisanes

1) Roland Beauregard, homme d'affaires
2) Fernand Beauregard, homme d'affaires
3) Jean Bruneau, homme d'affaires et confident du P.M.
4) Christian Vien, organisateur du parti
5) « la main noire », hommes d'affaires

(sous cette rubrique, on trouve plus d'hommes d'affaires que d'organisateurs comme tels, parce que M. Bertrand se désintéressait de «faire de la politique». Il écoutait cependant ces hommes d'affaires quand venait le temps de décider du contenu de certaines politiques.)

Influences gouvernementales

1) Julien Chouinard, secrétaire général du Conseil exécutif
2) Paul Dozois, ministre des Finances
3) Rémi Paul, ministre de la Justice

Fabricants d'images

1) Jean Loiselle, fonctionnaire au Bureau du P.M. puis à l'Immigration
2) Gaby Lalande, conseiller en publicité à son compte)
3) Paul Chouinard, fonctionnaire au Bureau du P.M.

Influence personnelle
Mme J.J. Bertrand

TABLEAU VI

Les influences sur Jean-Jacques Bertrand

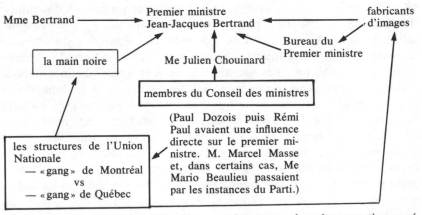

(Ces structures ne rejoignaient guère directement le Premier ministre. Ce dernier n'avait pas grande emprise sur les «faiseurs d'élections» et les «patroneux», et par conséquent ne s'en préoccupait pas. Par le fait même, le Premier ministre leur abandonnait une partie non négligeable du budget de l'État, sur laquelle le patronage peut s'exercer.)

DEUXIÈME PARTIE

LES ANNÉES DE POUVOIR DE ROBERT BOURASSA

1970-1976

L'histoire du Québec retiendra-t-elle Robert Bourassa? Se souviendra-t-on de ses six années comme chef de gouvernement?

Il arrivait au pouvoir en 1970, muni de plus de qualités intellectuelles que tous ses prédécesseurs. Il avait étudié aux meilleures écoles, avait démontré tant comme étudiant à l'université que comme secrétaire de la Commission Bélanger sur la fiscalité des connaissances de l'économie qui feraient de lui un Premier ministre particulièrement bien préparé. Ce serait l'homme qu'il faudrait pour innover dans le secteur économique. Chaque fois que le leader de l'Opposition à l'Assemblée, Me Jacques-Yvan Morin, critiquait les mesures gouvernementales*, un député libéral de l'arrière-banc lui rappelait que c'était grâce à ses lettres de recommandation que l'étudiant Bourassa avait été admis à Harvard. En outre, durant les années 1960, c'est sur la recommandation constante du ministre René Lévesque que l'économiste Bourassa avait gravi les échelons au sein du parti libéral.

Assez curieusement, le jeune technocrate, qui avait mené sa campagne de 1970 sur le besoin d'une rationalisation des choix budgétaires, se révéla d'une partisanerie et d'un militantisme aigus au cours des années suivantes. Cette dimension peu connue du député élu pour la première fois en 1966 à l'Assemblée législative du Québec ne se manifesta guère durant ses quatre années dans l'Opposition, non plus que son art oratoire partisan (même devant les plus chauds militants du parti, il ne savait quand s'arrêter pour leur permettre d'applaudir). Ses discours portaient constamment sur des thèmes économiques et, à cet effet, ses attaques contre le gouvernement de l'Union nationale pouvaient être perçues comme celles du critique officiel de l'Opposition en la matière.

Pourtant sa mère raconte que tout jeune, son fils suivait déjà de près les campagnes électorales de son quartier, voire des circonscriptions voisines, et, qu'à l'âge de treize ou quinze ans, c'est

---

* Ceci se déroulait durant la période de 1973 à 1976.

cette dimension électoraliste de la vie politique qui semblait le séduire.

Enfin, le contenu des politiques économiques parut plutôt retenir son attention de 1966 à 1970, parce qu'au milieu des déchirements que connut le parti libéral dans l'Opposition, M. Bourassa souhaitait conserver l'amitié et la confiance tant des réformistes que des éléments plus traditionnels. La défaite de 1966 avait été fort mal reçue des libéraux. Les réformistes blâmèrent M. Lesage d'avoir fait campagne seul; les modérés blâmèrent M. René Lévesque et ses amis de saboter le jeu du bipartisme en remettant constamment en question le contenu et le rythme des politiques et, par conséquent, de façon indirecte, le leadership de M. Lesage.

M. Bourassa assistait au Mont-Tremblant, en avril 1967, à la réunion d'une vingtaine de progressistes qui remirent en cause le contenu politique et constitutionnel du programme du parti. Alors que M. Lesage y vit, non sans raison, un défi à son leadership, M. Bourassa affirma publiquement qu'« il y avait de la place pour M. Lévesque et des réformes au sein du parti ».

Lorsque M. Lévesque et ses amis quittèrent le parti, à la seconde réunion du Mouvement Souveraineté-Association tenue au monastère des Dominicains, chemin de la Côte Sainte-Catherine à Montréal (la première s'était déroulée à Québec), M. Bourassa était présent et paraissait appuyer le mouvement autant que les autres personnes présentes ce jour-là. Tant M. Lévesque que M. Bourassa ont raconté comment le schéma de base du parti québécois fut articulé dans le sous-sol du domicile de M. Bourassa, à Ville Mont-Royal. M. Bourassa rompit finalement les ponts. Il dira plus tard qu'il trouvait flou le nouvel ordre constitutionnel que traçait M. Lévesque. Il fut donc intimement lié à la vie partisane des libéraux de 1966 à 1970, mais il ne donna pas l'impression d'en être préoccupé outre-mesure, d'abord parce qu'il semblait agir en vue de conserver l'amitié et la confiance des deux principaux groupes en présence, et ensuite, parce que sa sympathie pour le M.S.A. portait sur le contenu du manifeste et non pas sur la démocratisation des structures des partis et de la vie politique québécoise.

Autour de lui, cependant, les cadres et les organisateurs libéraux, après en avoir vidé les membres rebelles en 1967 et 1968, pouvaient espérer une machine moins rabâcheuse qu'au cours de la Révolution tranquille. Ils s'aperçurent que le jeune technocrate, devenu « Chef d'État » en avril 1970, endossait totalement leurs idées à ce sujet et trouvait même un plaisir certain à se comporter en leader partisan. Le choix de ses conseillers refléterait entièrement sa conception du pouvoir. Certains commentateurs ont cru, très tôt, qu'il était prisonnier des conseillers qui l'avaient si brillamment conduit en trois mois d'un obscur arrière banc à la direction du parti. Il aurait souhaité être présent à l'Assemblée pour participer davantage aux débats quotidiens; il aimait s'associer, à l'Assemblée, aux rires narquois et aux applaudissements qui soulignaient les remarques de son whip en chef, M. Louis-Philippe Lacroix. Bref, il fut ravi.

Là où la thèse du prisonnier prend plus de poids, c'est peut-être dans la projection de l'image publique de M. Bourassa. On ne lui connaît aucune préoccupation préalable à ce sujet, aucune réflexion de longue date. Lorsqu'il s'aperçut, en 1975, que l'efficacité de ses spécialistes en communication s'effritait, il ne réussit pas à y suppléer par une autre conception de la communication avec les citoyens. toyens.

Ce vide tient en partie à un autre trait de ces années de pouvoir: le style quasi-présidentiel de leadership, l'absence d'une équipe collégiale de ministres, hauts fonctionnaires ou conseillers d'une haute compétence dans ces trois domaines; en effet, on ne retient guère que deux noms, Paul Desrochers et Charles Denis, dont le pouvoir s'amenuisa d'ailleurs considérablement durant les derniers dix-huit mois du régime.

Les trois prochains chapitres de cette partie de l'ouvrage mettent en lumière cette absence de souverainetés rivales, ou plutôt ils soulignent cette fusion des souverainetés, les préoccupations du chef de l'Exécutif étant comme celles du parti, centrées sur la partisanerie et l'apport des conseillers partisans se retrouvant dans le contenu des politiques, voire se substituant à lui. On abordera maintenant, tour à tour, le poids politique réel de l'entourage de M. Bourassa: les conseillers partisans, les concepteurs de politiques et les spécialistes de la mise en marché du produit (programme, équipe ministérielle ou bien leader du parti).

QUATRIÈME CHAPITRE

LES SOUVERAINETÉS PARTISANES

Le parti libéral du Québec a connu, durant la décennie 1960-1970, des moments d'intensité dramatique peu commune. Les divisions idéologiques et constitutionnelles sur le rythme des réformes et les liens avec le cadre fédéral avaient donné lieu à des tensions internes, que d'aucuns qualifiaient néanmoins de créatrices, alors que les libéraux étaient au pouvoir. Dès la défaite, cependant, les règlements de comptes marquèrent en particulier les congrès annuels du parti. Dès le congrès de novembre 1966, la guerre ouverte succéda aux complots de coulisses. « Un parti ou deux ? » se demandait Claude Ryan qui définissait ainsi le groupe plus traditionnel au sein du parti libéral : « Ces éléments ne portent pas trop d'intérêt à l'idéologie. Ils sont, en retour, très attachés à la personne du chef. Pour eux, la politique consiste surtout à livrer des batailles électorales. » [1] Selon eux, les réformes de la Révolution tranquille s'étaient déroulées aux dépens des militants du parti. Ils s'étaient faits « bulldozer », pour reprendre une expression fort souvent entendue durant ces années. Et ils étaient majoritaires au sein du parti.

Lorsque, en plus, M. Lévesque introduisit en 1967 un défi au cadre fédératif, plusieurs collègues au sein de son propre groupe, le groupe réformiste, s'opposèrent ouvertement à lui : MM. Jean-Paul Lefebvre, Paul Gérin-Lajoie et, surtout, Eric Kierans. Ce dernier, alors président du parti et élu par les réformistes, accordait une entrevue au journaliste Peter Desbarats, au réseau anglais de Radio-Canada, le soir du congrès de 1967. Les délégués venaient de refuser de discuter la thèse constitutionnelle de René Lévesque qui avait quitté la salle avec son groupe, au grand soulagement des militants plus traditionnels. La caméra avait saisi au passage l'émouvant « Salut, Paul » que M. Lévesque avait adressé à son compagnon des grandes réformes, M. Gérin-Lajoie. Puis, Peter Desbarats, conscient du drame, demanda brutalement à M. Kierans s'il se percevait comme Horatio pleurant la mort de son « cher Prince » ou comme Brutus venant de poignarder César. [2] Pour toute réponse, M. Kierans

---

1. « Deux partis ou un seul ? » *Le Devoir*, 21 novembre 1966, p. 4.
2. Il s'agit là de personnages de William Shakespeare. Brutus poignarde César à l'Acte II, scène I, de *Jules César*. Honatio pleure la mort de son ami dans *Hamlet*, Acte V, scène II.

se lança dans une violente diatribe contre les crypto-séparatistes. Aux observateurs qui avaient vu avec sympathie le Québec sortir de « la grande noirceur», ce soir-là M. Kierans parut particulièrement odieux.

L'anecdote vient néanmoins souligner les deux forces dominantes au sein d'un parti libéral vidé des éléments proches de M. Lévesque : l'importance des militants, des organisateurs et du caucus au détriment du Cabinet, des prima donna, des technocrates et des réformistes; et les liens fédéraux. L'orthodoxie du statu quo au détriment de toute modification constitutionnelle qui pourrait donner le moindrement l'impression que le parti québécois, créé en 1968, avait raison de rechercher hors du cadre fédératif actuel des solutions pour le Québec.

C'est sur cette toile de fond que M. Lesage annonça sa démission en août 1969, à l'invitation ouverte des cercles dirigeants libéraux fédéraux et du «French Power» à Ottawa. Tout de suite, M. Paul Desrochers et une soixantaine de militants demandèrent à M. Bourassa de se porter candidat à la succession. C'est M. Desrochers qui dirigea sa campagne au leadership, mais lors de l'élection de 1970 il se trouva souvent en situation conflictuelle avec M. Alcide Courcy, l'organisateur en chef du parti. Après le 29 avril, la machine libérale dominerait-elle M. Bourassa comme on le souhaitait? Voilà en quels termes on posait la question au lendemain de la victoire.

Une analyse du pouvoir réel au cours des années 1970-1976 révèle trois grandes forces principales : Le parti, le caucus et les organisateurs. Le Bureau du Premier ministre et les conseillers techniques. Les libéraux fédéraux. Le Cabinet occupe une place nettement moins importante et les hauts fonctionnaires sont des administrateurs et non des concepteurs de politiques. Cette réalité du pouvoir a revêtu trois aspects complémentaires : une culture politique particulièrement partisane, un régime de copains et de coquins, et un leadership personnel.

Un pouvoir partisan

La conception du pouvoir de M. Bourassa et celle que le parti véhiculait paraissent similaires ou, en tout cas, complémentaires. Certains ont perçu M. Bourassa comme une marionnette de Paul Desrochers ou de Charles Denis. Les indices dont on dispose semblent au contraire révéler que, plusieurs années à l'avance, M. Bourassa avait pu définir ses objectifs et le style de gouvernement qu'il adopterait lorsqu'il deviendrait Premier ministre. Il avait vu le gouvernement à l'œuvre durant les années 1960. Il avait vu de près les divisions au sein du Cabinet de M. Lesage. Il avait pris pleinement conscience du fait que des ministres cherchaient à aller plus vite dans l'application des réformes que ne le souhaitaient les militants. Ces ministres étaient ainsi prêts à « bulldozer » les militants. En 1970, M. Bourassa était arrivé au pouvoir avec une conception claire de l'exercice du leadership : il voulait éviter les dissensions ministérielles, consulter constamment le parti, prendre le pouls des militants, avoir l'appui du caucus des députés. Bref, ses objectifs étaient plus électoraux qu'idéologiques. Durant les années 1960, les dirigeants de la F.L.Q. disaient : « Nos objectifs ne sont pas 'vendables' ? Mais c'est à vous, les candidats et les députés, de les vendre à l'électorat ! » M. Bourassa, lui, n'irait pas plus vite que ses organisateurs électoraux ; il agirait selon les vœux du caucus.

Distinguons trois lieux et groupes au sein de ce pouvoir partisan : le caucus, les conseillers du Bureau du Premier ministre et le parti libéral fédéral.

Les cadres libéraux

M. Bourassa consultait constamment le parti, consacrait plusieurs heures par jour à passer des coups de fil. Les congrès régionaux servaient à prendre le pouls des militants. Il ne se déplaçait jamais sans son téléphone. Dans les pires moments de crise (l'emprisonnement, par exemple, des chefs syndicaux), il se conforma aux vœux des militants. Il ne s'opposait pas à un projet pour des raisons idéologiques, c'est-à-dire fondées sur sa conception de la société ; il s'y opposait parce que les militants s'y opposaient. À un point tel qu'on a pu dire que le parti avait remplacé le Cabinet et les technocrates comme concepteurs des grandes politiques du régime. Le sauvetage des Jeux Olympiques, en 1976, paraît un bon exemple. Même si les hauts fonctionnaires lui avaient suggéré d'intervenir beaucoup plus tôt, quitte à violenter le maire de Montréal, M. Bourassa attendit pour intervenir que les militants de la base manifestent leur inquiétude aux organisateurs régionaux. Ces militants, le journaliste Gilles Lesage les a décrits lors des congrès régionaux auxquels il a assisté : Ça ressemblait à des « congrès de courtiers d'assurances qui ont réussi » [3]. L'autocritique est absente jusqu'en 1975, la culture partisane y est triomphaliste. M. Bourassa les perçoit néanmoins comme importants pour prendre le pouls des militants.

---

3. *Le Devoir*, 26 novembre 1974, pp. 1 et 2.

Une seconde caractéristique de la réalité du pouvoir de 1970 à 1976, c'est le libre accès des députés à la ligne téléphonique du Premier ministre. Plusieurs y attachaient plus d'importance qu'à leur salaire. Alors que, physiquement, l'accès des ministres à la forteresse de M. Bourassa était interdit sauf sur convocation, les députés savaient qu'ils pouvaient rejoindre le Premier ministre à toute heure du jour. En outre, le caucus libéral, qui se réunissait une fois la semaine (en général le mercredi, de midi à deux heures) parut un long moment détenir tout le pouvoir à Québec. C'est lui qui fit échec aux velléités de syndicalisme agricole du ministre de l'Agriculture, M. Normand Toupin. C'est lui, aussi, qui contraignit M. Jérôme Choquette, ministre de la Justice, à l'intransigeance alors que le ministre du Travail, M. Jean Cournoyer était prêt à négocier avec les chefs syndicaux jusque-là emprisonnés à Orsainville. Lors de ces caucus des députés, le Premier ministre et le leader de la majorité à l'Assemblée étaient présents; mais c'est le whip, M. Lacroix, qui présidait. Souvent, il y eut des caucus spécialisés où le ministre responsable d'un dossier se faisait accompagner de ses hauts fonctionnaires et où les députés vidaient la question — une question souvent controversée, mal comprise ou peu acceptée. Tous ces caucus se déroulaient loin des oreilles indiscrètes des journalistes et les prises de becs étaient nombreuses.

En ce sens, les caucus ont joué le rôle des commissions parlementaires qui, elles, ont laissé indifférents beaucoup de députés libéraux, en particulier de 1973 à 1976, où en nombre ils écrasaient l'Opposition (102 libéraux élus en 1973 sur un total de 110 députés). Souvent le whip adjoint du parti, M. Lucien Caron, député de Verdun, devait arriver très tôt le matin et multiplier les appels téléphoniques auprès de ses collègues afin de les convaincre de se montrer le nez à telle ou telle commission parlementaire.[4]

À la direction du parti, enfin, le passage du notaire Claude Desrosiers en 1975 a fait contraste avec l'anonymat des dirigeants précédents, trop liés à M. Bourassa, venant même directement du Bureau du Premier ministre. Dans une entrevue à la Presse canadienne publiée en avril 1975, M. Claude Castonguay suggérait au parti et à ses dirigeants de redevenir, comme dix ans plus tôt, une force conceptrice de nouvelles politiques, un pouvoir moins totalement soumis au leader, Premier ministre et chef du gouvernement. Les dirigeants du

---

4.   Michel Roy, *Le Devoir*, 8 juin 1972: «Québec: Où le caucus est plus fort que le Cabinet»; Marcel Desjardins, *La Presse*, 19 juin 1976: «Les députés libéraux, sans whip efficace, sont victimes de leur trop forte majorité.»

parti, depuis 1970, avaient surtout été des gens « qui ont un intérêt direct à être en bons termes avec le gouvernement. On peut se rendre compte de cela lors des congrès libéraux », disait M. Castonguay.[5]

Le notaire Desrosiers fut élu président du parti libéral en novembre 1974. Il militait au sein du parti depuis 1957 ; il avait été secrétaire de la commission politique de 1962 à 1964 et était surtout connu comme l'un des organisateurs-clés du parti depuis 1967. Il succédait à M. Pierre Lajoie qui avait été désigné à ce poste par le Premier ministre Bourassa dont il était le secrétaire particulier. Dans le cas de Me Desrosiers, les attaches et la fidélité allaient au parti et non à la personne du Premier ministre. Ainsi, lorsque quatre mois à peine après son élection à la présidence il se déclara « désenchanté de son retour en politique active »[6], les observateurs en tinrent compte. Non seulement ses prédécesseurs Lise Bacon et Pierre Lajoie n'avaient jamais remis en cause la moralité et l'éthique du parti, mais lui-même n'aurait jamais fustigé la corruption au sein du parti au pouvoir s'il ne s'était senti appuyé par les organisateurs libéraux fédéraux. Tout au long de son mandat, en effet, c'est le message que Claude Desrosiers livra en filigrane : non seulement la corruption de la machine libérale du Québec la coupait de la population, mais elle ne plaisait guère non plus au parti libéral fédéral, au « French Power » d'Ottawa et aux bailleurs de fonds traditionnels. Ces gens auraient souhaité que Me Desrosiers n'ait pas à défendre constamment le parti au pouvoir à Québec des accusations de patronage et de corruption qui débutèrent par « l'affaire René Gagnon », ancien sous-ministre de l'Immigration et ami de Pierre Laporte, et qui s'accumulèrent durant les deux dernières années de gouvernement. Dans le cas du député Guy Leduc, les velléités de Me Desrosiers de blanchir la réputation du parti de tout soupçon rencontrèrent la résistance d'une des souverainetés rivales, celle des amis de Pierre Laporte (le ministre Jean Bienvenue, le whip Louis-Philippe Lacroix, les députés Gérard Cadieux, Aimé Brisson, Marcel Ostiguy, Guy Leduc et quelques autres). Les membres du caucus qui avaient appuyé M. Laporte lors de la course au leadership du parti s'opposèrent à l'expulsion de Guy Leduc du caucus après que la conduite du député fut décrite comme « inexplicable » par la commission d'enquête sur le crime organisé. En 1975, Le Devoir écrivait : « Ils n'ont tout simplement pu résister au vent d'insécurité qui souffle sur le parti depuis le début des inter-

---

5. « Castonguay et l'impasse politique au Québec », dépêche de La Presse canadienne, le 29 avril 1975.
6. Entrevue accordée à La Presse, le 3 avril 1975.

rogations de part et d'autre sur l'intégrité du gouvernement Bourassa.» Claude Desrosiers l'avait emporté.

À la suite de ces critiques à l'endroit du Pouvoir (critiques de Me Desrosiers et critiques des libéraux fédéraux), des cadres du parti libéral travaillant à la permanence de la rue Gilford, à Montréal (par opposition à ceux qui œuvraient au Bureau du Premier ministre) eurent à choisir entre leur attachement au parti libéral et leur fidélité à la personne du Premier ministre. Certains d'entre eux décidèrent alors de laisser filtrer à des journalistes privilégiés des informations compromettantes pour le Premier ministre, informations qui allaient dans le sens des critiques formulées par Me Desrosiers et qui mettaient en lumière «l'absence d'initiative de la part du Premier ministre Bourassa à engager le P.L.Q. vers des voies nouvelles».

De même, pour la première fois depuis cinq ans, certains députés de l'arrière-banc se mirent à émettre publiquement des réserves à l'égard du Premier ministre. Celles-ci, bien sûr, ne portaient pas sur la substance même des politiques ministérielles[7], mais plutôt sur la performance du Premier ministre, «en Chambre, aujourd'hui». On pouvait, par exemple, en 1975 et 1976, entendre certains députés à la sortie de la séance de l'après-midi de l'Assemblée nationale, affirmer que «le Premier ministre n'a pas été aussi efficace aujourd'hui qu'hier», en particulier lors de la période des questions. C'était, notons-le, la première forme de critique exprimée publiquement depuis l'élection de Robert Bourassa à la tête du parti.

On notera, à ce titre, les talents d'animateur de M. Bourassa au sein du caucus. Le Premier ministre était passé maître dans l'art de la dynamique de groupe. Il laissait d'abord parler les députés qui en avaient gros sur le cœur et qui, de toute évidence, avaient besoin de se défouler sur un sujet précis. Non pas qu'ils avaient longuement songé aux solutions à apporter. Non, ils avaient plutôt besoin de faire part de leurs frustrations et de celles de leurs concitoyens, et M. Bourassa leur donnait d'abord la parole. Après leurs interventions, il synthétisait lui-même leurs idées. Durant les cinq premières années, personne du caucus ne le critiquait, ni en sa présence le mercredi, ni en public ensuite. Tous semblaient se rallier à ses synthèses.

---

7. L'exception majeure demeure l'objection de certains députés à la Loi 22 durant la campagne électorale de 1976, c'est-à-dire à la toute fin des années de pouvoir de Robert Bourassa.

À compter du printemps 1975, cependant, les députés devinrent beaucoup plus critiques, dans l'intimité, à l'endroit du Premier ministre. En outre, lors de la grève des infirmières, en juillet 1976, plusieurs députés se révélèrent (en caucus) déçus des solutions proposées par M. Bourassa. Ils auraient préféré que le Cabinet « use de sa force pour mettre fin à un conflit qui était devenu une véritable catastrophe[8] ». Dans ses entrevues accordées au réseau Télémédia, le Premier ministre expliquera l'indiscipline croissante du caucus par une tautologie : « J'étais coincé, dira-t-il, je recevais des coups de toutes parts. » En mai 1976, le nouveau président du parti libéral, M. Benoît Payer, avait affirmé : « C'est devenu une tare d'être libéral. » Le député George Springate soulignera ensuite, durant la campagne, que le Premier ministre était devenu « l'un des hommes les plus méprisés au Québec ». En somme, la dynamique de groupe a pu, un temps, créer l'osmose recherchée du Premier ministre et de son caucus — ce qui n'avait jamais pu être réalisé à l'époque de la Révolution tranquille. Mais les techniques d'animation de groupe ne parvinrent pas à cacher, en 1976, l'étau du caucus qui se resserrait sur M. Bourassa, de même que l'absence de solutions proposées par le Premier ministre.

En critiquant publiquement le gouvernement libéral et en mettant en doute l'intégrité de certaines têtes d'affiche du parti, Claude Desrosiers s'était graduellement aliéné la confiance de son Premier ministre. Mais voilà qu'en 1976, alors que tout semblait s'écrouler autour de lui, Robert Bourassa a fait volte-face et a complètement ignoré les recommandations de ses ministres et de ses plus fidèles conseillers, y compris Paul Desrochers qui avait vainement tenté d'empêcher le chef libéral de déclencher des élections. Robert Bourassa s'est tout simplement tourné vers son plus sévère critique et c'est finalement l'avis de Claude Desrosiers qui fut déterminant dans la décision d'en appeler au peuple, le 15 novembre 1976.

Un régime quasi-présidentiel

Le Cabinet, par ailleurs, n'a pas occupé la place centrale que lui avaient réservée les régimes Lesage et Bertrand. Perçu comme un faible et un indécis, c'est pourtant avec fermeté et astuce que Robert Bourassa a neutralisé, orienté et dirigé ses ministres de 1970 à 1976. Il avait établi, dans la pratique, une forme de régime présidentiel, sur la base de tactiques de déstabilisation et de « cuisinage ».

---

8. Claude Ryan, « La loi spéciale : un aveu d'échec », *Le Devoir*, 24 juillet 1976, p. 4.

Sous le régime de Jean Lesage, tout comme aujourd'hui avec le Premier ministre Lévesque, les discussions au Conseil des ministres étaient interminables et l'on parvenait rarement à passer à travers l'ordre du jour. Le fonctionnement du gouvernement Bourassa fut tout à fait différent. Lorsqu'un ministre se retrouvait au centre d'un débat public brûlant, qu'il était malmené par la presse ou qu'il se préparait à présenter un projet de loi litigieux, Robert Bourassa le faisait venir à son bureau du bunker pour le confesser. Après lui avoir imposé son point de vue, le chef du gouvernement traînait son ministre devant le Cabinet et lui faisait réciter une cassette conforme à la ligne du parti et de son chef. À son tour, M. Bourassa intervenait pour appuyer son ministre, désamorçant ainsi toute velléité de contestation chez les autres membres du Cabinet. Voilà qui permettait de prendre la plupart des décisions les plus importantes, sans provoquer de débat de fond ni d'accrochage. C'est avec succès que Robert Bourassa a suivi ce même scénario des dizaines et des dizaines de fois. Lorsque, exceptionnellement, il ne pouvait venir seul à bout de l'entêtement d'un ministre, il le faisait parader devant le caucus parlementaire que se chargeait de conditionner à l'avance les tordeurs de consciences, tels Louis-Philippe Lacroix.

Partisan inconditionnel du syndicalisme agricole, l'ex-ministre de l'Agriculture, Normand Toupin, se butait souvent contre les priorités de son chef de gouvernement. C'est ainsi qu'il dut subir, à l'occasion, les méthodes de dynamique de groupe et de manipulation mises au point par son Premier ministre.

Conscient que la plupart de ses ministres étaient incompétents, Robert Bourassa entretenait à leur égard un profond mépris, qu'il n'affichait toutefois jamais ouvertement. Quelques autres jouissaient d'une plus grande autonomie, soit parce que le Premier ministre les craignait, soit parce qu'il avait confiance en eux. Ainsi, Claude Castonguay, Raymond Garneau, Claude Forget, Gérard-D. Lévesque et Guy Saint-Pierre ont pu manœuvrer librement et à l'abri des espions du Bureau du Premier ministre.

Au terme de la réunion du Cabinet qui a suivi la défaite de novembre 1976, Gérard-D. Lévesque a rendu hommage au Premier ministre déchu en soulignant, notamment, que Robert Bourassa avait le mérite de ne jamais avoir insulté ou fait perdre la face à un ministre devant ses collègues du cabinet. En sortant de la réunion, un ministre a répliqué à cette prétention en expliquant que M. Bourassa était incapable d'être impoli parce que trop «fuyant».

L'absence de leadership collectif du Cabinet Bourassa fut une conséquence plutôt qu'une cause de sa dégénérescence. Le Cabinet n'exerçait pas, en effet, de contrepoids qui aurait empêché la corruption de s'installer au pouvoir exécutif. Les ministres avaient été choisis pour leur talent d'administrateurs et leur fidélité au parti libéral. Ils acceptaient les postes offerts parce que « c'est Robert qui leur avait offert leur 'break' ». [9] Ils se percevaient, en somme, comme des créatures du Premier ministre.

Que M. Claude Castonguay soit une exception à cette règle, cela apparaît plutôt en surface. Car il n'est pas clair qu'il ait détenu une large partie du pouvoir partisan. Certes il fut, de 1970 à 1973, un innovateur social hors pair. Il a réussi à transformer en lois ses projets sociaux, alors que toutes les priorités du Premier ministre étaient de nature économique. Il l'a accompli parce qu'il avait soigneusement préparé ses dossiers, durant quatre années de commission royale d'enquête dont il assuma la présidence jusqu'à son élection au caucus libéral, en avril 1970. Il a pu agir parce que le Premier ministre ne l'a pas interrompu, indice que ses projets n'étaient pas trop impopulaires auprès des militants. Mais personne ne perçoit ce concepteur de politiques comme le détenteur d'un vaste pouvoir au sein du parti libéral.

Par contre, trois ministres, MM. Jérôme Choquette, Raymond Garneau et Guy Saint-Pierre, ont, de 1970 à 1976, détenu, à des degrés divers et pour des raisons différentes, une parcelle du pouvoir. Ils ont de plus constitué, au sens le plus pur du terme, des souverainetés rivales.

Me Choquette avait déjà, au début des années 1960, fait partie de l'une des études légales de Montréal qui alimentaient traditionnellement, en hommes et en influence, la machine libérale. Élu en 1966 dans le comté le plus sûr du Québec, celui d'Outremont, Me Choquette devint ministre de la Justice en 1970, sans percevoir qu'il devait toute sa carrière au Premier ministre. Son image de « dur et pur » dans les conflits sociaux des années 1970-1972 (octobre 1970 et emprisonnement des leaders syndicaux) lui attira la sympathie des militants, de même que ses révélations à la Commission Cliche. Oui, il avait été prévenu, dira-t-il au juge Cliche lors de sa déposition, dès 1970, des présumés pots-de-vin offerts au secrétaire de M. Pierre Laporte et il en avait prévenu le Premier ministre qui, lui, ne se souvient de rien. Auprès des libéraux, en effet, ce ne sont guère ses

---

9. Voir « Oswald Parent, un homme de 'service' », *La Presse*, 8 mai 1976.

réformes progressistes (Cour des petites créances et Loi de l'aide juridique) qui le désignèrent comme le dauphin. Mais, à une époque où l'on ne spéculait qu'en termes lointains, Me Choquette fut déjà perçu par beaucoup de militants, dès 1970-1971, comme l'héritier présomptif. Puisque le Premier ministre se voyait, lui, au pouvoir pour au moins quinze ans, dès que ses qualités de leader furent mises en doute il fit pression pour que M. Choquette quitte le ministère de la Justice. C'est à cause de l'image d'intégrité qu'il véhiculait auprès des militants, que M. Choquette put résister quelque temps. Dans les couloirs de l'Assemblée nationale, on disait en 1975 que le ministre qui détient l'accès aux tables d'écoute et aux bobines détient le pouvoir. Ces bobines* révélaient les liens entre le parti, certains ministres et les bailleurs de fonds; des liens qui, sans être nécessairement illégaux, seraient embarrassants, disait-on. M. Choquette n'avait pas démontré une grande célérité à fournir au Premier ministre tous les détails contenus sur ces bobines. Un indice de l'absence de pouvoir réel de M. Choquette survint cependant en juillet 1975, lorsqu'il fut muté, contre son gré, à l'Éducation. Il n'avait pas du tout l'intention de quitter la Justice, répétait-il depuis un an.[10]

Certes, il manifesta son pouvoir en insistant pour que ses conseillers rédigent une partie de la Loi 22, même si ces paragraphes paraissaient en contredire, ou tout au moins nuancer, certains autres paragraphes rédigés, eux, par les conseillers du Bureau du Premier ministre. Mais, en fin de compte, M. Choquette constitue un autre exemple de la règle en régime parlementaire. Un ministre ne sert, au Cabinet, qu'au bon plaisir du Premier ministre. Déçu de son sort, M. Choquette remit sa démission du Cabinet et du parti libéral. Cette conclusion dramatique des relations Bourassa-Choquette a pu paraître insensée aux intimes collaborateurs du début, qui avaient vu les deux hommes se vouer réciproquement confiance et estime.

Lorsque Robert Bourassa a recruté Jérôme Choquette pour former son premier gouvernement, en avril 1970, il entendait en faire son bras droit. Tel fut le cas jusqu'à ce que survienne la crise d'octobre. Une semaine après l'enlèvement de James Richard Cross, le soir

---

    *   L'écoute électronique fut utilisée, en particulier, dans le cadre de l'opération policière appelé Végas 2.

10.   « Son ministère demeurait, dans l'ensemble, peu perméable à l'influence des démarcheurs partisans. Il avait réussi, de plus, à travailler dans une symbiose si étroite avec les autorités policières et à établir si fermement son souci d'instaurer une justice égale pour tout le monde que nul ne savait jamais, y compris parfois dans l'entourage même du Premier ministre, s'il était l'objet de soupçons ou d'enquête. » Éditorial de Claude Ryan, *Le Devoir*, 31 juillet 1975, p. 4.

où les felquistes ont enlevé Pierre Laporte devant sa demeure de Saint-Lambert, le Premier ministre se promenait, seul, au bord de la piscine de la fastueuse propriété des Simard, à Sorel. C'est là que le jeune nouveau Premier ministre est devenu inquiet. L'idée lui est venue que ça pourrait bientôt être son tour. Il a donc convoqué son Cabinet au 20e étage du Reine-Elizabeth, à Montréal, pour discuter en toute sécurité et décider des mesures d'urgence.

Dans ce climat de panique, le Premier ministre n'a pu supporter d'entendre son homme de fer, le ministre de la Justice, suggérer au gouvernement de céder aux exigences des terroristes. Robert Bourassa en a conclu que Jérôme Choquette venait de s'effondrer et qu'il devenait un « security risk ». À compter de ce jour, Jérôme Choquette fut écarté du dossier FLQ, qui fut confié à Robert Demers, un ami personnel du Premier ministre. Dans la pratique, c'est le secrétaire général du conseil exécutif, Julien Chouinard, et le sous-ministre de la Justice, Robert Normand, qui ont pris la relève de l'administration de la justice au Québec. Le mot d'ordre de Robert Bourassa était d'épier et contrôler toutes les initiatives de Jérôme Choquette et d'en prévenir le Bureau du Premier ministre.

Dès lors, Robert Bourassa n'avait qu'une idée en tête: mettre Jérôme Choquette sur une voie d'évitement en le mutant à un ministère moins névralgique.

En 1973, le chef libéral songe à déclencher des élections générales et fait mener des sondages sur la popularité de son gouvernement. Les résultats indiquent que c'est de Jérôme Choquette et de sa façon d'administrer la justice, que les québécois sont le plus satisfaits (93%). Le Premier ministre en conclut qu'il vaut peut-être mieux s'accommoder de ce ministre au comportement bizarre pour encore un temps. Il lui aura fallu attendre jusqu'en 1975 pour le jeter en pâture aux hystériques adversaires des dispositions de la Loi 22 sur la langue d'enseignement. Aujourd'hui encore, les deux hommes se détestent.

La thèse de la docilité s'applique beaucoup mieux à Raymond Garneau, véritable produit de la machine du parti dans la région de Québec. Moins autonome que M. Choquette, Raymond Garneau fut perçu, en 1975-1976, comme un danger encore plus grand au leadership de Robert Bourassa. C'est l'entourage du Premier ministre, par exemple, qui se mit à expliquer que l'état de santé du ministre des Finances (M. Garneau) laissait à désirer et que, par conséquent, celui-ci n'exprimait plus l'ambition de succéder à M. Bourassa. Les appuis de M. Garneau provenaient massivement d'Ottawa, à cette époque tardive du « French Power » et, en particulier, de M. Jean Marchand. Ce dernier le manifesta publiquement à quelques reprises, en 1975, alors que la fin prochaine de sa propre carrière politique lui permettait, sans doute, d'afficher ouvertement son appui à son jeune collègue de la région de Québec.

M. Guy Saint-Pierre, enfin, constitue un cas opposé à celui de M. Garneau. Il avait connu Robert Bourassa à Oxford, mais les deux hommes n'étaient pas des amis. Certes, c'est le chef du parti qui lui avait demandé de se porter candidat en 1970; mais M. Saint-Pierre n'avait pas de puissants appuis au sein du parti. Il représentait simplement le type d'administrateur discret et dynamique que recherchait le Premier ministre. Tout au plus croyait-il avoir obtenu de M. Bourassa la promesse d'un poste plus important que celui de député d'arrière-banc, si le parti prenait le pouvoir. Mais, c'est bien connu, M. Bourassa a formulé, tant en 1970 qu'en 1973, des promesses identiques à d'autres candidats sans jamais les tenir. Et M. Saint-Pierre ne s'était jamais imaginé qu'il se verrait confier tour à tour deux des plus importants ministères: Éducation et Industrie et Commerce.

En cours de route, il prit publiquement ses distances des deux plus puissants détenteurs du vrai pouvoir sous le gouvernement de Robert Bourassa; M. Paul Desrochers et le parti libéral fédéral. Dans les deux cas, il a agi sans apparemment compter sur des appuis sérieux au sein du parti et, dans le premier cas, il l'a fait très tôt de façon publique (début 1973), alors que les docilités rentables[11] constituaient une règle tout à fait absolue de l'exercice de ce pouvoir exécutif. Le premier choc majeur s'est produit lorsque Paul Desrochers a profité de l'absence du ministre Guy St-Pierre pour convaincre le Cabinet de confier à la multinationale Bechtel la gérance des travaux de la baie James.

Le 25 avril 1973, *Le Soleil* de Québec affirmait que M. Saint-Pierre était prêt à tenter un renversement du pouvoir au sein du parti, « parce que le Premier ministre Bourassa lui semblait incapable de se soustraire à l'influence envahissante de celui qu'on décrit comme l'éminence grise de ce gouvernement, M. Paul Desrochers. » Des membres du cabinet du ministre de l'Industrie et du Commerce soulignaient alors que les hommes d'affaires et banquiers sympathiques au parti libéral avaient laissé entrevoir au ministre Saint-Pierre qu'ils ne s'opposeraient pas à un « putsch » au sein du parti et, par

---

11. L'expression est de Laurent Laplante.

conséquent, du gouvernement. L'affaire ne fit pas long feu. M. Bourassa informa son ministre qu'il lui laisserait une marge d'autonomie normale, c'est-à-dire les responsabilités ministérielles de l'Industrie et du Commerce sans le «parapluie» de M. Paul Desrochers qui, lui, s'en tiendrait au pouvoir politique partisan.[12] Il n'est cependant pas du tout certain que M. Bourassa ait eu l'intention de tenir sa promesse; les projets de M. Saint-Pierre ne se développèrent pas au rythme qu'il aurait souhaité. À son arrivée au ministère de l'Industrie, M. Saint-Pierre louait, par exemple, les mérites des sociétés multinationales. Peu à peu, cependant, il devint convaincu que le Québec «génère désormais une épargne suffisamment importante pour penser à des formules de croissance qui lui soient propres, faisant appel à l'État-moteur». Sur ce terrain précis, son plus grand adversaire demeura Paul Desrochers, et les politiques du gouvernement Bourassa ne se modifièrent pas.[13] Ainsi, le terrain se déplaça vers la conception des politiques; et, sur ce plan, M. Desrochers détenait un certain pouvoir. Le pouvoir partisan qu'avait brandi M. Saint-Pierre ne reposait pas sur des bases très solides. Les «progressistes» au sein du Cabinet ne s'avérèrent pas prêts à se rebeller contre le pouvoir établi; de même, au sein du parti, très peu de militants manifestaient une hostilité ouverte à l'endroit du Premier ministre Bourassa ou de son super-conseiller. Bref, la «gueule rassurante de colonel qui dit des choses plaisantes aux progressistes» (comme le décrivaient les partisans de M. Saint-Pierre) en fut quitte pour tout démentir, un peu tardivement peut-être.

M. Saint-Pierre s'attira, plus tard, les foudres des libéraux d'Ottawa lorsqu'il déclara, durant la pré-campagne électorale de 1976, que si un jour le Québec faisait l'indépendance, c'est le parti libéral qui la ferait.[14] Reprise peu après par Ben Payeur et Jean-Paul L'Allier, une telle déclaration reconnaissait les possibilités économiques et politiques d'une telle indépendance et elle a ainsi accéléré l'arrivée au pouvoir du parti québécois, ont affirmé certains commentateurs. Certes, des ministres libéraux utilisaient de tels termes dans leurs déclarations anonymes aux journalistes; mais aucun n'avait, auparavant, accepté d'être identifié comme leur auteur. C'est dans le

---

12. Réal Pelletier, «Guy Saint-Pierre n'ira pas au-delà de l'arc-en-ciel», *La Presse*, 30 avril 1973.

13. «Un compromis permet d'éviter la crise: Paul Desrochers doit consulter Guy Saint-Pierre», *Le Devoir*, 27 avril 1973.

14. On trouvera une analyse des propos (certes nuancés mais lourds de conséquences) de M. Saint-Pierre dans *Le Devoir* du 23 août 1976, pp. 1 et 6.
   Peu après MM. Benoit Payeur et Jean-Paul L'Allier parurent emboîter le pas.

contexte de telles déclarations publiques que les libéraux fédéraux descendirent sur Québec. Au cours de la campagne électorale de 1976, ils donnèrent l'impression d'avoir mis le parti libéral provincial en tutelle. Avec l'arrivée, en particulier, de MM. Marchand et Mackasey qui imposèrent leurs conditions, le Premier ministre Bourassa parut assurer simplement la transition entre ses six années de gouvernement et le choix de son successeur. Et bien peu de militants reprirent à leur compte les propos de M. Saint-Pierre au sein du parti libéral.

Les autres ministres sont apparus soit comme des militants inconditionnels, soit comme d'honnêtes administrateurs, voire comme des opposants d'Ottawa (MM. L'Allier et Cournoyer); mais ils n'ont guère manifesté de pouvoir au sein du parti, ni dans les congrès, ni dans l'activité courante de la machine libérale. De ce point de vue, leurs faits et gestes n'ont fait que confirmer au contraire la présence du vrai pouvoir aux mains de M. Paul Desrochers, du caucus de l'arrière-banc et du parti libéral fédéral.

Le Bureau du Premier ministre

« Le nom de Paul Desrochers vient à l'esprit », écrivait le professeur Léon Dion en décrivant le rôle des conseillers politiques dont les tâches sont d'intérêt partisan, c'est-à-dire qu'elles ont trait, en particulier, aux liens entre le gouvernement et les militants du parti au pouvoir. [15] M. Desrochers témoignera, durant les années de pouvoir du gouvernement Bourassa, de la monopolisation de l'influence aux mains d'une seule personne, notamment dans la vie du parti libéral et, à certains égards, dans l'exercice du pouvoir exécutif. Assez curieusement, il est venu au parti libéral au début des années 1960 par le biais des réformes dans le domaine de l'éducation. Durant les années 1950, il a demeuré à Sainte-Thérèse, puis à Rosemère, et il a œuvré auprès d'importantes firmes de production et de consommation. Il a surtout été élu président de la Commission scolaire de Rosemère en 1950, de la Fédération des commissions scolaires du diocèse en 1954, et de celle du Québec. Il était, durant ce temps, perçu comme appuyant le régime de l'Union nationale. [16] En 1962, il fit, dans Vaudreuil-Soulanges, la campagne électorale aux côtés de Paul Gérin-Lajoie, avec qui il collaborait étroitement depuis 1960. Il aurait alors déclaré: « J'ai vu Paul Gérin-Lajoie faire en deux ans, dans le do-

---

15. « La crise du leadership », *Le Devoir*, 11 mars 1975, p. 5.
16. Voir à ce sujet Lionel Bertrand « *Quarante ans de souvenirs...* » *op. cit.*, p. 245.

maine de l'éducation, ce que j'ai attendu depuis les dix ans que je dirige les destinées de la Fédération des commissions scolaires.» On le retrouvera par la suite dans d'importants comités du ministère de l'Éducation, lorsque ce ministère sera créé en 1964.

Des observateurs, il n'attirera cependant l'attention qu'en 1967-1968, en devenant l'adjoint de Jean Lesage à la permanence centrale de l'organisation libérale à Montréal. Encore ne s'agissait-il là que d'un travail discret dans l'ombre du leader, tout comme sa prise en charge de la campagne à la chefferie de Robert Bourassa. Après avril 1970, au Bureau du Premier ministre, il sera d'abord perçu comme le grand spécialiste de l'organisation des structures du parti. C'est lui qui recrutait les candidats libéraux, qui obtenait des grandes firmes des fonds pour «battre les séparatistes», qui avait raffiné les techniques d'organisation électorale en s'inspirant des méthodes de Joseph Napolitan aux États-Unis: profil des électeurs de chaque région, identification des thèmes-clés du gouvernement entre deux élections, cueillette de fonds pour effectuer sondages et campagnes de publicité. C'est à ce titre qu'il accorda d'ailleurs sa première entrevue à deux journalistes, en octobre 1972, à la suite de la victoire libérale lors de l'élection complémentaire dans la circonscription de Duplessis. Cette victoire, tous l'avaient noté, M. Desrochers l'avait orchestrée. Il était venu de Québec à Sept-Îles pour ce faire; il avait alors cinquante-deux ans et ses cheveux gris tranchaient sur la jeunesse, non seulement du Premier ministre qui avait l'air d'avoir vingt-huit ou trente ans, mais aussi de Jean-Claude Rivest que l'on identifiait (à tort) comme le principal concepteur des politiques gouvernementales et qui avait l'air encore plus jeune!

L'importance de M. Desrochers mérite que l'on s'arrête un peu à cette entrevue. Il y est décrit comme «l'éminence grise» du Premier ministre. Il a, en huit mois, fait de ce «tax lawyer» inconnu le chef du gouvernement du Québec. M. Desrochers y raconte, pour sa part, qu'il a tracé un plan de bataille électorale pour chacun des cent huit comtés de la province et qu'il peut compter sur une armée de 50,000 volontaires pour mener à bien ce plan. Il accepte l'idée du «bon patronage» et il considère le système capitaliste comme le meilleur. [17] Rien, cependant, ne laisse soupçonner son influence dans la conception et la mise en marche des politiques gouvernementales. Au contraire, il insiste uniquement sur les techniques scientifiques de l'organisation électorale: il a adapté, dira-t-il, à la mentalité québé-

---

17.   Voir l'article de Jean-Pierre Gagnon dans *Le Nouvelliste*, 18 octobre 1972, reproduit à la fin de ce chapitre.

coise les techniques électorales américaines des Kennedy, Rockefeller et Nixon. De toutes ces machines, et principalement des théories de Joseph Napolitan (auteur du célèbre ouvrage *How to Win an Election*), il a surtout retenu que les ordinatrices électroniques peuvent jouer un rôle déterminant dans la bonne marche d'une campagne électorale. Ficher les comtés selon les caractéristiques socio-économiques des électeurs, c'était là son dada favori, dira-t-il aux journalistes.[18] Il agit en outre comme fiduciaire du parti libéral, longtemps même après avoir quitté le Bureau du Premier ministre, le 1er avril 1974.

En plus de la confiance totale que lui témoigne le Premier ministre, trois éléments contribuent à accentuer le pouvoir réel détenu par M. Desrochers : les autres conseillers partisans étaient beaucoup plus jeunes et inexpérimentés ; M. Desrochers œuvrait discrètement, voire souvent en secret, en une période où la télévision contribuait à faire et défaire les régimes politiques tant au Québec que, de façon plus générale, en Amérique du Nord[19] ; et enfin, il chevauchait plus que quiconque le domaine étatique et la vie partisane, ce qui a contribué à faire de ce style de leadership un pouvoir exécutif partisan. La combinaison de ces trois éléments rend, en outre, inusitée la marge de manœuvre que possédait cet unique conseiller. Tout indique, cependant, que cette forme de gouvernement était souhaitée par le Premier ministre Bourassa, comme on le verra plus loin, et qu'en ce sens il est exagéré de décrire M. Desrochers comme un marionnettiste du pouvoir.

Ce qui surprend, d'abord, c'est que M. Desrochers ait pu œuvrer à la fois si discrètement et transformer si profondément les techniques d'organisation partisane en si peu de temps. Qu'il suffise de donner un ou deux exemples. Lors des congrès du parti, l'utilisation des appareils d'intercommunication (walkie talkie) pour diriger, au besoin, les délégués d'un atelier à l'autre a été vivement dénoncée, la première fois que M. Desrochers a introduit cette technique pour défaire des résolutions inacceptables. L'année suivante, cependant, les appareils étaient plus petits et plus discrets ; mais les journalistes ne les ont plus dénoncés, en partie parce que d'autres formations politiques avaient décidé, elles aussi, de se servir de cette technique qui était désormais entrée dans nos mœurs partisanes.

---

18. Paul Longpré, « Paul Desrochers : aussi énigmatique que son titre est vague », *Le Devoir*, 17 novembre 1972, p. 20.

19. Henry Kissinger, un conseiller tout aussi influent dans l'élaboration du contenu de la politique gouvernementale, « utilisait » à cette même époque, aux États-Unis, les conférences de presse et la diplomatie des déplacements inter-capitales.

En outre, l'absence de M. Desrochers des débats à l'Assemblée nationale souligne le peu d'importance attaché à cette institution et au processus législatif par cette forme de leadership «présidentiel» qu'utilisait M. Bourassa. Alors que Me Mario Beaulieu (U.N.) qui avait, lui aussi, personnellement choisi les candidats, se servait de ses relations quasi-paternelles pour faire progresser les projets de lois gouvernementaux en commission, puis à l'Assemblée, M. Desrochers ne paraissait guère suivre de près ces dossiers. Les débats et toute la stratégie parlementaire, par le fait même, parurent moins importants. C'est M. Jean Prieur qui fut chargé d'acheminer les projets de lois plus importants. L'immense majorité gouvernementale à l'Assemblée enleva, en outre, tout intérêt à cette dimension, surtout après 1973.

Jean Prieur, tout comme la dizaine d'autres conseillers au cabinet personnel du Premier ministre, avait vingt-huit ans en 1970, était avocat, militait dans les rangs libéraux depuis ses études universitaires, venait directement du Bureau du Premier ministre Trudeau et avait activement travaillé depuis le début (fin 1969, début 1970) à la campagne de M. Bourassa lors de la course à la chefferie. Tous ces très jeunes conseillers, que M. Bourassa appelait familièrement mes «wise kids», il les avait choisis parce que rompus aux disciplines chéries par le chef du gouvernement: administration des affaires, économie, information.[20] Dans l'entourage du Premier ministre, ils facilitaient tous les relations entre celui-ci et le caucus libéral; ils étaient perçus comme des techniciens efficaces, mais contrairement au caucus des députés, à quelques ministres, ou à M. Desrochers lui-même, ces jeunes conseillers ne détenaient aucun pouvoir réel au sein du parti majoritaire.

Après le départ de M. Desrochers du Bureau du Premier ministre, aucun de ceux qui lui ont succédé n'a joui du même prestige auprès du caucus et des militants. En ce sens, la campagne électorale de 1976 refléta bien l'évolution de la réalité du pouvoir au sein du parti: personne de l'entourage de M. Bourassa ne put faire contrepoids au caucus des députés[21] ou aux libéraux fédéraux. Les attaques contre le Premier ministre se mirent alors à pleuvoir de toutes parts.

20. Gilles Lesage, «Ces hommes qui entourent le Premier ministre», Le Devoir, 12 mars 1975, pp. 1 et 6.

21. Le premier député à contester ouvertement fut sans doute le président de l'Assemblée nationale, Jean-Noël Lavoie, qui se déclara opposé à la loi 22. Voir à ce sujet Les années Bourassa. L'intégrale des conversations Bourassa/Saint-Pierre, pp. 220-225.

À la permanence du parti à Montréal, au 460 Gilford, les conseillers se percevaient déjà comme plus loyaux envers le parti qu'envers le Premier ministre. Mieux formés à l'administration des affaires qu'à l'analyse critique, la majorité d'entre eux avaient cru M. Trudeau, lorsque celui-ci avait qualifié le parti québécois de « particule ». L'accroissement des voix péquistes en 1973 créa un certain sentiment de dépression qui se traduisit, pour quelques-uns, par une « bonne cuite » le soir de l'élection. Si la plupart paraissaient aussi jeunes que leurs collègues du Bureau de M. Bourassa. Certains venaient directement des cabinets personnels de ministres fédéraux. Ils possédaient une formation en sciences sociales ou en administration. À compter de 1975, l'un ou l'autre a tenu à des journalistes des propos privilégiés qui, en certaines occasions, ont placé le Premier ministre dans une situation délicate. Certes, les « fuites » aux journaux constituent une façon de faire pression sur le Premier ministre lui-même et sur les hautes instances du parti; mais le refus de la confrontation directe implique un élément inhérent de faiblesse. Tel n'était pas le cas des libéraux fédéraux. Bien au contraire.

Les libéraux fédéraux

Lorsque M. Desrochers quitta son poste, trois personnes le remplacèrent en réalité. Deux d'entre elles, MM. Jean Prieur et Maurice Paradis, se chargèrent de la mise en marche et de l'orientation des différents dossiers gouvernementaux. La troisième eut pour tâche de maintenir les liens avec les grandes firmes qui financent le parti. (M. Desrochers constituait l'équivalent de ce qu'avait été durant les années 1950 Gérald Martineau auprès de Duplessis, c'est-à-dire le type même de conseiller chargé à la fois des finances et du patronage du parti et, dans une certaine mesure, de l'orientation des politiques gouvernementales.) La grande différence, cependant, entre le parti libéral et les autres partis tient aux liens qu'entretiennent le parti libéral du Québec et son grand frère, le parti libéral du Canada. Ces liens sont souvent directs et la plupart du temps, cordiaux. Des candidats fédéraux défaits ou cédant leurs sièges à des recrues prestigieuses furent nommés par le Premier ministre Bourassa au conseil d'administration de Régies d'État québécoises. [22] En 1970, des membres du cabinet personnel du Premier ministre Trudeau devinrent conseillers de M. Bourassa. De 1970 à 1976, des

---

22.   John Gray, « Incompetence has its rewards for some Quebec MPs », The Gazette, 19 décembre 1977.

membres de cabinets de ministres fédéraux obtinrent des postes de cadres permanents au P.L.Q.

Pourtant, dès les événements d'octobre 1970, le partenaire chéri devint un client tremblotant aux yeux d'Ottawa.[23] Aussi, le chef de cabinet du Premier ministre Trudeau, Marc Lalonde, siégea-t-il aux réunions du Conseil des ministres québécois durant les derniers jours décisifs.

Auparavant, après avoir anxieusement assisté à la montée de l'aile nationaliste au moment de la Révolution tranquille et s'en être débarrassés en 1967, les libéraux fédéraux avaient décidé que Jean Lesage ne constituait pas le leader québécois le plus en mesure de livrer bataille à René Lévesque. Le soutien qu'ils obtinrent publiquement de députés provinciaux suivait, plus qu'il ne précédait, de longues heures de discussions informelles avec des hommes d'affaires et banquiers sympathiques aux deux partis libéraux.

Durant les six années suivantes, les attaques parfois virulentes du Premier ministre Trudeau n'ont constitué qu'une forme de pression exercée par les libéraux fédéraux sur les politiques du gouvernement Bourassa, la Loi 22 en particulier. MM. Trudeau, Marchand et Lalonde s'en prirent même, chose rare, au style de leadership, voire à la personne de M. Bourassa, suggérant clairement aux militants provinciaux que le Premier ministre du Québec avait perdu leur confiance.[24] Le discours de mars 1976 de M. Trudeau à Québec constitue une charge peu commune contre ce «Ti-Pit, mangeur de hot dogs» qui dirigeait les destinées du parti libéral du Québec. En novembre 1976, l'arrivée de MM. Marchand et Mackasey apparut comme une mise en tutelle du P.L.Q. de la part d'Ottawa, sans que M. Bourassa puisse s'y opposer. Cette arrivée d'un ami du Premier ministre Trudeau et d'un anglophone de Montréal se situe bien dans le schéma de relations entre les deux partis, relations de type patron-client. Comme le Premier ministre Bourassa gardait la confiance de ses députés en 1975-76, c'est en quelque sorte de l'extérieur que les libéraux fédéraux imposèrent leurs hommes lors des conventions libérales d'octobre 1976.

Les libéraux fédéraux ont, en effet, jeté un œil toujours vigilant sur leur partenaire québécois à cause des dangers du nationalisme grandissant dans cette région du pays. C'est en tout cas dans cette

---

23. John Gray, «How the cherished partner became a dithering client», *Maclean*, août 1972.
24. *Le Devoir*, 9 juin 1975, p. 2.

optique qu'ils avaient d'abord accueilli l'élection de François Aquin à la présidence du parti, puis, en 1967, les propositions de souveraineté-association de René Lévesque, et, après 1970, tout projet de loi libéral qui aurait donné par son nationalisme latent quelque légitimité que ce soit aux thèses péquistes. Par conséquent, le discours du Premier ministre Bourassa réclamant soudain la « souveraineté culturelle » fut perçu comme une rebuffade à l'endroit de la thèse du groupe de ministres fédéraux identifiés au « French Power ». Ce groupe de ministres et hauts fonctionnaires francophones libéraux préconisent, depuis 1968, une présence des Canadiens français à Ottawa comme meilleure protection des droits linguistiques francophones. Mais, en fin de compte, la confrontation directe n'est généralement pas la forme principale de pouvoir qu'utilisent les libéraux fédéraux pour influencer l'orientation de la « machine » que constitue le P.L.Q.

Dans les milieux banquiers et commerciaux de Montréal (anglophones en grande partie), ces liens d'affaires avec les deux partis servent à influencer l'orientation du gouvernement libéral du Québec. Ces liens d'affaires servent, selon les moments, de tremplin d'essai, de courroie de transmission des suggestions fédérales, voire de guillotine si les libéraux fédéraux décident carrément de répudier le leader du P.L.Q. en lui coupant les fonds. Pour ces milieux d'affaires, en fait, le financement du P.L.Q. ne constitue que le prolongement des fonds accordés aux libéraux fédéraux : les mêmes firmes financent les deux partis mais leur première loyauté se tourne vers Ottawa.

D'abord, les milieux d'affaires ont appuyé les pressions des libéraux fédéraux (de 1970 à 1976) en versant un million de dollars par année à la caisse du P.L.Q. Ceci comprend une centaine de dons annuels de $10,000 à $15,000 provenant de grandes firmes nationales ou multinationales, auxquels s'ajoutent des contributions individuelles et celles de plus petites firmes. Ces dons procuraient aux milieux d'affaires l'accès au Premier ministre Bourassa et aux ministres responsables du secteur économique, MM. Garneau et Saint-Pierre[25], mais aussi l'accès à des informations privilégiées en ce qui a trait, par exemple, au projet de loi 22. En effet, de l'aveu de plusieurs hommes d'affaires importants, les milieux financiers de Montréal étaient au courant des projets du gouvernement Bourassa en matière linguistique au printemps 1973, alors que rien n'avait encore

---

25.   Voir à ce sujet la thèse de doctorat de Pierre Fournier publiée sous le titre *The Quebec Establishment*, Black Rose, 1976, p. 133.

transpiré dans le grand public.[26] L'importance de l'accès dans le processus décisionnel s'exprime de la façon suivante: quels sont les groupes et individus, touchés par un projet gouvernemental, qui se trouvent stratégiquement en position, au moment opportun, de faire sentir leur présence tant par l'ampleur des ressources à leur disposition que par leur facilité d'accès auprès des centres décisifs?[27] Cet accès était tenu secret, à la demande même du gouvernement, durant les années Bourassa. Un de ces hommes d'affaires a parlé d'un « flirt assidu »[28] pour décrire cet accès direct.

Jusqu'à ce que les leaders fédéraux expriment ouvertement leur désaccord face aux politiques québécoises, c'est en catimini que le message était livré, loin des oreilles indiscrètes des journalistes et adversaires politiques. L'osmose des milieux d'affaires et du parti libéral fédéral renforçait les pressions, de sorte qu'à la fin de la campagne électorale de 1976 plusieurs candidats libéraux avaient ouvertement répudié la Loi 22 et les libéraux fédéraux avaient, en quelque sorte, imposé leur tutelle sur le P.L.Q.

En somme, le pouvoir lié au contrôle du parti majoritaire à l'Assemblée s'est manifesté de 1970 à 1976, d'une façon différente de la décennie précédente. Le caucus des députés a joué un rôle majeur, à un point tel que les observateurs percevaient le Premier ministre Bourassa comme prisonnier de l'arrière-banc ministériel. Le parti libéral fédéral a, en outre, exercé une influence croissante; il était même considéré, à compter de 1975, comme l'une des souverainetés rivales au sein de l'exercice réel du pouvoir à Québec. Par contre, le Conseil des ministres et la plupart des membres du cabinet personnel du Premier ministre n'ont joué qu'un rôle marginal dans l'exercice de ce pouvoir, si l'on compare cette période à la décennie qui précède ou à l'époque subséquente du gouvernement péquiste. La période du gouvernement Bourassa (c'est un corollaire de cette absence de collégialité) a, en effet, été caractérisée surtout par la volonté du Premier ministre d'exercer une forme de leadership que Michel Roy a souvent décrite comme quasi-présidentielle.[29]

---

26. Lysiane Gagnon, « Le monde financier: $1 million par année à la caise libérale », *La Presse*, 18 octobre 1973.
27. Pierre Fournier, « Les chefs d'entreprises et le gouvernement Bourassa », *Le Devoir*, 6 octobre 1973. L'auteur cite la définition donnée par le professeur Léon Dion.
28. Voir Lysiane Gagnon, *op. cit*.
29. Voir *Le Devoir* du 23 juillet 1975, p. 4.

Un leader quasi-présidentiel

Invité à commenter la forme de leadership exercé par M. Bourassa, le ministre fédéral Jean Marchand disait en juin 1975: «Il n'a peut-être pas eu, au point de vue technique, tout le personnel de support dont il avait besoin. Bien souvent, il a été lancé dans des aventures sans issue.»[30] C'est M. Bourassa lui-même qui a pourtant choisi ce style de leadership, où il paraissait seul, sans collégialité pour l'épauler.

Certes, les événements d'octobre 1970 ont contribué à créer ce style de leadership. M. Bourassa s'est trouvé isolé de la population. Sa sécurité requérait son isolement dans une forteresse. Il ne pourrait plus, lui firent savoir les services de sécurité de la Sûreté du Québec, habiter son petit hôtel dans la basse-ville, ni aller souper dans le vieux Québec. M. Bourassa a, en outre, été traumatisé par la crise d'octobre. Beaucoup de Québécois ont noté l'effondrement du gouvernement du Québec durant ce mois: c'est le gouvernement fédéral qui imposait ses vues à un gouvernement littéralement en fuite, siégeant au vingtième étage de l'hôtel Reine Elizabeth de Montréal, lieu de tractations au sommet lors des congrès politiques qui se sont tenus dans cet hôtel depuis vingt ans. M. Bourassa lui-même a donné l'impression de s'être effondré durant cette période.[31] Il a aussi révélé, dans ses entrevues avec M. Raymond Saint-Pierre, que le ministre de la Justice, Jérôme Choquette, voulait céder aux terroristes.

Pourtant, deux spécialistes des partis politiques québécois, Vera et Don Murray, ont soutenu dans une lettre vigoureuse au *Devoir* que M. Bourassa avait uniquement fait semblant de s'effondrer. En s'appuyant sur les témoignages de MM. Maurice Saint-Pierre, René Gagnon, Michel Côté et autres, les auteurs écrivent que M. Bourassa s'était servi d'une telle tactique à d'autres moments de ses années de gouvernement. Il était donc possible que, de sa part, il se soit agi en octobre 1970 d'un jeu «pour neutraliser ses adversaires politiques»; mais, de toute façon, l'image qui s'est dégagée n'a guère aidé M. Bourassa. Ni lui ni son entourage, quand ils se remémorent ces événements, ne sont très fiers du leadership qu'ils ont exercé à ce moment.

---

30. *Le Devoir*, 7 juin 1975.
31. Voir, en particulier, le volume de l'historien Jacques Lacoursière, *Alarme Citoyens!*, éd. La Presse 1972, chap. 8 pp. 231-32 surtout) Vera & Don Murray, *De Bourassa à Lévesque*, Montréal, Quinze, 1978 *Le Devoir*, 27 avril 1978, p. 4.

M. Bourassa a, néanmoins, utilisé ce nouveau besoin de protection du poste et de la personne du Premier ministre pour créer ce type différent de leadership qui comportait au moins quatre aspects : ses relations avec ses ministres, son fichier de renseignements, son absence de l'Assemblée nationale, voire ses rares présences en public, et son recours aux chargés de missions ou même à un pouvoir parallèle. La mise en opération de ces quatre aspects a été facilitée (symboliquement et physiquement) par l'aménagement à la hâte des nouveaux bureaux et appartements de résidence du Premier ministre dans l'édifice «J», situé sur la Grande-Allée. Ses bureaux, dans l'édifice communément appelé «le bunker», personnalisaient le pouvoir en concrétisant la distinction entre le Premier ministre et le Cabinet. On ne pouvait dorénavant rejoindre le Premier ministre qu'en trompant la vigilance de plusieurs policiers de garde, d'un système de boutons électriques qui n'ouvraient les accès que de l'intérieur, puis de nombreux gardes-du-corps en civil, présents vingt-quatre heures par jour auprès de lui. C'était là un style de leadership que M. Bourassa (consciemment ou non) utilisait pour renforcer son autorité personnelle vis-à-vis de ses ministres, obligés de franchir ainsi tous les postes de contrôle chaque fois qu'ils étaient convoqués au Bureau du Premier ministre.

Le «complexe J» renfermait également le Centre d'analyse et de documentation, où quelque 30,000 individus et 7,000 groupes furent fichés après octobre 1970, pour alimenter l'information accessible au Premier ministre et à son entourage personnel. Le Centre comprenait une «salle de guerre», semblable à celle de la Maison blanche, une salle d'enregistrement des émissions de radio et de télévision et une chambre noire. Les murs étaient recouverts de plomb pour empêcher toute écoute électronique de l'extérieur. Ici encore, le style quasi-présidentiel de leadership apparaît marquant. Ce centre ne relevait pas du ministère de la Justice ; il était adjacent aux appartements personnels du Premier ministre. Il comprenait une cuisine et des endroits de séjour que pourrait utiliser le Premier ministre au besoin. Son existence ne fut révélée qu'en 1975, quatre ans après le début de ses opérations et aucune décision à son sujet ne fut jamais discutée au Conseil des ministres.

L'absence répétée du Premier ministre de son siège de l'Assemblée nationale durant des périodes de trois ou quatre jours, au beau milieu de la session, accentua cette impression de réclusion et de secret de la part de M. Bourassa. Celui-ci pouvait facilement manger dans ses appartements, prendre du soleil sur le toit du «com-

plexe J», disparaître en somme de la vue de tous tout en continuant
de diriger les destinées du Québec par téléphone.

La vie parlementaire, voire la collégialité du Conseil des ministres étaient-elles consciemment perçues comme peu importantes?
L'isolement olympien, était en tout cas facilité par l'armée de gardes-
du-corps et les claviers de boutons électriques qui protégeaient le
Premier ministre. La contre-partie était, de façon consciente ou non,
également utilisée dans le même but: signifier la puissance, le commandement, associés à la personne du Premier ministre. Les rares
apparitions en public de M. Bourassa étaient, en effet, entourées des
pétarades des motards de la Sûreté du Québec ou de la Communauté
urbaine de Montréal, de l'hélicoptère de la police et d'un impressionnant dispositif de policiers en civil, en plus d'appareils électroniques
et téléphoniques.

De même, lors des conférences fédérales-provinciales, le contraste étonnait. Les autres Premiers ministres arrivaient accompagnés
d'un secrétaire au 24 Sussex Drive, le Premier ministre William
Davis se déplaçant, lui, accompagné également d'un agent en civil de
la Sûreté provinciale de l'Ontario. M. Bourassa, pour sa part, était
encadré d'agents en civil voyageant dans la même voiture que lui,
et celle-ci était précédée et suivie de voitures fantômes. Cette façon
ostentatoire de se déplacer ne peut qu'être consciente, d'autant plus
que le contraste avec les autres Premiers ministres ne manquait pas
de frapper. On pense, dans le même contexte, à la présidence de
Lyndon B. Johnson aux États-Unis, de 1963 à 1968. Son besoin de
s'entourer constamment de symboles du pouvoir a été perçu comme
le reflet d'un sentiment profond d'insécurité. Dans son analyse de
ces années de présidence, la politicologue Doris Kearns a noté le
besoin du Président Johnson de parler, par exemple, devant un
lutrin géant, symbole sans doute de la puissance texane succédant à
John Kennedy, ce président diplômé de Harvard et ami des intellectuels. Chaque fois que le Président Johnson s'adressait à des
groupes, aux quatre coins des États-Unis, le lutrin géant le précédait,
acheminé sous bonne garde par avion présidentiel.[32]

Enfin, le recours à des chargés de mission plutôt qu'à des décisions du Conseil des ministres pour résoudre les problèmes aigus a
peut-être marqué un tournant, de 1970 à 1976, dans l'utilisation du
pouvoir exécutif au Québec. Ces fonctionnaires relevaient en fait du

---

32. Doris Kearns, *Lyndon Johnson and the American Dream*, New York, Signet,
    1976.

Premier ministre, sans que le ministre lui-même en soit parfois avisé, dira un jour M. Jean Cournoyer — qui joua, lui aussi, de temps à autre, le rôle de «pompier», envoyé spécial du Premier ministre pour tenter d'éteindre le brasier. Plus que d'autres, MM. Gilles Laporte et Gilles Néron, en plus des membres du Bureau du Premier ministre et de fonctionnaires du Conseil exécutif, constituent des exemples de chargés de missions désignés par la quasi-présidence du Québec. Il s'agit là, en effet, d'un élément de la fonction exécutive auquel la V.ᵉ République française, voire la présidence camerounaise [33], nous ont plus habitués que le poste de *primus inter pares* au sein d'un Cabinet responsable devant l'Assemblée nationale en système parlementaire de type britannique. M. Gilles Laporte, après avoir agi comme conseiller de M. Jean Cournoyer au ministère du Travail jusqu'en 1975, devint le véritable titulaire du ministère lorsque M. Gérald Harvey fut nommé ministre en titre. Après le départ de M. Cournoyer, en effet, les dossiers à long terme (conflit à la United Aircraft), comme ceux nécessitant des décisions immédiates, furent traités par le cabinet personnel du Premier ministre en liaison constante avec M. Laporte.

Le rôle de M. Néron frappe encore plus parce que ses services d'information n'apparaissent pas aux comptes publics, ce qui a laissé croire un moment qu'ils étaient directement et totalement financés par la caisse du parti libéral. Le rôle personnel de M. Néron, à titre de fonctionnaire de l'État, a même pu s'avérer malaisé, dans la mesure où il se confondait selon certains, avec un pouvoir parallèle chargé d'une unique mission: détruire le parti québécois. Un éditorialiste du *Devoir* a même laissé supposer que le C.A.D. a perdu certains dossiers à l'occasion du changement de gouvernement, en novembre 1976, au profit de certaines officines dont on ne peut deviner l'identité. M. Néron a démenti vigoureusement de tels propos. [34]

C'est sans doute là l'élément le plus marquant du déplacement du pouvoir législatif vers le pouvoir exécutif, lorsqu'en système parlementaire de type britannique un Premier ministre crée un centre d'information de plusieurs centaines de milliers de dollars, sans que le coût exact d'installation ou de fonctionnement apparaisse nulle part aux comptes publics, ni qu'aucun mécanisme parlementaire de contrôle puisse empêcher «le Premier ministre Bou-

---

33. Voir Jacques Benjamin, *Les Camerounais-Occidentaux*. La minorité dans un État bicommunautaire, Presses de l'Université de Montréal, 1975, pp. 26-30.
34. Jean-Claude Leclerc, *Le Devoir*, 25 mars 1977, p. 4. La réponse de M. Néron est publiée dans Le Devoir du 7 avril.

rassa et son entourage personnel (de) se garder l'utilisation exclusive des renseignements contenus dans ce fichier».[35]

En somme, gardes-du-corps, boutons électriques, pétarades de motards et centre de documentation ont pu être perçus comme phénomène de compensation pour l'absence effective de talent de leader, bureaucratique ou charismatique.[36] Dans le climat de polarisation des années 1970 à 1976, par l'interprétation qu'en ont donnée certains et par la motivation qui animait certains libéraux, ces éléments ont été décrits comme des instruments d'un pouvoir parallèle chargé de détruire «les séparatistes». Dans le climat tendu des années 1971 à 1974 en particulier, la distinction entre instruments du pouvoir exécutif et éléments du pouvoir partisan (libéral) ne se faisait pas toujours facilement. L'utilisation de «gorilles» par des députés libéraux et de gardes-du-corps par le Premier ministre semait quelque confusion, si l'on n'apprenait pas rapidement que les premiers ne relevaient pas des comptes publics mais que les seconds étaient des agents en civil de la Sûreté du Québec. De même, comment savoir que le Centre de documentation n'espionnait pas les «péquistes-felquistes», ou quelle utilisation l'entourage du Premier ministre faisait de renseignements obtenus d'un Centre dont le budget n'apparaissait pas aux comptes publics?[37]

Bref, ces instruments faisaient partie d'un type de leadership qui agissait volontiers en secret et qui, ainsi, prêtait flanc aux critiques par l'imbrication de ses dimensions partisanes et policières.[38]

Un régime de copains et de coquins?

La dimension partisane du pouvoir gouvernemental se traduit, enfin, par la répartition de nombreux contrats, concessions et services, connue sous le terme générique de patronage. Plus un régime est partisan, plus il privilégiera l'utilisation du patronage aux dépens du système d'appel d'offres et de soumissions publiques. Selon Vincent Lemieux, le patronage politique consiste dans le

---

35. «Aucun fonctionnaire du Conseil exécutif, de qui relevait officiellement le C.A.D., n'y aurait eu accès.» Voir *Le Devoir*, 23 décembre 1976, pp. 1 et 6.
36. Sur les concepts de leadership, charismatique ou bureaucratique, voir Jean Lacouture, *Quatre hommes et leurs peuples*, Paris, Seuil, 1969, pp. 16-18.
37. L'étude des comptes publics en commission permet à l'Opposition de poser toutes les questions souhaitées. Certains libéraux à l'Assemblée, confondaient aisément péquistes et felquistes dans leurs interventions.
38. On pense au personnage de Courman, tel que décrit par John Saul dans *Mort d'un général*, Paris, Seuil, 1977.

caractère discrétionnaire des relations que le patron entretient avec les clients. Pour prendre (un) exemple, le Premier ministre serait accusé de faire du patronage politique s'il faisait en sorte que le soutien des prix agricoles ne s'applique qu'aux électeurs d'une certaine région, ou encore aux électeurs qui sont reconnus comme appartenant à son parti. [39]

Vincent Lemieux a aussi quantifié les cas de patronage survenus de 1944 à 1972. Il a établi que les libéraux ont eu tendance à «distribuer de gros morceaux» à des amis et à confier au Premier ministre et au Cabinet la répartition de ces faveurs. [40] Il soulignait que de 1971 à 1975 «les ombres du patronage, ou encore celles de la corruption ou du népotisme, n'ont cessé de hanter les milieux gouvernementaux». L'enquête sur le crime organisé et les 'bonnes affaires' de la famille Simard avec le gouvernement Bourassa ont ressuscité les fantômes les plus encombrants, mais sans doute y en a-t-il d'autres plus discrets. [41]

Ce qui nous occupe, c'est de savoir qui (ministres, conseillers) détenait le pouvoir de répartition des faveurs et qui en étaient les clients. Ces clients, en recevant ces faveurs, liaient-ils le gouvernement et exerçaient-ils ainsi un pouvoir au sein du parti? Étaient-ils des bailleurs de fonds du parti, par exemple, comme l'ancien ministre Jérôme Choquette le mentionnait lors de la campagne électorale de 1976 [42] (il était alors leader du parti national populaire).

Pourtant, durant la période de 1970 à 1976, lorsqu'il s'agit de dresser un bilan de ce pouvoir partisan sous l'angle du patronage, deux thèses s'affrontent. La première définit les relations illicites entretenues par les détenteurs du pouvoir et les bénéficiaires du patronage en termes de trafic d'influence, de détournement de fonds, de situation ou d'actes prohibés par le code criminel. M. Bourassa a, pour sa part, constamment soutenu que son gouvernement n'avait jamais commis d'actes de patronage, c'est-à-dire d'actes de

39. V. Lemieux et R. Hudon, *Patronage et politique au Québec 1944-1972*, Ed. du Boréal Express, 1975, p. 18.
40. *Ibid.* pp. 99 et 126-127.
   Au contraire, dans l'Union nationale au pouvoir de 1944 à 1960 et de 1966 à 1970, les députés comptent plus «d'interventions favorables que les Premiers ministres et ministres», et ces faveurs sont réparties entre un plus grand nombre de 'petits privilégiés'. Lemieux et Hudon distinguent ainsi le 'gros patronage' des libéraux et le 'petit patronage' de l'Union nationale. Voir chap. V, pp. 79-118.
41. *Ibid.*, p. 10.
42. *La Presse*, 27 octobre 1976.

cette nature. «Légalement», dira-t-il encore à Raymond Saint-Pierre un an après sa défaite, le parti québécois ne pouvait citer «aucune irrégularité»[43] dans les contrats accordés par le gouvernement aux firmes gérées par la famille de sa femme, ni dans la conduite du gouvernement envers les députés Shanks et Leduc, ni à propos de l'embauche à la Baie James, ni pour les concessions de vente des billets de la Loto-Québec — surtout! Il n'y avait pas eu «corruption»; son gouvernement n'était pas un «gouvernement corrompu». Dans le cas de la Société des alcools, *Le Devoir* parlait de système d'extorsion mais on ne citait pas un cas. «On a poursuivi un homme d'affaires de Québec et il a été acquitté sur le banc à l'enquête préliminaire.» On voit le peu de sérieux de l'affaire, ajoutait M. Bourassa. Bref, il s'agissait de «ballons» et de «pétards mouillés», selon lui. M. Bourassa a toujours bien distingué ce qu'on appelait, durant la décennie précédente, le bon patronage du mauvais patronage. Pour lui, le bon patronage, ce sont les créneaux qu'il trace en expliquant qu'un membre du parti libéral ne perd pas ses droits de recevoir des contrats gouvernementaux, même si le pouvoir s'appuie sur une majorité libérale à l'Assemblée nationale. Certes, des libéraux notoires ont obtenu des contrats mais il ne s'agissait pas là de «corruption», qui serait l'équivalent du mauvais patronage. «Citez-moi un seul cas», demanda-t-il à M. René Lévesque lors du débat radiophonique du 23 octobre 1976.[44] De l'avis de tous les observateurs, M. Lévesque parut surpris de cette exigence et ne put que parler de «cancer généralisé», de pots-de-vin offerts aux libéraux en ce qui a trait à la Société des alcools et de concessions de Loto-Québec offertes à des libéraux notoires. La thèse que continue de soutenir M. Bourassa, c'est qu'il s'agit là de bon patronage, de concessions offertes sans pots-de-vin.

Une autre thèse, s'appuyant elle aussi sur les textes de loi plutôt que sur la «moralité politique», ne nie pas qu'un système de pots-de-vin ait pu exister de 1970 à 1976 (les tribunaux en décideront); mais il se serait agi d'un système consacré dans les mœurs partisanes et existant sous cette forme précise depuis 1964, à la Société des alcools par exemple. M. Bourassa aurait, en somme, hérité de ce système lié à la cueillette des fonds alimentant la caisse du parti au pouvoir. Comme l'a souligné l'enquête de la Sûreté du Québec, le ministre des Finances de l'époque, M. Raymond Garneau, n'a en

---

43. *Les années Bourassa, op. cit.*, p. 248.
44. Le texte intégral de ce débat a été publié en annexe au volume de P. Dupont, *15 novembre 76*, Montréal, Quinze, 1976.

rien été mêlé à ce présumé système de pots-de-vin, même s'il était le ministre responsable de la Société des alcools.[45]

M. Bourassa et son Conseil des ministres auraient hérité d'un système qu'ils ne pouvaient modifier facilement. Le professeur Edward McWhinney donne cette interprétation des relations qui ont existé, de 1970 à 1976, entre le gouvernement, les clients et la caisse électorale du parti au pouvoir.[46]

Suivant une telle interprétation des événements, la condamnation hypothétique par un tribunal de l'ancien trésorier adjoint du parti ne déteindrait pas sur le Premier ministre Bourassa et son gouvernement. En novembre 1977, l'ancien trésorier adjoint était cité à son procès et la défense obtenait aussitôt une ordonnance de non-publication. Il a subi en 1978 son procès sous vingt-deux accusations différentes de corruption en rapport avec ses activités de collecteur de fonds pour le parti libéral, entre le 1er novembre et le 31 décembre 1972. Au total, c'est une somme de $140,000 que le prévenu aurait exigée ou obtenue de concessionnaires de Loto-Québec pour le renouvellement de ces concessions.[47]

Que l'on interprète les événements selon l'une ou l'autre conception du patronage politique et de la corruption, c'est pourtant une définition de juriste que l'on invoque. Il existe, par ailleurs, une définition du patronage qui paraît assez différente des traités juridiques et qui a trait, elle, au service de la collectivité ou, au contraire, au favoritisme au profit d'une clique.[48] Dans son entrevue avec M. Bourassa, le journaliste Raymond Saint-Pierre lui demandait: «Légalement, peut-être n'aviez-vous pas tort. Mais moralement?» Lors du débat électoral, M. René Lévesque avait parlé de «corruption générale, de scandale avec un «S» majuscule dans lequel flotte malheureusement l'administration sortante». M. Bourassa, lui, et les présidents successifs du parti en 1975 et 1976, MM. Desrosiers et Payeur, ont plutôt insisté sur le nouveau climat qui régnait en matière de moralité politique à la suite du Watergate américain. «Climat de morosité», a dit M. Benoit Payeur en 1976. Les journalistes avaient

---

45. *Le Devoir*, 22 décembre 1977.
46. Conversations multiples de 1975 à 1978 à l'Université Simon Fraser où M. McWhinney est professeur au département de Sciences politiques.
47. *Le Devoir*, 2 novembre 1977.
48. Dans la typologie élaborée par Vincent Lemieux et ses collaborateurs, le favoritisme constitue l'une des quatre formes «excessives» de patronage, les trois autres étant le népotisme, le graissage et le chantage. Voir *L'Homme*, vol. 10, n° 2, 1970, pp. 22-44.

« exposé » au public américain la conduite condamnable du Président Nixon, l'utilisation illégale des pouvoirs de la présidence. Les journalistes du Québec voulurent en faire autant, dira plus tard M. Bourassa. Il n'y avait pas mauvaise foi de leur part. [49]

C'était le climat général, ajoutera-t-il « Peut-être que le système que nous avons en Amérique du Nord, où les gouvernements sont continuellement talonnés par la presse, fait qu'ils ne durent pas tellement longtemps. »

On note pourtant que, ce rôle, la presse et l'opposition l'avaient également joué lors de l'élection fédérale de 1974, sans que le parti libéral de M. Trudeau soit défait. Au contraire, il avait été cette fois réélu de façon majoritaire. [50] « La disparition du préjugé favorable envers M. Bourassa », se demandait Marcel Adam à l'époque ; et, dès l'été 1973, il sembla se dissocier de la définition légale donnée par M. Bourassa du favoritisme et de la corruption lors de ce qu'on a appelé « L'affaire Laporte ». La publication d'un certain nombre de rapports de la Gendarmerie royale mit en lumière, cette année-là, les liens entre des « membres importants de la pègre montréalaise », Pierre Laporte, ministre du Travail, René Gagnon, chef de cabinet du ministre de l'Immigration et Jean-Jacques Côté, bailleur de fonds et organisateur libéral. Ces rencontres durèrent plusieurs années et se poursuivirent après l'élection de 1970. L'aide de la pègre a été offerte en échange d'une éventuelle tolérance à l'égard de certaines activités du monde interlope, révèlent les documents. Mais, comme le soulignait Marcel Adam, les documents ne prouvent pas que cette aide ait été sollicitée ni même, clairement, qu'elle ait été acceptée. C'est plutôt l'attitude de M. Bourassa qui surprend. [51] Légalement, il n'avait pas à instituer une enquête lorsqu'il fut informé de ce rapport de police. Pourtant, au nom de l'éthique et de la prudence, ne devait-il pas écarter l'homme politique de certaines tâches, le chef de Cabinet de certaines responsabilités dans le fonctionnarisme, et l'organisateur politique de toutes fonctions au sein du parti libéral du Québec ? Adam s'étonne que « rien de cela n'ait été décidé sur-le-champ. Et, qui plus est, le Premier ministre préfère ne pas répondre à une question d'un journaliste du *Devoir*, concernant sa volonté

---

49. *Les années Bourassa*, p. 241.
50. On avait également retrouvé cette influence post-Watergate lors de la campagne électorale canadienne de 1974. Voir « Une nouvelle moralité politique en Amérique du Nord ? », *Le Soleil*, 13 et 15 juillet 1974.
51. Marcel Adam : « Bourassa jouissait d'un préjugé favorable ; l'affaire Laporte risque de le lui faire perdre », *La Presse*, 10 août 1973, p. A5.

d'être informé du rapport en question. Une telle réponse ne justifie-t-elle pas de penser qu'il n'a jamais voulu être informé de ce qu'il était de son devoir de savoir, du favoritisme apparent qui mettait en cause un chef de cabinet et un organisateur du parti?» Par ailleurs, dans plusieurs dossiers décrits comme favorisant certains groupes d'individus (notion de patronage) on note que les «patrons-opérateurs» étaient des membres du Bureau du Premier ministre, ou les «clients-récepteurs» des membres en vue du parti libéral du Québec.[52] On s'arrêtera à trois cas, non pas illégaux, mais qui tissent plutôt une toile, un réseau d'ententes privilégiées, conçues et gérées par une administration publique parallèle dont le siège se trouvait au cabinet personnel du Premier ministre.

Les importations Polarin Ltée

Le rapport de la Commission d'enquête sur le crime organisé (CECO) a révélé l'existence de la firme Polarin, créée le 7 juillet 1970 et qui servait d'agent intermédiaire entre fournisseurs et Société des alcools du Québec (SAQ). Le rapport des commissaires de la CECO, présenté au ministre de la Justice en juillet 1975, mentionne que cette firme a reçu $4,120 de la «Canadian Park and Tilford Distilleries Ltd» pour vendre, à titre d'agent intermédiaire, 10,000 gallons d'alcool à la SAQ en 1970. Or, les principaux directeurs de la firme Polarin étaient MM. Guy Potvin, responsable des communications lors des déplacements du Premier ministre Bourassa, Jean-Noël Richard, ancien secrétaire de la Fédération libérale du Québec[53] et Charles-E. Larivée, organisateur bien connu de dîners-bénéfices libéraux. L'un des dirigeants de la «Park and Tilford» a mentionné à la CECO, sous serment, qu'il avait offert à la SAQ de lui vendre de l'alcool à $1.65 le gallon mais qu'on lui avait plutôt demandé de passer par l'intermédiaire de la firme Polarin. Le prix effectif de vente monta à $1.90 le gallon. M. Potvin quitta la firme Polarin avant 1976, mais il demeura jusqu'à la fin agent de liaison auprès des forces policières, lors des déplacements de M. Bourassa. Il avait son bureau au cabinet personnel du Premier ministre, auquel il était «prêté» par Bell Canada.[54]

---

52. Concepts empruntés à Lemieux et Hudon, *Patronage et politique au Québec 1944-1972*, pp. 57-62.
53. À l'époque, il était responsable de l'organisation au parti libéral du Québec; il deviendra, ensuite, adjoint du ministre des Finances, M. Raymond Garneau, chargé des liaisons avec le COJO.
54. Voir à ce sujet l'éditorial de Claude Ryan, «Les dossiers de la CECO et l'élection», *Le Devoir*, 9 novembre 1976, p. 4: «Ces témoignages ne sont pas tous concor-

Le placement sélectif des ouvriers à la baie James

Les conceptions différentes du patronage politique se retrouvent toutes dans le cas de l'embauche de travailleurs à la baie James. Gisèle Tremblay a parlé d'illégalité, puisque le monopole syndical accordé à la Fédération des Travailleurs du Québec, en échange d'un contrat de travail de dix ans sans droit de grève, allait à l'encontre de la loi québécoise qui garantit le pluralisme syndical. La Loi 9 de 1973 « consacre après coup ce monopole de fait acquis par la FTQ et exclut la Confédération des Syndicats Nationaux » des sites de construction de la baie James.[55]

Raymond Saint-Pierre, lui, a mis l'accent sur l'illégitimité du favoritisme plutôt que sur son illégalité, « C'était une entente sous la table » dira-t-il à M. Bourassa lors de l'entrevue de 1977[56], une entente par laquelle M. Paul Desrochers, conseiller spécial du Premier ministre, privilégiait les travailleurs recommandés par ministres et députés en dressant les listes de travailleurs qui seraient embauchés à la baie James. En 1972-73, « mon oncle Paul (Desrochers) veut faire des faveurs à personne d'autre qu'à la FTQ », dira un fonctionnaire à un syndicaliste, selon les témoignages entendus par la commission Cliche. On retrouve là le caractère discrétionnaire (dont parle Vincent Lemieux) des relations qu'un patron-opérateur entretient avec des clients-récepteurs sans qu'il y ait obligatoirement contravention au code criminel.

Le Premier ministre Bourassa a, pour sa part, soutenu qu'il n'y avait pas eu d'illégalité, donc pas de patronage[57] : « C'était l'époque Watergate, tout le monde cherchait des Watergate. »

La commission Cliche a formulé un blâme à l'endroit de Paul Desrochers, sous deux aspects liés aux tâches partisanes qui étaient siennes au cabinet personnel du Premier ministre et qui nous occupent dans ce chapitre-ci. Alors que le pluralisme syndical était la

---

dants. Ils ne font pas, non plus, la preuve que des contraintes auraient pesé sur les fournisseurs à cet égard. Leur accumulation fait cependant craindre que le nettoyage ne soit pas vraiment terminé dans ce secteur qui fut longtemps un terrain de prédilection pour les parasites politiques. »

55. « La révélation ultime de la commission Cliche : « C'est un gouvernement parallèle qui a régi la construction » ». Une analyse de Gisèle Tremblay, *Le jour*, 17 février 1975, p. 4.

56. R. Saint-Pierre : « Dans le cas de la baie James et de l'exclusivité syndicale, personne ne parlait de changer la loi. C'était une entente sous la table. *Les années Bourassa*, p. 240.

57. *Ibid*, pp. 240-41.

règle au Québec, « il était imprudent » pour M. Desrochers d'explorer la possibilité d'accorder un monopole syndical à André Desjardins (de la FTQ Construction) le midi, au Club de la Garnison à Québec, puis de le retrouver le même soir à Sept-Îles et de lui demander de l'aide « afin que l'élection partielle dans Duplessis se passe dans un climat serein », écrit le juge Cliche. Paul Desrochers n'a pas voulu reconnaître devant la commission que ce service rendu par M. Desjardins était de nature à influencer la mise à exécution du monopole syndical : « Un service en attire un autre pour un homme pratique comme André Desjardins[58], concluent les commissaires.

M. Desrochers a, en outre, politisé en partie le placement des travailleurs à la baie James, créant ainsi un système parallèle d'embauche, partisan dans la mesure où les ouvriers sélectionnés étaient recommandés par ministres et députés du parti au pouvoir, le parti libéral. Bref, on avait créé un régime parallèle dans un but partisan. L'origine et la plaque tournante s'en trouvaient au cabinet personnel du Premier ministre du Québec.

Le gouvernement des amis

De 1970 à 1976, à deux reprises, les cinq quotidiens les plus influents du Québec se révélèrent, en page éditoriale, d'une rare unanimité. Les deux fois, en février et avril 1973, ce fut pour condamner la façon outrancière du gouvernement Bourassa d'imbriquer les politiques de l'État et les intérêts des militants libéraux. « Government of Friends », titrait *The Gazette*. « La publicité et les amis », écrivait Vincent Prince dans un éditorial de *La Presse*. En fait, dans les deux cas, La *Gazette,* le *Montréal Star, Le Soleil, La Presse* et *Le Devoir*, quotidiens dont la politique éditoriale ne fut pas toujours opposée au gouvernement Bourassa, ont dénoncé ce qu'ils percevaient comme une caractéristique systématique de ces années de pouvoir: le favoritisme partisan.

La *Gazette* a, la première, fait état du premier cas. Depuis l'arrivée au pouvoir des libéraux, des contrats d'une valeur de plusieurs millions de dollars étaient accordés sans soumission publique à des amis du parti, inscrits sur une liste confidentielle. Cette liste d'entrepreneurs et de fournisseurs avait été établie à partir de noms soumis par tous les députés libéraux à la suite de la victoire d'avril 1970. En fait, une « lettre confidentielle » du 22 mai 1970 demandait

---

58. *Rapport de la Commission d'enquête sur l'exercice de la liberté syndicale dans l'industrie de la construction.* Éditeur officiel du Québec, 1975, p. 293.

aux députés de faire parvenir ces noms dans une enveloppe brune à M. Jacques Dussault, l'un des adjoints au cabinet personnel du ministre des Travaux publics, M. Bernard Pinard.[59] Ces contrats concernaient les travaux d'entretien de tous les édifices publics — excavation, peinture, plomberie, électricité, nettoyage de rideaux, etc.

L'autre cas a trait à la publicité de tous les ministères et régies d'État. « Tous les créateurs sont-ils libéraux ? » se demandait le *Montreal Star* en éditorial. *Le Devoir* notait que la concentration des contrats de publicité aux mains de firmes libérales était l'œuvre « du Bureau du Premier ministre, M. Paul Desrochers en tête. »[60] Il ne s'agissait pas de gestes illégaux, mais le régime « gavait des amis de façon fort peu conforme aux habitudes du marché », il « récompensait la loyauté au parti plutôt que le talent ». Bref, il s'agissait de petit patronage mais aussi « d'une dispendieuse et inadmissible bêtise administrative ».

La réponse du régime Bourassa fait état du climat de polarisation que percevaient les libéraux. Ceux-ci confondaient parti libéral et sécurité de l'État : « Les fonctionnaires pour la plupart son bons, excepté les péquistes. Ce sont des traîtres. » Laisser les fonctionnaires des différents ministères administrer les concours d'appels d'offres, c'était courir le risque que certains fonctionnaires sympathiques au parti québécois ne sabotent les activités de l'État. « Le gouvernement doit engager des personnes loyales », notait M. Guy Morin, président de la commission d'information du parti libéral.[61] Ce type de patronage, notons-le, s'insère dans la typologie tracée par Lemieux et Hudon : d'une part l'origine provenait des plus hauts niveaux de l'exécutif (cabinet de ministre, cabinet du Premier ministre) et d'autre part « le patronage libéral cherche moins à convertir des électeurs à sa cause qu'à récompenser les électeurs déjà conquis et engagés pour la cause. »[62]

En conclusion, on retiendra trois caractéristiques de la dimension partisane durant ces six années : les souverainetés rivales ; les

---

59. *The Gazette*, 21 février 1973.
60. « Dès l'arrivée des libéraux au pouvoir, le Bureau du Premier ministre, M. Desrochers en tête, entreprit de ramener l'ensemble des contrats de publicité entre les mains de quelques agences reconnues pour leur stricte observance au credo libéral.» Laurent Laplante, « Quand on confie sa publicité aux amis », *Le Devoir*, 6 avril 1973, p. 4.
61. *La Presse*, 7 avril 1973.
62. C'est là une différence entre l'Union nationale et les libéraux, notent Lemieux et Hudon dans *Patronage et politique au Québec 1944-1972*, pp. 88-89.

critiques formulées à l'approche trop uniquement partisane du gouvernement de l'État; et l'absence d'autorité sur le parti de la part du Premier ministre.

M. Bourassa était arrivé au pouvoir en accord avec les militants et organisateurs du parti libéral qui, cette fois, s'étaient promis d'imposer au Conseil des ministres leur conception de la société québécoise. Sous bien des aspects, le parti libéral du Canada partageait cette conception: il s'agissait de stopper la montée du parti québécois. Tant que les résultats électoraux donnèrent raison aux libéraux, M. Bourassa ne fut pas contesté au sein du parti. L'apparence soutenue de corruption et l'absence de leadership au sein du régime suscitèrent pourtant, en 1974 et 1975, des critiques provenant des dirigeants fédéraux, des milieux d'affaires sympathiques au parti et du président du P.L.Q., le notaire Desrosiers. Les amis de Pierre Laporte en voulurent, pour leur part, à MM. Bourassa et Choquette d'avoir mis sur pied la commission d'enquête sur le crime organisé et d'avoir cédé à l'opinion publique au détriment de militants reconnus du parti, tel le député Guy Leduc. Et, en 1976, certains ministres parlèrent (ne serait-ce qu'au conditionnel) de l'indépendance du Québec. Le Premier ministre n'exerçait plus d'autorité sur les différentes souverainetés au sein du parti.

Le Premier ministre est-il tombé, victime, prisonnier d'un système de favoritisme partisan qui existait depuis quinze ans lorsqu'il fut élu? Selon cette thèse, M. Bourassa ne serait responsable ni de la création, ni du raffinement de ce système de patronage coordonné à partir de son propre bureau et, certes, avec son accord tacite mais sans qu'il ait pu s'y opposer, même s'il l'avait voulu. Le rôle de cheville et de filtrage exercé par M. Desrochers et ses acolytes au cabinet personnel du Premier ministre isolait davantage M. Bourassa des hautes instances du parti. Ce lien de M. Desrochers avec le parti faisait contraste, en outre, avec l'arrivée nouvelle et soudaine de M. Bourassa, encore dans la jeune trentaine, au leadership du parti.

Selon cette même hypothèse, ce système de favoritisme devint tout à coup inacceptable à la suite de l'affaire Watergate aux États-Unis. Les séquelles de cette affaire auraient provoqué au Québec une nouvelle moralité politique, fragile, éphémère et injuste envers son gouvernement.

Pourtant, le leadership de M. Bourassa au sein du parti ou, si l'on veut, son autorité se situe au cœur même de la fonction de Premier ministre en régime parlementaire. M. Bourassa est apparu comme un homme «d'appareils», heureux de livrer bataille à l'Assemblée nationale, satisfait des points marqués lors des débats quotidiens, à l'écoute du caucus et des organisateurs, peu soucieux de « conduire son peuple », peu enclin à utiliser l'influence personnelle qui découlerait d'une « vision » partagée avec l'électorat. L'imbrication de sa vision de la société et de son approche partisane de la conduite du gouvernement, M. Bourassa la soulignait en ces termes : « Les Québécois étaient partout divisés. Mais une majorité énorme se dégageait quant à l'hostilité au séparatisme. Nous nous demandions ce qui pourrait rassembler le plus de Québécois. Moi qui ai toujours suivi un peu la politique à travers le monde, je constatais qu'en France et en Italie, depuis cinq ou six élections, la peur du communisme porte fruit. »[63]

TABLEAU I

La filière partisane

Diagramme des forces partisanes en présence en 1975-1976

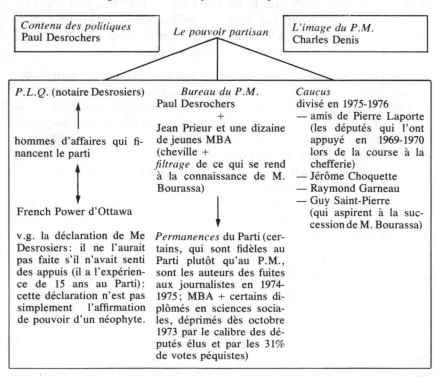

Contenu des politiques Paul Desrochers	Le pouvoir partisan	L'image du P.M. Charles Denis
P.L.Q. (notaire Desrosiers) hommes d'affaires qui financent le parti French Power d'Ottawa v.g. la déclaration de Me Desrosiers : il ne l'aurait pas faite s'il n'avait senti des appuis (il a l'expérience de 15 ans au Parti) : cette déclaration n'est pas simplement l'affirmation de pouvoir d'un néophyte.	Bureau du P.M. Paul Desrochers + Jean Prieur et une dizaine de jeunes MBA (cheville + filtrage de ce qui se rend à la connaissance de M. Bourassa) Permanences du Parti (certains, qui sont fidèles au Parti plutôt qu'au P.M., sont les auteurs des fuites aux journalistes en 1974-1975 ; MBA + certains diplômés en sciences sociales, déprimés dès octobre 1973 par le calibre des députés élus et par les 31% de votes péquistes)	Caucus divisé en 1975-1976 — amis de Pierre Laporte (les députés qui l'ont appuyé en 1969-1970 lors de la course à la chefferie) — Jérôme Choquette — Raymond Garneau — Guy Saint-Pierre (qui aspirent à la succession de M. Bourassa)

63. *Les années Bourassa*, pp. 256-257.

TABLEAU II

Membres du cabinet personnel du Premier ministre Bourassa 1974-1975

	Rôle dans l'exercice du pouvoir lié au Parti ministériel	*Formation*
(Paul Desrochers)	Il a quitté son poste en avril 1974	Président de commission scolaire; chargé de la réorganisation du Parti sous M. Lesage
(Maurice Paradis)	Consultant permanent à $33 000 l'an, chargé de certains dossiers économiques, v.g. projet Ferchibald	Employé de l'Alcan, maire d'Alma, président de l'Union des municipalités du Québec.
Jean Prieur	Adjoint de Paul Desrochers pour les dossiers politiques, il lui a succédé comme conseiller spécial en 1974: il suit alors de près le dossier de la réforme électorale et les affaires du Parti; il est payé à honoraires, avec un maximum de $32 000 l'an.	avocat, il a pratiqué le droit avec l'étude Martineau, Walker et Associés; au cabinet personnel du P.M. Trudeau; il a fait, en 1969-1970, la campagne au leadership auprès de M. Bourassa
Benoit Morin	Chef de Cabinet, avec rang de sous-ministre au ministère du Conseil exécutif	Spécialiste en gestion des entreprises et en administration publique; ancien conseiller juridique au Ministère de la Justice, puis greffier adjoint du Conseil exécutif.
Jean-Claude Rivest	Secrétaire exécutif du premier ministre, il en est le principal conseiller législatif; il est décrit par le P.M. comme son « Kissinger ». Il était fiché par la Gendarmerie royale du Canada.	avocat, M.A. en droit public, option droit administratif et constitutionnel; secrétaire particulier du Leader de l'Opposition, Jean Lesage, d 1967 à 1969
Charles Denis	Attaché de presse du P.M. et directeur de l'information du Conseilexécutif; « baromètre » du P.M.	voir chap. VI
(Guy Potvin)	Suit de près le P.M. lors de tous ses déplacements; il voit à ce que le P.M. ait toujours un appareil téléphonique à portée de la main. Son nom n'apparaît pas aux comptes publics.	Spécialiste en « logistique » responsable des communications, « prêté » au P.M. par Bell Canada.

	Rôle dans l'exercice du pouvoir lié au parti ministériel	*Formation*
Claude Trudel	Secrétaire administratif du P.M. jusqu'au printemps de 1975, puis sous-ministre adjoint aux Affaires culturelles. Au cabinet personnel du P.M., il était chargé de l'horaire et des déplacements du P.M. ; il s'est occupé, au cabinet du P.M., des grandes enquêtes (Gendron, par exemple), et des ministères socio-culturels.	Avocat, M.A. en administration publique de la London School of Economics.
René Beaulieu	Adjoint de Charles Denis pour l'information régionale	
Michel Guay	Adjoint de Paul Desrochers il venait du cabinet du ministre de la Fonction publique où il était chargé du placement sélectif des travailleurs à la Baie James. Il devint adjoint de Jean Prieur et fut chargé de dossiers régionaux en collaboration avec les députés. La commission Cliche a demandé sa démission en 1975.	
Normand Bolduc	Lui aussi, il était chargé du placement à la Baie James. Lui aussi, il était adjoint de M. Paul Desrochers, avec titre de secrétaire particulier adjoint du P.M.	
François Coderre	Il agissait en même temps comme secrétaire permanent de la Commission politique du Parti libéral du Québec	
Jean-Pierre Ouellette	Secrétaire particulier adjoint du P.M.	avocat, M.A. en droit d'Oxford
Marcel Laliberté		
Lawrence Cannon		

sources : Journal des débats de l'Assemblée nationale (Commission permanente de la présidence du conseil, de la constitution et des affaires intergouvernementales), *Étude des crédits du Conseil exécutif*, 1975

Commission d'enquête sur l'exercice de la liberté syndicale dans l'industrie de la construction, Éditeur officiel du Québec, 1975

Le Devoir, 12 mars et 9 juin 1975

Globe & Mail, 19 novembre 1977

Un premier ministre pas comme les autres ?

7 mai 76

de notre bureau d'Ottawa

OTTAWA — "Tassez-vous! Libérez lec hemin!"

Le constable de la GRC en faction devant le 24 Susssex vient d'apercevoir une voiture qui s'engage dans l'entrée de la résidence du premier ministre Trudeau. Les gardes sont nombreux; les journalistes aussi. La voiture s'approche. Ce n'est pas un premier ministre, mais 3 gorilles qui sortent en courant du véhicule pour protéger l'occupant de la voiture suivante contre un assaillant éventuel qui aurait pu se cacher peut-être dans les tulipes de M. Trudeau!

Sort de la deuxième voiture un homme encore jeune, mince, au sourire difficile, qui presse le pas vers la salle à manger. M. Robert Bourassa n'est pas loquace. Ses protecteurs doivent être au courant puisqu'ils lui fraient un chemin avec une habilité que sait reconnaître tout journaliste qui en a vu d'autres. Entre temps, dans la troisième voiture, d'autres personnages à la mine énigmatique surveillent les environs. Dès que le premier ministre de la belle province de Québec pénètre à l'intérieur de la maison de M. Trudeau, ces bonnes gens se retirent, M. Bourassa est maintenant sous la protection vigilante de la GRC.

M. Bourassa s'est rendu à Ottawa pour discuter du prix du pétrole et des moyens de conserver l'énergie.

Les autres premiers ministres aussi, mais l'un d'eux est arrivé en taxi, seul. C'est vrai qu'il venait de l'Ile-du-Prince-Edouard.

BOURASSA VERSION 1976

Homme à image

Electoraliste avant tout, ses fabriquants d'images publiques s'évertuent non sans peine depuis sept ans à lui façonner une allure de chef d'état: à coups de peigne, d'angles de camera, de vestons sombres, de cols bien empesés, de gestes calculés, d'intonations de voix. Il continue à projeter cette image d'universitaire timide.

Tel un "Idi Amin Dada", il a ses gorilles personnels, se déplace souvent en hélicoptère, fait beaucoup de bruit avec son escorte policière pétéradante: ça impressionne le peuple et amuse les enfants. Mais ce ne sont que des images de puissance.

Il se veut populiste, homme du peuple.

Au début de son premier mandat, en 1970, il occupe une chambre de touriste aux moyens modestes à l'Hotel Victoria, en plein quartier latin, à Québec. Il fréquente les discothèques.

Passant d'un extrême à l'autre, il emménage par la suite dans une quasi-forteresse, le "bunker" sur la colline parlementaire. Il devient inaccessible et presque invisible.

Cette image populiste refait parfois surface, mais avec des ratés.

Choquette dénonce l'emprise de la caisse sur les libéraux

par Fernand BEAUREGARD

Devant 400 étudiants rassemblés hier dans l'amphithéâtre de l'Université de Montréal, Jérôme Choquette, ex-ministre de la Justice et de l'Éducation et député sortant libéral d'Outremont depuis 10 ans, a dénoncé l'emprise de la caisse électorale sur le gouvernement Bourassa.

"Si ce gouvernement a montré tant de faiblesse dans son administration, c'est qu'il est trop étroitement lié aux intérêts du gros capital. Il ne peut tout simplement pas couper ses attaches avec les fournisseurs de sa caisse électorale."

Quant au PNP, dit-il, "si vous étiez aussi pauvre que moi et que notre parti, vous n'auriez aucune préoccupation de ce genre. Nous n'avons pas une "cenne" pour mettre des placards sur les autobus et pas un rond pour des pages publicitaires dans les journaux."

(La Presse, 27 octobre 1976)

CINQUIÈME CHAPITRE

LES ADMINISTRATEURS AU POUVOIR (1970-1976)

Administrateur plutôt qu'innovateur, gérant plutôt qu'initiateur, Robert Bourassa avait réfléchi sur le rôle de Premier ministre bien avant d'accéder à ce poste. Les objectifs qu'il s'était fixés en arrivant au pouvoir caractérisent davantage un leader qui recherche avant tout le consensus et ne s'engage qu'une fois l'opinion publique fixée sur un sujet.

C'est un grand commis qui administre, qui gère, et non pas un leader qui oriente et éduque.[1] En période d'attente, d'expectative, c'est-à-dire une fois les appétits aiguisés par les années 1960, c'est là une conception du leadership politique susceptible de décevoir de larges secteurs de la population.

L'absence d'innovation

Grand initiateur ou grand commis, voilà les deux types de leader que les spécialistes de l'administration publique identifient aux deux pôles d'une ligne continue.

Entre ces deux pôles, à un endroit ou l'autre, se trouvent tous les leaders de l'humanité. Les objectifs que M. Bourassa s'était fixés en se présentant à la chefferie du parti libéral le placent d'emblée dans la catégorie des grands commis. Il n'avait pas de « vision » de ce que le Québec devait devenir[2], il ne s'est jamais perçu en train

---

1. Sur ces distinctions, voir la thèse de doctorat de Jean Lacouture, *Quatre hommes et leur peuple, Op. cit.*
2. On notera l'analogie avec la présidence de Dwight Eisenhower aux États-Unis : « Au début de 1958, un technicien du bureau du budget était entendu, en qualité d'expert, par une sous-commission de la Chambre, sur les dispositions d'un projet de loi. En conclusion de son exposé, il souligna que ses recommandations étaient essentielles « pour le programme du Président ». Là-dessus, tout le monde s'esclaffa. L'hilarité était générale et dépassait largement les frontières des partis. » R. Neustadt, *op. cit.*, p. 106.

de « guider son peuple ». En fait, il n'a jamais démontré autant de candeur à ce sujet qu'à une émission radiophonique parisienne, diffusée lors d'un de ses séjours officiels en France : ses objectifs consistaient d'abord à prendre le pouvoir, puis une fois élu Premier ministre, il chercherait à être réélu avec une forte majorité.[3] Sa stratégie de bataille, Michel Roy l'a un jour décrite en ces termes : « Il s'agit pour lui de vider le programme péquiste de son contenu, ou plutôt d'usurper le vocabulaire qu'emploie le parti québécois, d'en modifier quelque peu le sens et la portée... »[4] C'est une stratégie de réaction, en fonction d'un parti à vaincre, d'une élection à gagner. Tant en 1970 qu'en 1973, les pressions ont été particulièrement intenses sur un type d'homme, les administrateurs dynamiques, pour qu'ils se portent candidats : Guy Saint-Pierre, Claude Castonguay et Fernand Lalonde parmi les ministres de 1970, et Claude Saint-Hilaire (Rimouski), Irénée Bonnier (Taschereau), André Déom (Laporte), John Ciaccia (Mont-Royal) parmi les nouveaux députés de 1973. Sur d'autres personnes approchées (Guy Rocher, Mario Cardinal, Léon Dion), les pressions furent nettement moins grandes ; elles voulaient plutôt assurer la réputation intellectuelle de M. Bourassa.

En 1970, l'entrée en vigueur de la loi de l'Assurance-maladie, de la loi de l'Aide sociale et la création du ministère des Affaires sociales, né de la fusion des ministères de la Santé et de la Famille et du bien-être social ; en 1971, l'adoption du projet de loi 65 sur la restructuration des services sanitaires et sociaux, la tournée de M. Castonguay pour connaître les doléances de la population, et le dépôt du projet de loi sur les corporations professionnelles : voilà toute une série de mesures qui avaient pour but de transformer la société québécoise et qui continuaient, en ce sens, la Révolution tranquille. Le ministre Claude Castonguay n'apportait pas de démenti à une telle affirmation : « Il y a des objectifs auxquels je tenais », disait-il de son entrée en politique active. On disait de lui qu'il occupait comme une « vocation » le poste de ministre des Affaires sociales.[5]

Pourtant, les libéraux de cette époque n'avaient que faire d'un « rêveur » et c'est plutôt l'excellente gestion de ses politiques sociales qui a permis à M. Castonguay d'être accepté des militants du parti. Sur la création d'un régime québécois d'allocations familiales, il es-

---

3. Émission « Radioscopie » sur les ondes de France-Inter. M. Bourassa a accordé une entrevue à Jacques Chancel lors de son voyage officiel en France, au début de décembre 1974.
4. *Le Devoir*, 29 juillet 1975, p. 4.
5. Entrevue accordée à Claude Masson, *La Presse*, 2 mai 1972, p. A5.

suya un échec. Si le vrai pouvoir au sein d'un Conseil des ministres est lié à la menace de remettre sa démission, deux aspects doivent être notés: M. Castonguay se percevait assez fort pour ne pas menacer de démissionner. Par ailleurs, le régime québécois d'allocations familiales ne serait pas créé sous le gouvernement de M. Bourassa; il n'y aurait pas de confrontation avec Ottawa.[6]

M. Bourassa s'était au contraire fixé comme objectif la stabilisation des finances du Québec. M. Castonguay a déjà reconnu s'être porté candidat pour les mêmes raisons; les finances du Québec le préoccupaient en 1969-1970, et lorsque deux mois avant l'élection d'avril 1970 le ministre des Finances, Mario Beaulieu, annonça qu'il ne déposerait pas de budget avant d'aller aux urnes, plusieurs observateurs y virent une confirmation de leur crainte: un tel budget aurait révélé au grand jour à quel point l'Union nationale avait mal géré les finances publiques. M. Bourassa y mit beaucoup d'efforts; il semblait fier d'avoir rétabli l'équilibre financier[7] au début de 1973, puis en 1976 de ne pas avoir haussé les impôts durant ses six années de pouvoir. Il considérait que cette chance donnée aux classes moyennes constituait sa plus grande réussite en politique.

Par ailleurs, il fut déçu du peu de succès de ses deux grandes politiques novatrices, le développement de la baie James annoncé en 1971 et la Loi 22 votée en 1974.[*] Les deux ont divisé le parti libéral et l'électorat plus qu'elles ne les ont unis. Certes, certains ministres avaient suggéré à M. Bourassa d'attendre, avant de déposer le projet de loi sur la baie James, que l'étude des coûts soit terminée, que l'entente avec les Amérindiens soit paraphée. Ce sont, en fait, sur ces deux aspects que le projet suscita le plus de controverse. M. Bourassa répondait «qu'avec l'inflation, plus on attend, plus cela coûte cher»[8]. Une fois au pouvoir, M. René Lévesque lui donnera en quelque sorte raison en acceptant la pertinence d'un tel développement hydro-électrique. La présentation du projet s'effectua également en 1971 dans un cadre partisan, ce qui eut pour effet de diviser sur-le-champ les citoyens. À mesure que les coûts augmentaient,

6. Claude Lemelin, « En pleine dérive québécoise, le coup de barre de Claude Castonguay », *Le Devoir,* 15 mai 1972, p. 4.

7. Dominique Clift, « Financial Equilibrium: Bourassa Reaches Goal », The Montreal Star, 23 mars 1973.

* *Les juristes désignent plutôt cette loi comme étant le Chapitre 6 des Lois de 1974,* Éditeur officiel du Québec, pp. 53-77 (« Loi sur la langue officielle », sanctionnée le 31 juillet 1974).

8. *Journal des débats de l'Assemblée Nationale,* 29 mai 1975, p. 983.

limitant ainsi les investissements dans d'autres secteurs, le projet collectif devint de plus en plus controversé. La Loi 22, autre grand projet de transformation de la société québécoise, n'obtint pas non plus en 1974 les succès escomptés.[9] Cette loi divisa même le parti, elle fut à l'origine du discours dévastateur du Premier ministre Trudeau en mars 1976 et fut peut-être, en ce sens, la cause lointaine de la défaite du 15 novembre.

Lorsque les ministres les plus perspicaces suggérèrent au Premier ministre d'accentuer cet aspect visionnaire de son leadership, M. Bourassa leur répondit qu'il avait cherché un concepteur de politiques à long terme et un scripteur de tels discours, mais qu'il n'en avait pas trouvé. En fait, le Premier ministre n'éprouvait aucun goût pour ce genre de politiques, aucun besoin d'élaborer de tels projets collectifs. M. Jean-Claude Rivest, qu'il désignait comme son « Kissinger », ne concevait absolument pas la vie politique et le pouvoir législatif comme le Secrétaire d'État américain. Celui-ci, on le sait, voulait convaincre le Président Richard Nixon de la ressemblance de sa situation avec celle d'hommes d'État du 19e siècle. Autant Bob Haldeman fut habile à faire surgir en Nixon le « vil politicien », autant Kissinger faisait surgir l'homme d'État. Nixon se mettait alors à disserter sur les possibilités d'une paix durable entre les grandes Puissances, scrutait les mécanismes pour y parvenir, discutait avec Kissinger des décisions globales à longue portée qui le conduiraient à Pékin, à Moscou, au Moyen-Orient dans le but de signer des accords ou des traités de paix. Chaque fois que Kissinger mentionnait, à l'appui de ses projets, la stratégie de Metternich qu'il admirait particulièrement, Nixon invoquait, lui, le rôle joué par Talleyrand au congrès de Vienne, pour forcer Kissinger à préciser sa pensée ou à nuancer son analyse.[10]

Au Bureau du Premier ministre Bourassa, le dialogue avec Jean-Claude Rivest avait plutôt trait au type de législation qui serait le plus rentable et le moins controversé auprès de l'électorat, au contenu plus spécifique des différents paragraphes de tel ou tel projet de loi, voire aux réactions d'un caucus spécialisé qui aurait lieu la semaine suivante (par exemple sur la disparition des petits abattoirs). M. Rivest, dès la fin de ses études, était devenu en 1967 secrétaire particulier du leader de l'Opposition, M. Lesage; et c'est tout na-

---

9. Voir Laurent Laplante, « Visa le noir, les rata tous », *Le Devoir, 23 mai 1974, p. 4* : « En plus de constituer une faillite de taille au plan des grands principes, le bill 22 multiplie comme à dessein les imprécisions et les équivoques...

10. Rather & Gates, *The Palace Guard*, p. 273.

turellement qu'il passa au Bureau du Premier ministre Bourassa en 1970. Il fut d'ailleurs le seul, avec Charles Denis, à conserver son poste durant toute la période du pouvoir, c'est-à-dire d'avril 1970 à novembre 1976. Puisqu'il agissait en conseiller législatif, tous les dossiers parlementaires et intergouvernementaux lui passaient entre les mains. Son travail consistait à suivre administrativement chaque dossier confié à une commission parlementaire s'il s'agissait d'un projet de loi, ou à un ministre s'il s'agissait d'une politique gouvernementale. M. Rivest paraissait pourtant bien jeune pour exercer des pressions efficaces sur les ministres et, particulièrement, sur les vieux routiers de la politique partisane; on nota dès le début ce handicap chez un conseiller qui, à 28 ans, constituait en fait les «yeux» du Premier ministre plutôt que son «Kissinger». C'est M. Rivest aussi qui rédigeait la plupart des discours de M. Bourassa, tant ceux des campagnes électorales que le discours inaugural de début de session. Avec M. Claude Trudel, le Premier ministre discutait également dans ces mêmes termes de la législation à contenu plus spécifiquement culturel. M. Trudel fut nommé sous-ministre adjoint à ce ministère à la fin des années Bourassa.

Le rôle de l'ancien Premier ministre Jean Lesage, par contre, mérite sans doute d'être souligné. Le besoin d'une politique dans tel ou tel secteur pour relancer l'économie ou pour rétablir la paix sociale fut souvent même ressenti par M. Lesage, maintenant membre du conseil d'administration de nombreuses grandes firmes, avant de l'être par son jeune successeur. Les deux hommes se téléphonaient de temps à autre, ils se rencontrèrent aussi bon nombre de fois. Presque toujours, c'est M. Bourassa qui se déplaçait à ces occasions; noblesse oblige. Une de leurs dernières rencontres eut lieu lors de l'anniversaire de naissance de M. Lesage, le 10 juin 1976, alors que M. Alexandre Larue, son chef de cabinet de l'époque avait réuni quelques anciens collaborateurs et invité M. Bourassa. La conversation entre les deux hommes porta, cette fois, sur le rapatriement de la constitution et M. Lesage promit de passer quelques coups de téléphone discrets à Ottawa pour tenter de découvrir le sérieux de la démarche du Premier ministre Trudeau.

Le rôle des membres du Bureau de M. Bourassa, lui, se limitait à choisir quel type de législation conviendrait le plus aux militants; il ne comportait pas de projet collectif de société. Trois ans après la victoire du 29 avril 1970, «les objectifs de M. Bourassa demeuraient vagues».[11] Le gouvernement avait réussi à stabiliser le rythme des

---

11. Dominique Clift, «Anniversary Speeches: Bourassa Goals Vague», *The Montreal Star,* 1er mai 1973.

dépenses publiques, mais ce n'était pas grâce à la gestion par programmes (PPBS), promise durant la campagne électorale de 1970 mais qui n'était pas encore institutionnalisée. De même en 1977, un an après sa défaite, M. Bourassa dressa un bilan plutôt banal de ses priorités législatives lorsqu'il livra ses réflexions a Raymond Saint-Pierre du réseau Télémédia. « Pas de recul, pas de perspectives, pas d'élévation », écrivait Michel Roy dans *Le Devoir*; même au moment de justifier cette conception du pouvoir — pouvoir de gérance — il « n'offre rien en matière d'analyse ou d'interprétation. »[12]

M. Bourassa a pourtant fait état, presque en aparté, des pressions que certains députés exerçaient sur lui en vue d'utiliser la détention préventive comme outil social. Lorsque le recteur Yves Martin mentionnait que l'absence actuelle (mai 1975) de leadership créait un vide[13], M. Bourassa semblait répondre qu'aucun consensus n'existait sur les moyens à prendre pour atteindre la paix sociale :

> *« Si le gouvernement s'était levé un matin en jugeant que les tribunaux prenaient trop de temps, que les lois sociales n'étaient pas respectées, ni les lois générales ni les injonctions, puis avait dressé une liste des 400 principaux chefs syndicaux en les destinant à la prison, quelle sorte de climat aurait-il créé au Québec? Je n'aurais pas été un homme politique responsable. »*[14]

C'est ici le type de leadership de M. Bourassa qui se révèle à nous. De même, le soir de la défaite il parlera des difficultés de gouverner en l'absence de consensus sur les grandes priorités. Le Premier ministre avait voulu constamment consulter les hommes d'affaires, le directeur du *Devoir*, les militants, son conseiller personnel Charles Denis, les citoyens des quatre coins du Québec, mais il n'avait guère découvert de consensus. Il s'était même aliéné les intellectuels et le directeur du *Devoir* dès ses premiers mois de pouvoir, au moment des événements d'octobre 1970, et il ne s'en était jamais remis. Craintif en l'absence d'un tel consensus, il ne bougeait pas, ne tentait pas d'utiliser l'État pour transformer la société. (Il ne s'opposait d'ailleurs pas à tel ou tel projet de loi de l'un de ses ministres à cause de son contenu, mais il s'y opposait si les militants exprimaient leur désaccord.) Même la loi sur la langue officielle n'obtint pas l'appui des milieux nationalistes, alors que ceux-ci réclamaient à hauts cris le retrait de la Loi 63. Au sein des milieux d'affaires, on savait par M.

---

12. Michel Roy, « Les 'confidences' de M. Bourassa », *Le Devoir*, 25 octobre 1977, p. 4.
13. Le texte est reproduit dans *Le Devoir* du 25 juin 1975, p. 4.
14. *Les années Bourassa*, pp. 206-207.

Bourassa, son conseiller Claude Trudel et le directeur des relations publiques de l'Alcan, M. Aimé Gagné[15], que la loi ne modifierait guère à court terme les usages. Les exigences de M. Gagné, puis celles du nouveau ministre de l'Éducation, M. Jérôme Choquette, intégrèrent encore plus de compromis, d'atermoiements au sein du document, de sorte que l'adoption de la loi ne permit pas de dégager dans quelle direction le régime Bourassa voulait diriger le Québec. En fait, M. Bourassa, le ministre François Cloutier et M. Gagné avaient élaboré une stratégie du consensus dans laquelle ils excellèrent en 1973 et 1974: ils savaient camoufler les vraies questions au milieu d'effets de style, de promesses et de confidences privilégiées; ils réussissaient à donner à toutes les parties en présence l'impression de comprendre leur point de vue. Ceci sembla satisfaire tout le monde, jusqu'en 1974 environ. À ce jour, ce que certains décrivaient comme marcher sur une corde raide, des observateurs l'ont décrit chez M. Bourassa de trois façons complémentaires: de 1970 à 1974, il était passé maître dans l'art de faire flotter des ballons d'essai, dans celui de la prestidigitation du revers de la main et dans l'art de colporter du bonbon-mousse.[16]

Par ailleurs, on prit conscience du peu d'intérêt de M. Bourassa pour cette recherche d'un projet de société pour le Québec, lorsqu'en 1974 et 1975, tour à tour, MM. Roger Lemelin, Léon Dion, Claude Desrosiers, Claude Ryan et Yves Martin réclamèrent un tel leadership de la part du Premier ministre. C'est parce qu'il ne ressentait aucun goût pour ce type de réflexion, parce qu'il ne s'était pas lancé en politique active dans ce but, parce que les militants et le caucus du parti ne réclamaient rien d'autre que des victoires écrasantes[17], qu'il ne modifia pas sa conception de l'autorité politique. Il « s'intéressait à la politique depuis suffisamment longtemps», dira-t-il, pour savoir ce qui était bon. Ainsi, les priorités qu'il a formulées

15. M. Gagné siégeait à la Commission Gendron et y était perçu comme le représentant du monde des affaires. M. Bourassa le consultait fréquemment sur les questions linguistiques et économiques, chaque fois en fait qu'il voulait prendre le pouls de la grande entreprise.

16. «He is a master of the three rings: simultaneously floating trial balloons, performing sleight-of-hand and peddling cotton-candy.» (homme d'affaires anglophone, avril 1974) «He has managed to walk the tightrope with aplomb, often by burying the real issues in an effusion of styles, promises, and off-the-record acknowledgements and a display of 'understanding' that seems to satisfy all interested parties regardless of their differences.» (Chef de pupitre, quotidien anglophone de Montréal, janvier 1974).

17. «Voir Laurent Laplante, «Les libéraux de 1964 et ceux de 1972», *Le Devoir*, 21 novembre 1972, p. 4.

en 1976 dans une lettre à ses ministres[18] furent tout de suite perçues comme le programme électoral du parti lors de la prochaine élection, et rien de plus. Les thèmes économiques n'y étaient plus abordés. En 1970, M. Bourassa avait fait campagne en disant aux Québécois : nos problèmes ne concernent pas des valeurs, des projets de société, mais touchent uniquement à un aspect technique, la création d'emplois. L'alternative, c'est l'aventure, répétait-il. Il a pourtant trop promis pour ce que l'économie québécoise pouvait offrir. En 1974 et 1975, le Québec a connu une récession économique, à laquelle un gérant ou un grand commis ne peut résister. Mais tant au sujet du développement de la baie James qu'en ce qui a trait au stade Taillibert, le parti québécois s'est rallié à ses décisions directoriales une fois au pouvoir.

Un régime parallèle de gérance : les hommes du Premier ministre

La thèse la plus répandue au sujet de ces six années de pouvoir, c'est celle d'un Premier ministre cerné. Le ressac des classes moyennes contre l'accroissement des budgets d'assistance sociale et contre les grèves dans le secteur public, la nostalgie d'un régime plus autoritaire et la tendance à revaloriser l'esprit « d'entrepreneurship » (disait Léon Dion) — caractéristiques communes aux sociétés industrialisées au début de la décennie — auraient forcé le gouvernement Bourassa à mieux calculer l'impact politique de chacune de ses interventions. Au début, la rentabilité économique (« fédéralisme rentable ») apparut comme la norme principale. M. Maurice Tessier, ministre des Affaires municipales, se montra par exemple conciliant à l'idée de liens directs entre le nouveau ministère fédéral des Affaires urbaines et les municipalités. Il fut cependant remplacé. Certains ministres plus nationalistes menacèrent de démissionner sur une question analogue. Le gouvernement Bourassa se révéla donc de plus en plus hésitant à poser des gestes concrets à longue portée ; le Premier ministre s'est d'ailleurs décrit comme étant, à cette époque, « coincé de toutes parts »*. M. Bourassa, écrivait un observateur, ne gouverne pas un État, ainsi que tentaient de le faire MM. Lesage et Johnson. Il l'administre. C'est très différent. »[19]

Ce type de gérance a, en outre, été qualifié de quasi-présidentiel. Chacun des ministres réglait ses dossiers avec le Premier ministre

---

18. « Bourassa redéfinit ses priorités : au premier rang, la constitution », *Le Devoir*, 26 août 1976, pp. 3 et 6.
* *Les années Bourassa,* op. cit.
19. *Le Maclean,* novembre 1972, p. 4.

ou l'un des membres du cabinet personnel de M. Bourassa. Les autres membres du Conseil des ministres n'étaient souvent informés qu'une fois les mesures prises.

Marc Laurendeau signalait qu'un exposé devant la Ligue des droits de l'Homme avait révélé cette dimension dans le domaine des lois du travail. « Presque toutes les lois du gouvernement Bourassa en matière de relations de travail étaient directement inspirées de conflits en cours ou imminents. (...) Le Québec risque de se voir ainsi doté d'une législation pathologique, toute issue de cas spéciaux. » [20] La plupart de ces lois ont eu comme origine une invitation du Premier ministre au ministre du Travail, M. Cournoyer, à venir souper dans ses appartements. Pas de concertation ni de discussion au Conseil des ministres. Réforme mineure, chaque fois.

C'est là une autre caractéristique du type de gestion propre à M. Bourassa. Il avait horreur de tailler dans le vif; il préférait y aller doucement, par couches successives. C'est pourquoi ses remaniements ministériels ne firent entrer au Conseil des ministres que peu de nouvelles figures d'arrière-banc. [21] C'est pourquoi, aussi, il préférait conserver dans l'ombre la plupart des dossiers importants, qu'il coordonnait d'ailleurs personnellement. Qualifiant ce type de gestion de « style nouveau adapté à la nouvelle société québécoise », le Premier ministre soulignait, en 1975, que sa « ligne de force consiste à régler les problèmes sobrement » [22] — ce qui implique l'intervention omniprésente d'un petit groupe d'hommes du Premier ministre, a-t-on constaté, certains nommés à des postes de sous-ministres, d'autres appartenant à un réseau parallèle. Ces hommes, plus que quiconque de 1970 à 1976, détenaient le vrai pouvoir à Québec.

Ils occupaient trois types de fonctions officielles. Certains ont été nommés sous-ministres ou sous-ministres adjoints — MM. Claude Rouleau, Robert Normand, Gaétan Lussier ou Claude Trudel par exemple. Ils furent choisis parce qu'on les percevait comme fédéralistes, mais aussi parce que, surtout dans le cas de M. Rouleau, ils partageaient ce style de gestion propre à l'entourage de M. Bourassa et dont le professeur Dion disait « qu'il paraît concevoir le domaine public selon des méthodes qui conviennent à l'entrepreneurship privé. » [23] Donnons cet exemple à titre d'illustration: les « hommes du

---

20. Étude préparée par Gisèle Tremblay. Éditorial de Marc Laurendeau, *Montréal-Matin*, 20 juin 1976.
21. Gilles Lesage, « Le ministère Bourassa a cinq ans », *Le Devoir*, 12 mai 1975.
22. Communiqué du Bureau du Premier ministre, 29 juin 1975.
23. *Le Devoir*, 11 mars 1975, p. 5.

Premier ministre» auraient voulu que les fonctionnaires sillonnent les capitales étrangères, à la recherche d'investissements, en promettant avantages fiscaux, primes à l'investissement et sources d'énergie à bon marché. Ils accusaient d'inertie les hauts fonctionnaires qui eux procédaient tout autrement: ceux-ci analysaient en effet le projet d'investissement à la lumière des priorités gouvernementales, ils tenaient compte de l'impact social du projet, de sa force d'entraînement sur le secteur visé. [24] Bref, cet esprit d'entreprise privée qui n'animait pas les hauts fonctionnaires de carrière, on le retrouva très tôt chez quelques sous-ministres du régime.

M. Claude Rouleau, ingénieur de profession, occupa d'abord le poste de sous-ministre des Travaux publics et de la voirie, puis des Transports, et il cumula ce poste avec celui de président de la Régie des installations olympiques. Un indice de l'importance de son rôle fut fourni par le Premier ministre Bourassa, lorsque celui-ci révéla qu'aux pires moments des manifestations du front commun devant l'Assemblée nationale, M. Rouleau traversait les lignes de piquetage, caché dans le coffre arrière d'une voiture de police mandée d'urgence pour le conduire auprès du chef du gouvernement. La commission Cliche a émis un blâme à son endroit pour n'avoir pas dévoilé au ministère de la Justice, en 1972, le chantage illégal exercé sur une firme privée par un syndicat; il fut même accusé d'avoir acheté la paix de ce syndicat en échange de $45,000 provenant des fonds publics. [26] M. Rouleau, dans son témoignage, expliqua que « chaque ministère devient presque un gouvernement», ce que d'autres ont interprété comme la révélation des difficiles relations entre les hauts fonctionnaires de carrière et certains hauts fonctionnaires perçus comme plus partisans, c'est-à-dire plus soucieux de politiques à court terme.

C'est sous Daniel Johnson, on l'a dit, que ces relations entre technocrates et partisans avaient obtenu le plus de succès; en travaillant les uns les autres sur les mêmes dossiers, ils avaient souvent pu atteindre des compromis heureux entre la planification en tour d'ivoire et l'opportunisme des tripotages de priorités gouvernementales. [27]

De 1970 à 1976, au contraire, la méfiance régnait. Les ministres cherchaient dans beaucoup de cas à travailler avec des conseillers politiques nommés à leur cabinet personnel de ministre, plutôt

24. *La Presse,* 8 mars 1975.
26. Rapport de la Commission d'enquête sur l'exercice de la liberté syndicale...,
     pp. 281-283.
27. L'expression est de Paul Longpré, *La Presse,* 8 mars 1975.

qu'avec les hauts fonctionnaires de leur ministère. Deux ministres au moins, MM. Jean Cournoyer et Jean-Paul L'Allier, ont dit tout haut ce que leurs collègues affirmaient sous le couvert de l'anonymat: le gouvernement Bourassa ne pouvait pas gérer l'État selon ses propres critères, la fonction publique ayant mis le gouvernement en tutelle. [28] Ainsi, le ministère du Travail n'a pu congédier deux agents de la Main-d'œuvre, dont l'un est d'ailleurs mentionné dans le rapport de la Commission Cliche, puisque la Commission de la fonction publique les a réintégrés à leurs postes, avec pleine compensation. De même, disait M. Cournoyer, le Conseil du Trésor l'a empêché de conserver son principal conseiller spécial, M. Gilles Laporte, qui avait été engagé comme contractuel et à honoraires mais à plein temps. Les services professionnels de M. Laporte ont coûté $65,000 en 1974, contre $40,000 au sous-ministre, ce qui illustre l'importance dominante d'un second type d'hommes du régime, de 1970 à 1976: les membres des cabinets personnels des ministres.

Ils occupent une fonction politique, leur nombre a atteint la centaine dès le début de la décennie, et leur rôle s'est de plus en plus substitué à celui de la « vraie » fonction publique. La Commission Cliche a révélé jusqu'à quel point ces cabinets ministériels constituaient une fonction publique parallèle, gérant l'État « comme si le Québec était la propriété privée du parti libéral » (écrivait Léon Dion), selon les normes du « big business » américain. Ils coûtaient en salaires plus de deux millions par année. Dans beaucoup de cas, ils continuaient d'être les organisateurs clés du parti libéral. Entre deux élections — et à mesure que MM. Paul Desrochers et Charles Denis perdaient le vrai pouvoir — ils devenaient les « yeux », les « éminences grises du Premier ministre Bourassa dans chacun des ministères ». [29] Ils pouvaient détenir le titre d'attaché de presse du ministre (par exemple Françoys Roberge auprès de Guy Saint-Pierre), de chef de cabinet (Michel Guay à la Main-d'œuvre) ou de conseiller technique. Ils constituaient le réseau qui en réalité gérait l'État québécois.

Le troisième type de fonctions officielles des « hommes du Premier ministre » se retrouve directement au cabinet personnel du Premier ministre. Et de son bureau, situé juste à côté de celui de M. Bourassa au troisième étage du « bunker », M. Desrochers, a durant quatre ans, paru gérer personnellement les destinées du Québec. Plus que n'importe quel ministre ou haut fonctionnaire, en laissant

---

28.   *Journal des débats de l'Assemblée nationale*, 4 juin 1975; *Le Devoir*, 5 juin 1975.
29.   « Les intouchables doublés par les 'yeux' du régime », *La Presse*, 8 mars 1975.

toujours supposer que l'ordre, venait du Premier ministre ou même avec son accord explicite, il a mené à bonne fin des dossiers aussi divers — et confidentiels — que le placement des ouvriers de la baie James et l'écoute de bandes enregistrées par la Sûreté du Québec.

Du cabinet personnel du Premier ministre, on a saisi de 1960 à 1978 deux conceptions différentes, deux rôles bien tranchés, tels que définis par les spécialistes de l'analyse comparative.

Sous Lesage et Johnson, les membres du cabinet personnel du Premier ministre, plutôt que de chapeauter la fonction publique, laissaient au Conseil des ministres et aux hauts fonctionnaires la mise en marche des politiques gouvernementales. Mais ils donnaient au Premier ministre cette marge d'analyse et de jugement qui rend un problème irréalisable moins impossible à résoudre. En somme, ils lui donnaient le temps de penser, le temps de réfléchir, en lui présentant des dossiers bien documentés, aux options clairement tranchées.

Contrairement au rôle qu'il exerçait au cours des années 1960-1968, le Bureau du Premier ministre s'est donné comme tâche, sous M. Bourassa, de diriger d'autorité la fonction publique et le parti. Le nerf moteur réel de la gestion de l'État québécois se trouvait au troisième étage de l'édifice « J » où étaient situés les bureaux de MM. Paul Desrochers, Robert Bourassa et Charles Denis.

Dans une entrevue qu'il accordait au réseau anglais de Radio-Canada en février 1978[30] — sa première entrevue télévisée —, M. Desrochers insista sur le fait qu'il formulait des recommandations mais que c'est toujours le Premier ministre Bourassa qui décidait. M. Desrochers était chargé de formuler des recommandations dans trois projets gouvernementaux, les investissements étrangers au Québec et les activités du parti. Dans chaque cas, il dressait le pour et le contre en deux ou trois pages — M. Bourassa n'aimait pas lire de longs rapports. La preuve qu'il n'était pas très puissant, disait-il, c'est que sur les projets auxquels M. Bourassa tenait particulièrement, la Loi sur la langue officielle et le développement hydro-électrique de la baie James, il avait formulé des recommandations dont le Premier ministre ne tint pas compte. M. Desrochers était en effet opposé au projet de Loi 22 ; c'est en partie pour cette raison qu'il quitta son poste à la fin de mars 1974. Il croyait que le développement de la baie James coûterait onze milliards, et non pas sept milliards comme l'ingénieur Marc Benoît en convainquit finalement M.

---

30.   Émission « Décision », télédiffusée le 16 février 1978 à 10 : 30 p.m.

Bourassa.[31] Celui-ci décida donc d'annoncer sur-le-champ son projet, en avril 1971. Ainsi, M. Desrochers ne prenait pas de décisions, dit-il : il ne faisait que « formuler des conseils ». Ce fut pourtant lui — et non pas des hauts fonctionnaires — qui séjourna en Europe en 1970, pour s'assurer que les investissements pourraient être disponibles à la baie James. Ce fut aussi lui qui s'assura que la paix sociale permettrait une rentabilité maximum de ces capitaux, et qui créa à cette fin un réseau informel de relations entre hauts fonctionnaires, officiers syndicaux et patronaux. Comme le soulignait Gisèle Tremblay dans une analyse importante de cette période, « c'est un gouvernement parallèle qui a régi la construction » sur le site de la baie James, et le maître d'œuvre en était M. Desrochers.[32] « Tout homme préoccupé de l'avenir financier du Québec, répondra-t-il, devait penser à protéger ces onze milliards d'investissements et à mettre tous les as dans son jeu ».[33] M. Desrochers détenait un M.B.A. de l'Université Columbia, s'était acquis une fortune personnelle et agissait, à la fin des années 1960, comme « consultant en management » : sans doute était-il le mieux qualifié pour s'occuper de telles questions. Mais c'est à lui aussi que M. Bourassa demanda, en mars 1971, d'écouter les bandes enregistrées par la Sûreté du Québec, qui semblaient compromettre un des dirigeants de la Société d'habitation du Québec. « La permission de consulter ces documents ultra-secrets avait été donnée à M. Desrochers par le secrétaire général du Conseil exécutif, Julien Chouinard, à la suite d'une autorisation du Premier ministre ».[34] Cet homme, qui était chargé des investissements à long terme et qui se préoccupait des affaires de police, était également l'homme que les ministres consultaient au sujet de nominations politiques. Avant de nommer telle personne à un organisme gouvernemental ou à telle Société d'État, « M. Cournoyer ou un autre ministre m'appelait pour demander : « Est-ce que c'est correct ? », dira M. Desrochers dans son témoignage à la Commission Cliche.[35]

---

31. Ceci se produisit lorsque l'ingénieur fit une longue promenade avec le Premier ministre Bourassa, le dimanche précédant l'annonce du projet au Colisée de Québec.

32. Gisèle Tremblay, « La révélation ultime de la Commission Cliche », *Le Jour*, 17 février 1975, p. 4.

33. « I repeat it again : When you're dealing with $11 billion, you have to have all the aces on your side ». Entrevue de M. Desrochers, « Decision », 16 février 1978.

34. C'est ce que dévoila Me Jérôme Choquette quatre ans plus tard en commission parlementaire ; voir *Journal des débats,* 3 juin 1975.

35. Page 91.

«*N'y a-t-il pas là un danger de conflit entre vos responsabilités en ce qui a trait à l'État et celles qui concernent le parti, lui demande alors son interlocuteur?*

— *C'est drôle à dire, répond M. Desrochers, mais Jean Roch Boivin joue un rôle identique auprès de M. Lévesque.*[36]»

En somme, le conseiller spécial du Premier ministre, qui avait redonné toute sa vigueur au parti libéral du Québec et aux associations de comté, continuait à jouer ce rôle tout en se préoccupant, à la demande de M. Bourassa, des dossiers vitaux pour l'avenir du Québec: les investissements étrangers, le financement des grands projets de développement, les menaces à la sécurité de l'État lors de l'embauche de fonctionnaires, l'entrepreneurship privé à la recherche d'investissements étrangers, le développement des ressources hydro-électriques pour lesquelles les États-Unis constituaient un excellent marché, et le tamisage des nominations politiques.

Chargé de recueillir les fonds du parti libéral et de répartir les contrats gouvernementaux, M. Desrochers est apparu à certains comme un super-ministre, chargé par M. Bourassa de la gestion des grands projets gouvernementaux. Par d'autres, il fut même perçu comme le marionnettiste du pouvoir, celui qui avait inventé Robert Bourassa en 1969 et qui demeura, de 1970 à 1974, «le pouvoir derrière le trône» — celui qui, en ce sens, était peut-être le plus visé par les conditions de M. Claude Ryan lors de son entrée dans la course au leadership en 1978.[37]

Le type de relations qu'entretenaient MM. Desrochers et Bourassa s'est révélé au grand jour à la fin de 1972, lorsque M. Desrochers commença à parler de quitter son poste pour prendre de longues vacances au Mexique puis pour aller à la pêche. Il devint alors clair qu'il jouissait de la solide confiance du Premier ministre et qu'il accomplissait suffisamment de besogne — c'était un bourreau de travail — pour avoir acquis une sorte d'indépendance vis-à-vis de son patron.

«J'en ai besoin», avait annoncé M. Bourassa aux ministres titulaires des portefeuilles économiques qui, eux, se seraient volontiers passés des services du conseiller spécial du Premier ministre.

---

36. Émission «Decision» du 16 février 1978.
37. «La première des conditions posées par M. Ryan s'énonce comme suit: l'organisation qu'il constituera s'il se porte candidat ne doit avoir de comptes à rendre à quelque organisation parallèle que ce soit. (...) Nous n'avons pas besoin d'un *king-maker.*» *Le Devoir*, 9 janvier 1978.

Cette dépendance d'un chef de gouvernement à l'égard d'un conseiller personnel a pu, dans d'autres contextes, assurer au conseiller une influence qu'il aurait même pu utiliser, jusqu'à un certain point, contre son patron. Le Président Eisenhower, par exemple, ne voulut pas démettre Sherman Adams de ses fonctions d'Assistant du Président — la majuscule indiquant qu'il filtrait les avis de tous les autres adjoints, un peu comme Me Julien Chouinard sous Jean-Jacques Bertrand. Même quand il apparut qu'Adams s'était montré d'une extrême imprudence[38], Eisenhower lui laissa la faculté de décider de son propre départ.[39]

Tout au long des années que Paul Desrochers a passées près du pouvoir, il s'est sans cesse efforcé de jouer le « low profile » ; mais, paradoxalement, les journalistes ont écrit sur lui plus que sur tout autre proche conseiller du Premier ministre. Pendant la même période, à proximité du bureau de Paul Desrochers, œuvrait discrètement celui qui fut le plus important mandarin de ce régime, l'exécuteur le plus influent, celui dont la presse ne parlait jamais. Aujourd'hui juge à la cour d'Appel, Me Julien Chouinard fut, jusqu'en 1975, conseiller général du Conseil exécutif du Québec. Dans les premiers mois du régime, la décision de Robert Bourassa de lui faire confiance pour un poste aussi élevé et névralgique avait suscité des réticences de plusieurs ministres. Non seulement Julien Chouinard avait-il été nommé sous le gouvernement unioniste de Jean-Jacques Bertrand, mais encore fut-il candidat conservateur défait aux élections générales fédérales de 1968. En principe, donc, il était perçu comme un « bleu » dont on devait se méfier.

Cela n'aura pas empêché Robert Bourassa de lui vouer, pendant cinq ans, une confiance sans réserve et de lui déléguer d'imposants pouvoirs. Donc, pendant que Paul Desrochers veillait au patronage et contrôlait le pouvoir politique partisan, tout en exerçant un droit de regard sur certains dossiers particuliers comme celui de la baie James, Julien Chouinard était devenu le conseiller numéro un du Premier ministre, son bras-droit exécutif dans la gestion des affaires de l'État.

Dans la journée du Premier ministre, Julien Chouinard avait priorité sur Paul Desrochers, sur tous les autres membres de l'entourage et même sur les ministres. Il se passait rarement une journée sans que les deux hommes aient un long tête-à-tête.

---

38. En 1958, Adams se plaça de façon imprudente, en apparente situation de conflit d'intérêts en venant en aide à son vieil ami Bernard Goldfine.
39. Richard Neustadt, *op. cit.*, p. 75.

Le bureau de Robert Bourassa se trouvait tout juste au-dessus de celui de Julien Chouinard dans l'édifice du bunker, et les deux étaient reliés à l'arrière par un petit escalier secret. Cet aménagement des lieux favorisait les rencontres et échanges fréquents entre les deux hommes qui préparaient toujours ensemble les réunions hebdomadaires du Conseil des ministres. Souvent, le midi, plutôt que d'aller prendre le repas au café du Parlement, Robert Bourassa invitait Julien Chouinard à « prendre une marche » sur les Plaines d'Abraham. C'est là d'ailleurs que beaucoup de problèmes complexes et de crises sociales aiguës ont trouvé leur solution.

Plus encore, le Premier ministre avait confié à son secrétaire général la tâche de surveiller certains ministres qu'il jugeait incompétents ou trop erratiques, et de prévenir au besoin le Bureau du Premier ministre. C'est ainsi que, pendant cinq ans, Julien Chouinard aura orienté l'action de plusieurs ministres sans jamais qu'ils s'en doutent. Dans la période cruciale et dramatique de la crise d'octobre 1970, c'est Julien Chouinard que le Premier ministre avait chargé de mettre en tutelle Jérôme Choquette et l'administration de la Justice au Québec. C'est encore lui qui avait donné le feu vert pour l'arrestation de quatre cents citoyens soupçonnés en vertu de la loi des mesures de guerre. D'ailleurs, cette liste de présumés complices du FLQ avait été conçue par le chef du contentieux de la ville de Montréal, Me Michel Côté, et soumise au Premier ministre par le directeur de la SQ, Maurice Saint-Pierre, en l'absence du ministre de la Justice. Deux jours plus tard, une nouvelle liste de suspects fut dressée, comportant cette fois une soixantaine de noms dont celui de Me Marc Brière, un avocat, ami intime du ministre de la Justice. Me Choquette piqua une colère et renvoya le directeur de la SQ à ses gorilles.

La Sûreté du Québec croyait avoir néanmoins d'excellentes raisons pour soupçonner Me Brière de complicité avec le FLQ. Cofondateur du Mouvement Souveraineté-Association en 1967, compagnon de route des premières heures du leader indépendantiste, Me Brière avait passé quelques jours de ses vacances d'été à jouer au tennis dans les Laurentides avec M. Lévesque. Les savants limiers de l'escouade anti-subversive avaient par ailleurs découvert, au moyen de l'écoute électronique à la veille des événements d'octobre que Me Brière s'était rendu chez le Premier ministre Bourassa et l'avait pressé d'ouvrir d'urgence un comté à René Lévesque pour désamorcer l'amertume des nationalistes et éviter, ce faisant, l'éclatement de la violence. En fin de compte, Me Brière n'a pas été arrêté mais sa résidence d'Outremont a été fouillée de fond en comble.

Robert Bourassa a refusé de déclencher des élections partielles pour favoriser l'entrée de René Lévesque à l'Assemblée nationale. Deux semaines plus tard, le Front de libération du Québec passait à l'action et ce fut la crise d'octobre. Informés que Marc Brière avait mis en garde Robert Bourassa contre le risque de crise sociale, des dirigeants de la Sûreté du Québec soupçonnaient l'avocat Brière d'être le principal animateur du F.L.Q. Avant de quitter le ministère de la Justice, Jérôme Choquette décida de venger l'affront fait à son ami en le nommant juge au Tribunal du travail.

C'est encore Julien Chouinard qui a permis la création, sur proposition de Gilles Néron, du litigieux Centre d'analyse et de documentation (CAD). C'est enfin lui qui a piloté les négociations avec le fédéral tout au long de la crise d'octobre, et certains ministres croient que son attitude conciliante et compréhensive à l'époque a pavé la voie de sa nouvelle carrière vers la magistrature.

À quelques portes du bureau de Julien Chouinard se trouvait celui de M. Charles Denis, dont il sera question au chapitre suivant. Lui aussi, fut un conseiller personnel du Premier ministre et non simplement son attaché de presse, comme son titre officiel le laisserait croire. Les autres membres du Bureau du Premier ministre, eux, n'exerçaient pas le vrai pouvoir. Lorsque Léon Dion et Claude Ryan réclamèrent, en mars 1975, un «leadership plus créateur, plus orienté vers l'action à long terme et assis sur des options cohérentes», Ryan demanda en priorité le renforcement à cette fin du Bureau même de M. Bourassa.

Au sein de ce Bureau, aucun chef de cabinet, de 1970 à 1976, n'a laissé sa marque; aucun n'a d'ailleurs servi très longtemps à ce poste. Aucun n'a «incarné dans sa personne l'esprit et les qualités que le Premier ministre (devrait) insuffler à l'administration».[40]

Ryan, enfin, réclamait au sein de cette même équipe la présence «d'un ou deux économistes de valeur, des personnes très versées dans les problèmes politiques, un ou deux agents d'information compétents et respectés de leurs collègues de la presse, des spécialistes du travail en comité, et des recherchistes, en somme un heureux équilibre entre les disciplines essentielles à la conduite d'un gouvernement moderne». Cette diversité n'exista à aucun moment, au Bureau de M. Bourassa, ce qui explique sans doute en partie le pouvoir réel exercé par M. Desrochers dans ses domaines de responsabilité. Les autres membres du Bureau du Premier ministre déte-

---

40. «La mesure du leadership», *Le Devoir*, 11 mars 1975, p. 4.

naient, on l'a vu, des maîtrises en droit administratif ou avaient travaillé comme consultants en relations publiques. Dans les autres secteurs de l'activité gouvernementale, aucune action à long terme, assise sur des options cohérentes ne fut conçue au cabinet personnel du Premier ministre.

Pour faire oublier cette lacune et pour « muscler » quelque peu le travail du conseiller législatif Jean-Claude Rivest, en septembre 1975 M. Bourassa décida de réorganiser le Secrétariat du gouvernement, cette aile gouvernementale plus administrative qui fait pendant au Bureau du Premier ministre. Il y nomma Me Claude Rioux au poste de secrétaire général adjoint du Conseil exécutif, dont le nouveau rôle de coordonnateur de la législation voulait sans doute donner une meilleure impression du leadership créateur du Premier ministre. Au niveau du Conseil des ministres, un comité de législation serait « chargé de formuler un avis sur les implications législatives des dossiers soumis au Conseil des ministres ».[41] Cette réforme des structures survint pourtant trop peu de temps avant les élections, pour redonner confiance à l'électorat ou aux leaders de l'opinion publique. On soupçonne aussi le Premier ministre d'avoir annoncé de telles réformes dans un souci de victoire électorale, plutôt que de législation à long terme assise sur des options cohérentes.

En conclusion, de cette période de 1970 à 1976 on retient deux éléments, l'un propre au leader et l'autre au climat de l'époque.

Le Premier ministre Bourassa est arrivé au pouvoir avec une conception de l'autorité — exécutive et législative — qui se limitait à défaire le parti adverse, aux urnes d'abord, puis chaque jour ensuite à l'Assemblée nationale, lors des débats. Il rejoignait alors les militants qui avaient vidé le parti des rêveurs et des visionnaires en 1965 et 1967.

Le type de gestion quotidienne de l'appareil gouvernemental que le Premier ministre pratiqua fut axé sur des finances saines. Tant qu'effectivement les finances ne furent pas redevenues saines, M. Bourassa, au moins en surface, demeura, auprès des militants et de la majeure partie de l'électorat, populaire et respecté. Par contre, lorsqu'en 1974 la stabilité financière du gouvernement québécois fut revenue à la normale, on commença à remettre en question, dans beaucoup de milieux, les moyens utilisés pour atteindre cette stabilité, et on souhaita que le Premier ministre s'entoure un peu plus de concepteurs de politiques à long terme. Or, M. Bourassa et ses deux

---

41. *Le Devoir*, 11 septembre 1975, p. 7.

principaux conseillers en la matière, MM. Paul Desrochers et Jean-Claude Rivest, n'avaient pour ce type d'actions à long terme aucun intérêt ni aucun goût. En somme, le rôle de grand commis fut pour lui une seconde nature; arbitre, il le devint de plus en plus fréquemment à mesure que son autorité était remise en cause. Grand initiateur, il ne le fut jamais.

La Loi 22 divise les libéraux

par Marcel PÉPIN

La loi 22 non seulement oppose anglophones et immigrants au gouvernement, mais divise les libéraux entre eux.

Alors que la thèse officielle du Parti libéral maintient l'obligation de diriger vers les écoles françaises tous les enfants d'immigrants qui ne sont pas d'origine anglo-saxonne, deux députés de la région montréalaise. M. Jean-Noël Lavoie, de Laval, et George Kennedy, de Châteauguay, se prononcent carrément en faveur du libre choix de la langue d'enseignement.

D'autre part, on sait que MM. Jean Marchand et Bryce Mackasey ont tous deux fait savoir, avant de poser officiellement leur candidature, leur désaccord avec la loi 22, spécialement en ce qui touche les tests d'aptitudes linguistiques.

En annonçant officiellement sa candidature, hier, M. Mackasey a réclamé l'abolition des tests linguistiques et préconisé l'école française obligatoire pour les futurs immigrants seulement, dont la langue maternelle n'est **pas** l'anglais.

M. Marchand s'était même montré plus sévère à l'endroit de **la** loi 22. Dans une lettre adressée **au** premier ministre, l'ancien collaborateur de M. Trudeau exprimait sa préférence pour des mesures incitatives plutôt que coercitives **pour** assurer le rayonnement du **français** et demandait à M. Bourassa d'en "discuter" avec lui.

Epitre de Paul Desrochers

"O fils Robert ! Tu comprendras qu'en ce jour de la Saint-Valentin, je puisse transmettre à mon fils politique certains conseils et avis d'un homme d'expérience beaucoup plus habitué aux vils intérêts monétaires que tu peux l'être toi-même.

"A la suite d'une enquête menée à travers tout le Québec, je réalise avec regret que ta popularité s'estompe de jour en jour et qu'il faudra ranimer à tout prix l'ardeur et l'enthousiasme de nos partisans. Je t'ordonne, en conséquence, d'organiser pour le jour de la Saint-Robert, soit le 30 avril 1971, un grand pageant politique au Colisée de Québec alors qu'il te faudra à tout prix trouver un nouveau programme pour faire oublier ton échec administratif depuis ta prise du pouvoir le 12 mai 1970. La seule façon de jeter une fois de plus de la poudre aux yeux de la population du Québec, ce sera de mettre l'accent sur le développement de la Baie James, même si l'Hydro-Québec n'a pas terminé son enquête de rentabilité en cette affaire.

"J'obtiendrai un rapport des ingénieurs que j'ai choisis pour la réalisation et l'aménagement éventuels des forces hydrauliques du versant de la Baie James. Tu auras tous les documents prêts pour le 30 avril. Tu devras lire le texte que je t'aurai fait préparer à l'avance et il faudra que tu sois mon écho fidèle de l'autorité administrative que j'ai l'intention de continuer à exercer dans le Québec.

"De toute nécessité, il faudra majorer quelque peu le nombre des emplois promis et porter ce chiffre à environ 125.000 au lieu de 100.000, tel que tu l'as annoncé lors des dernières élections. Ainsi, les gens auront l'impression que tu entreprendras une autre campagne, mais cette fois de 125,000 nouveaux emplois. Tu pourras toujours répondre, à ceux qui te reprocheront l'échec des premiers 100,000 nouveaux emplois, le conseil que je répète souvent à ceux qui me consultent : si tu n'es pas capable de ramasser ton premier million, commence par le deuxième. Je verrai à organiser la salle de la réception du petit Colisée de Québec où les députés devront mettre de côté leurs prétentions et se soumettre à l'avance à une discipline d'identification nécessaire pour laisser l'impression chez nos partisans que nous vivons la véritable démocratie. D'ailleurs, il faut que je sois seul à toujours détenir, dans le parti, l'autorité.

"Je comprends que le rapport que j'obtiendrai, pour cette date du 30 avril, des firmes des ingénieurs mandatés par moi directement, mais officiellement par la Commission hydro-électrique du Québec, ne sera pas prêt et il faudra alors précipiter les événements.

"Tu devras faire préparer un projet de loi devant être soumis à l'Assemblée nationale avant l'ajournement de l'été. Dans cette loi, je t'informerai de mes exigences car il faut à tout prix que l'aménagement de la Baie James soit notre source de financement pour les prochaines élections générales que je crains de t'ordonner de déclencher avant 1974 et plus probablement vers le mois de septembre 1973.

"Il ne faudra pas que le projet de loi porte le no 100.000 car il y aurait une trop grande évidence d'intérêt politique partisan à la base de cette législation. Dans le projet de loi, tu devras prévoir la naissance de quadruplés, dont la paternité officielle sera dévolue à la Baie James.

"Cette paternité deviendra nécessaire au début de juillet prochain,

LA PRESSE, MONTREAL, MARDI 31 JUILLET 1973

à son fils

considérant l'échec lamentable que tu essuieras dans tes relations avec Victoria.

"Pour aucune considération, il ne faudra consentir à la formation de commissions quelconques, car je n'ai pas l'intention de me plier à la curiosité des députés. C'est moi qui commande et tous vont passer par mes ordres. Tu devras t'opposer, jusqu'à ce que la mort s'ensuive si nécessaire, à toute motion, car pour aucune considération tu dois donner une chance à Gabriel, celui que l'on désigne déjà comme futur chef de l'Union nationale, car le seul qui réussit un jour à écraser la tête du serpent fut bien l'ange Gabriel.

"Durant l'étude de ce projet de loi, veuille écarter la présence de Raymond Garneau, ministre des Finances, qui pourrait en profiter pour faire étudier son projet de loi de la Société des alcools. Il ne faudrait pas que les députés sachent que notre ministre de l'Education est un gradué de l'importante et puissante firme d'ingénieurs Acres, car cette firme se verra confier de nombreux projets dans l'aménagement de la Baie James et il est parfaitement au courant de la compétence apparente de cette firme d'ingénieurs.

"Pourquoi ne pas profiter de l'étude du projet de loi pour amuser l'ingénieur Guy avec les projets de loi no 27 et no 28 ? De grâce, ne laisse pas tomber Gilles Massé, car il nous est facile de lui passer tous les sapins que nous voulons. Il faut reconnaitre que si tu le laisses tomber, il ne se fera pas grand mal, car il ne partira pas de haut.

"Prends garde d'insérer dans ton projet de loi un amendement à la loi électorale garantissant le financement des partis politiques, car l'aménagement de la Baie James est une excellente occasion pour nous de graisser généreusement la caisse électorale du Parti libéral, et il ne faudrait pas que les autres partis politiques se rendent compte de la véritable vache en or que nous pouvons traire à volonté à l'occasion de l'exécution de tous les travaux prévus sur le territoire de la Baie James.

"Ne lâche pas, Robert, fais ce que je te dis et tu seras victorieux comme tu l'as été au congrès de janvier 1970 et aux élections d'avril 1971. Je te préviens, mon cher fils, que je ne tolérerai aucune discussion des directives que j'ai cru devoir nécessaire de donner et, en enfant fidèle et soumis, tu respecteras mon autorité administrative que je ne tiens à partager occasionnellement qu'avec Jean Lesage et le sous-ministre Claude Rouleau, de la Voirie, ce dernier étant d'une servilité admirable.

"Bon courage, fils, il te faut à tout prix franchir le calvaire que je t'impose pour maintenir une faible lueur d'espoir pour 1973.

"Paternellement, Saint Paul Desrochers, évêque suprême de la hiérarchie libérale québécoise.

"Vraie copie de l'original demeuré dans les archives du Parti libéral du Québec."

(Cette épitre, portant la date du 14 février 1971, a été lue à l'Assemblée nationale du Québec par son auteur, M. Rémi Paul, leader parlementaire de l'Union nationale, le vendredi 9 juillet 1971, au cours de l'étude du projet de loi 50 portant création de la Société de développement de la Baie James. G.L.)

SIXIÈME CHAPITRE

LES FAISEURS DE PLUIE

Robert Bourassa, c'est Paul Desrochers qui l'a découvert mais c'est Charles Denis qui l'a façonné. Dès que M. Lesage eut annoncé sa retraite de la vie politique, Paul Desrochers n'a pas hésité un instant. Il était d'ores et déjà convaincu que Robert Bourassa possédait toutes les qualités qui permettraient au parti libéral du Québec de reprendre le pouvoir.

Pour sa part, c'est dès son élection à l'Assemblée nationale comme député de Mercier, en 1966, que Robert Bourassa a commencé à songer sérieusement à ses chances de succéder un jour à Jean Lesage à la direction du parti. Dans les années qui ont suivi, non seulement les velléités de leadership du parti se sont précisées dans l'esprit de Robert Bourassa, mais il s'était même déjà fixé les grands objectifs à atteindre pour le jour où il deviendrait Premier ministre du Québec.

Toutefois, Robert Bourassa n'avait pas prévu les mécanismes de publicité qui lui permettraient de réaliser son rêve. Aussi, devenu chef du parti, fut-il tenu de s'en remettre totalement aux fabricants d'images. Voilà qui explique le pouvoir considérable détenu par MM. Desrochers et Denis, perçus comme les grands artisans des victoires électorales spectaculaires de 1970 et 1973. Mais soudainement, en 1974, les sondages sont venus confirmer une déception générale de l'électorat, phénomène qu'avaient voulu prévenir longtemps à l'avance les critiques virulentes de Claude Desrosiers, de Léon Dion, des éditorialistes et autres leaders d'opinions. C'est ce qui amena le Premier ministre à perdre graduellement confiance en Charles Denis, pour s'en remettre à un «pool» de jeunes attachés de presse et de membres des cabinets personnels de ses ministres — bref, à la jeune génération des «hommes du Premier ministre».

L'entrée en scène de ce nouveau régiment de faiseurs de pluie ne portait pas, cependant, le germe de purification d'image que recherchait Robert Bourassa. Leur approche de la publicité s'inspirait également de la même structure d'images fermée, des mêmes recettes toutes faites et de slogans creux. En conséquence logique, inévitable, la chute libre s'est accélérée.

Les fabricants d'images

En 1968, le chef libéral Jean Lesage croyait encore qu'il pourrait peut-être retrouver la confiance des Québécois en transformant sa personnalité et son image. C'est alors qu'il commanda à la firme de consultants Social Research Inc. la réalisation d'un sondage pour définir les talents et qualités que les Québécois recherchaient dans leur leader politique et qui assureraient une victoire au chef libéral lors des prochaines élections générales.

En analysant les résultats de ce sondage, Paul Desrochers crut d'abord que c'était encore Lesage lui-même qui répondait le mieux au portrait-robot issu de cette enquête. Les Québécois y exprimaient le vœu d'un leadership conciliant, sans esprit révolutionnaire radical, mais suffisamment dynamique pour inspirer et présider une relance économique.

Les résultats de ce sondage indiquaient, en outre, qu'il fallait trouver un thème, de préférence de nature économique, qui donnerait le goût à tous les électeurs, y compris les jeunes, de s'identifier à un leadership politique. Enfin, il fallait surtout découvrir un chef de parti qui incarnerait un tel leadership, tout en étant assez fort pour traiter avec Ottawa et les milieux financiers internationaux. [1]

Mais M. Lesage décida, cette année-là, de remettre sa démission. En effet, après que M. Claude Wagner lui eut retiré sa confiance en juin 1969, puis à son tour M. Jean-Paul Lefebvre à la fin d'août, M. Lesage quitta la direction du parti quelques jours plus tard. M. Desrochers et quelques amis (MM. Gérard-D. Lévesque et Alcide Courcy, par exemple) se réunirent alors et en vinrent à la conclusion que quelqu'un, au sein même du parti, répondait à la description du portrait-robot: Robert Bourassa. M. Desrochers avait vraiment appris à connaître «Robert» durant les deux ou trois années précédentes, dans ses effotts pour reconstruire le parti. «Quand on réorganise un parti comté par comté, dira-t-il plus tard, il ne suffit pas de penser à la stratégie avec un tout petit groupe de militants déjà convaincus; il faut de plus s'intéresser à la situation économique du plus grand nombre possible de gens de chaque comté. Et quand

---

1. Voir J. Benjamin, *Comment on fabrique un Premier ministre québécois*, chap. 3.

je demandais à Robert de venir leur parler, il était toujours prêt. Il discutait avec eux des atouts économiques de cette circonscription, des problèmes qu'on y rencontrait. Parmi tous ceux qui pouvaient contribuer à de telles discussions et que j'invitais pour cette raison, Bourassa était celui qui répondait toujours à l'appel». Cette disponibilité, René Lévesque la confirmera indirectement. À cette même époque en effet (1966-1967), lors des deux ou trois occasions où la succession — en apparence fort lointaine — de M. Lesage fut évoquée en présence de MM. Lévesque et Bourassa, Lévesque avait perçu et dit à Bourassa qu'il serait le prochain chef du parti. Chaque fois, M. Bourassa rougissait légèrement et bredouillait qu'il n'aspirait pas à un tel poste. Dès la démission de Jean Lesage, M. Desrochers alla pourtant offrir ses services à Robert Bourassa, ce «tax lawyer» de trente-cinq ans — sans savoir si MM. Laporte, Wagner ou d'autres comme Jean Marchand, Paul Gérin-Lajoie et Gérard Filion seraient candidats.

Il fallait d'abord faire élire M. Bourassa chef de son parti, avant de songer aux prochaines élections générales. Le portrait robot tracé par la firme Social Research servirait plus tard; à court terme, il importait de convaincre une clientèle un peu différente de l'ensemble de l'électorat. À ce congrès à la chefferie, 1,656 militants auraient droit de vote, dont un peu moins de cinq cents notables du parti, qui participeraient à titre de délégués ex officio (anciens candidats défaits, sénateurs et députés fédéraux, membres des commissions du parti, etc.).

Les techniques de M. Desrochers s'inspirèrent nettement du modèle américain: la création d'un «mouvement» de délégués favorables à M. Bourassa, l'utilisation de l'ordinateur et la fabrication de la «spontanéité» durant la convention elle-même. Durant les derniers mois de 1969, le chef d'état-major de la campagne de M. Bourassa se servit à la fois de ses connaissances de l'organisation partisane acquises depuis 1966 et de ses liens auprès des notables du parti. On a dit que la grande majorité de ces délégués ex officio avaient appuyé la candidature de M. Bourassa.

Par ailleurs, le choix des 1,100 autres délégués élus, eux, dans toutes les circonscriptions du Québec devenait capital. M. Desrochers tenta donc de s'assurer que les délégués choisis seraient des militants favorables à M. Bourassa. S'inspirant de la technique du «mouvement Kennedy» (Draft Kennedy), les «Amis de Robert Bourassa» firent parvenir en septembre 1969 des cartes-réponses à 70,000 militants libéraux, pour leur demander de susciter une «candidature

Bourassa ». En octobre, 16,000 répondirent favorablement. À l'aide d'un ordinateur, on fit le profil de ces individus. Des responsables de comté furent ensuite chargés par M. Desrochers de rencontrer ces militants. Et lors des conventions tenues dans chacune des associations libérales de circonscription, on y dépista systématiquement des « Amis de Bourassa » chargés de veiller au grain.

La publicité qui encadrait M. Bourassa dans chaque convention de comté mettait l'accent sur trois aspects principaux de l'image qu'on lui créait : avocat spécialisé en finances publiques, il était plutôt présenté comme économiste, comme technicien spécialisé dans la solution des problèmes économiques ; il était plus jeune que ses deux adversaires et la jeunesse équivalait au dynamisme et non pas à l'immaturité[2] ; et, enfin, ses liens avec les milieux d'affaires et avec les piliers du parti libéral constituaient des garanties qu'il n'entraînerait ni le parti ni le Québec dans l'aventure socialiste ou séparatiste. (Contrairement à François Aquin ou même à Daniel Johnson, ajoutait-on lors de certaines conventions de comté).

Ce « mouvement Bourassa » permit d'identifier 624 délégués favorables au futur chef de parti, incluant à la fois les délégués ex officio et ceux qui étaient élus dans les circonscriptions. 624 des 1,656 délégués, c'était déjà un bon début disait M. Desrochers, trois mois avant la convention décisive. Le travail se poursuivait. De sorte que le 5 décembre, 766 délégués paraissaient favorables à la candidature de M. Bourassa. On comptait au moins 340 indécis. Le travail souterrain de persuasion semblait porter fruit, tellement que le 17 janvier 1970, quelques heures avant le scrutin, l'ordinateur IBM 1130 compilait 967 délégués favorables à M. Bourassa (59%), contre 251 à M. Wagner (15%) et 217 à M. Laporte (13%). Il ne restait alors que 111 indécis.

Lors du congrès lui-même, les manifestations en faveur du candidat, même celles qui paraissaient les plus spontanées, avaient été soigneusement organisées plusieurs heures à l'avance, comme le journaliste Gilles Racine l'a d'ailleurs bien démontré à l'époque.[3] Ainsi, tel que prévu, le candidat Bourassa l'emporta dès le premier tour de scrutin.

---

2.   À peine quelques années plus tard, durant la période difficile des deux dernières années au pouvoir de M. Bourassa, la jeunesse était devenue synonyme de verdeur et d'immaturité. Voir J. Benjamin, « Rodrigue Biron », *Le Devoir*, 26 mai 1976, p. 7.

3.   Articles publiés dans *La Presse* du 12 au 19 septembre 1970. *La Presse* a également publié un tiré à part de ces articles. En fait, M. Bourassa a obtenu 843 voix, contre 455 à M. Wagner et 288 à M. Laporte.

Cette image de M. Bourassa, il faudrait désormais la vendre à tout l'électorat québécois. Du sondage de Social Research, M. Desrochers et ses collaborateurs ont extrait de la part de l'électorat trois «perceptions anticipées»: les Québécois étaient préoccupés de la situation de l'emploi; ils trouvaient que les finances gouvernementales étaient mal gérées; et ils avaient peur du séparatisme. Les trois thèmes de la campagne libérale de 1970 en découlèrent: la promesse des 100,000 emplois; le système P.P.B. (Planning-Programming-Budgeting system) serait instauré, ce qui assurerait une «rationalisation des choix budgétaires»; et un vote favorable au parti québécois, c'était lancer les Québécois vers l'inconnu, c'était un pas vers l'aventure. Jusque là, le grand maître d'œuvre était M. Desrochers.

C'est au niveau des techniques de publicité, de la quincaillerie utilisée pour inculquer le message et les images dans la tête des gens, qu'intervint Charles Denis. Dans l'entourage de M. Bourassa, on convient qu'un événement a accéléré la prise en charge par un spécialiste de la publicité de l'image publique du candidat. Un mois après l'élection de M. Bourassa au poste de leader de son parti, celui-ci était invité à l'émission «Les Couche-Tard» du 14 février, une émission fort écoutée qui présentait les côtés plus détendus des hommes politiques ou vedettes de cinéma. À cette émission, M. Bourassa avait raconté que, durant ses études en Grande-Bretagne, il s'amusait à monter à l'étage pour pisser sur la tête des Anglais. En termes de rentabilité électorale, M. Denis avait jugé que ce genre de blague ne correspondait pas à l'image que l'on avait commencé à créer du jeune technocrate spécialiste de l'économie et qui aspirait au poste de Premier ministre. L'image serait donc dorénavant «contrôlée» au jour le jour, de façon beaucoup plus minutieuse.

Charles Denis détenait depuis le tout début (automne 1969) une partie du vrai pouvoir sous Robert Bourassa, et pourtant voilà bien deux hommes qui ne se ressemblent guère sous plusieurs aspects: M. Bourassa est libéral depuis vingt ans, tandis que M. Denis, Français d'origine et arrivé au Canada en 1953, a d'abord été perçu à Québec comme un «bleu» avant de rejoindre M. Éric Kierans* dans sa course à la chefferie libérale fédérale (contre Pierre-E. Trudeau en 1968). En effet, il était directeur de l'information au ministère de l'Éducation alors que M. Jean-Jacques Bertrand en était le titulaire et M. Daniel Johnson le Premier ministre; des conversations qu'il tenait à gauche et à droite, ses interlocuteurs avaient déduit qu'il était favorable à l'Union nationale. Autant M. Bourassa concevait

---

* Il en avait été le chef de cabinet durant la Révolution tranquille à Québec.

son poste, d'une vision limitée, en politicien surtout préoccupé de marquer des points aux dépens du parti québécois, autant M. Denis paraissait vivre l'expérience de sa vie durant les années 1970-1974. Il avait même abandonné sa propre firme de relations publiques, créée en 1969, pour se joindre la même année à la campagne de M. Bourassa. Par la suite, il ne compta pas ses heures au service de son patron; c'était l'occasion rêvée de mettre en pratique sa conception de la communication entre l'élu et les gouvernés. Autres différences entre les deux hommes, M. Bourassa n'a jamais manifesté beaucoup de décorum en petits groupes ni une très vaste culture; M. Denis, lui, témoigne de connaissances dans beaucoup de domaines, et il pouvait aider le leader à rehausser sa réputation intellectuelle. M. Bourassa tenait à ce que ses interlocuteurs le tutoient et l'appellent par son prénom, à l'anglo-saxonne; M. Denis lui obéissait en sa présence, mais tenait à l'appeler plus respectueusement «le Premier ministre» en parlant de lui à une tierce personne. Chez leurs adversaires politiques, comme pour les observateurs moins engagés, M. Bourassa était plutôt perçu comme fragile et M. Denis comme arrogant. Enfin, dans leur description des techniques de «création d'images» d'hommes politiques, M. Denis maintiendra que celles-ci n'existaient pas, tandis que M. Bourassa fera plutôt remarquer que, ces techniques existant déjà chez leurs adversaires, pourquoi les libéraux ne les auraient-ils pas utilisées eux aussi? En 1975, M. Denis dira en effet qu'il fallait «prendre toutes ces théories de la communication avec un gros grain de sel». M. Bourassa, lui, répondra ainsi au journaliste Raymond Saint-Pierre:[4]

(R. Saint-Pierre) «— *Les gens avaient l'impression que Robert Bourassa était un Premier ministre mis en marché, enveloppé, «canné» et «packagé» comme l'on dit en publicité, avec son coiffeur permanent, sa façon de faire prendre les prises de vue, sa façon d'intervenir à la télévision, sa façon de choisir les thèmes à être traités selon des données très précises.*

(R. Bourassa) «— *Ce sont là les contraintes de l'activité politique des temps modernes. Il fallait que l'on soit à court d'arguments pour me reprocher des choses comme celles-là. Que faisait M. Johnson quand il mettait des caméras du «mauvais» côté pour que les vraies caméras soient du «bon» côté? L'on avait même cousu ses poches pour ne pas qu'il y mette ses mains.*»

---

4. Charles Denis répondant aux questions de Ginette Demers, émission du 3 juin 1975 télédiffusée sur les ondes de Radio-Québec; Robert Bourassa et Raymond Saint-Pierre dans *Les années Bourassa*, p. 277.

Ce qui frappe pourtant tous les observateurs, dès 1970, c'est l'ampleur (comparativement à la décennie précédente) des moyens qu'utilisait M. Bourassa pour projeter son image et la nature différente de ses techniques de marketing. M. Bourassa, répétons-le, n'était pas venu à la politique et par surcroît à la chefferie libérale pour transformer la société sans l'accord des militants. S'il savait bien comment il se comporterait une fois devenu Premier ministre, il ne s'y connaissait guère en publicité et en marketing. Charles Denis acquit tout son pouvoir auprès de M. Bourassa en lui offrant une brochette de techniques qui le feraient élire, puis réélire en 1973 avec une majorité de 102 sur 110 députés à l'Assemblée nationale. Et c'est une structure d'images fermées qu'utilisa d'abord M. Denis durant la campagne électorale de 1970, une structure contrôlée jusque dans les détails, d'un candidat qui avait changé de coiffure et qui ferait toute sa campagne — c'était là une innovation — dans un studio de télévision. («Non, ce n'est pas moi, dira Paul Desrochers en souriant, qui ai voulu lui faire changer de monture de lunettes non plus.» [5])

Le marketing du parti, orienté vers le slogan des 100,000 emplois, fut donc transmis par la télévision comme jamais auparavant. Toute la campagne électorale fut ainsi centrée sur la promesse de la création d'emplois, au détriment d'un programme cohérent et à long terme: le sondage de la firme Social Research n'avait-il pas révélé que cette relance économique constituait la préoccupation majeure de l'électorat québécois? La stratégie de marketing des communicateurs libéraux fut puisée dans l'ouvrage de J. McGinniss, *The Selling of the President* [6], qui raconte comment, en 1968, le candidat Richard Nixon fut élu Président des États-Unis au moyen d'un contrôle rigide et constant de ses présences à la télévision, les seules qu'il effectua durant la campagne. Cela allait très loin: du maquillage au contrôle absolu de toutes les images que verraient les téléspectateurs, de même que du choix des questions qui seraient posées à Nixon et des électeurs (militants républicains) qui le rencontreraient.

En 1970, au Québec, la campagne électorale de M. Bourassa s'est aussi effectuée à la télévision. Face à l'aventure séparatiste, les libéraux avaient reçu toutes les sommes nécessaires à l'achat (coûteux) de temps d'antenne et d'équipement technique. C'était là le seul moyen de rejoindre rapidement les électeurs, disait

---

5. Émission «Decision», réseau anglais de Radio-Canada, 16 février 1978.
6. Cet ouvrage fut traduit en français sous le titre *Comment on vend un Président*, Paris, Arthaud, 1969.

M. Denis. On y consacra donc 60% du budget de publicité, réparti sur trois plans: les assemblées électroniques, les bulletins télévisés de fabrication libérale (l'information dite «cannée»), et les commerciaux. Dans les deux premiers cas, il s'agissait de techniques nouvelles, qui obtinrent suffisamment de succès pour que M. Bourassa donne ensuite carte blanche à M. Denis dans l'utilisation qu'il ferait de l'information gouvernementale. Et même du temps du Premier ministre, M. Denis obtint les deux postes d'attaché de presse du Premier ministre et de directeur de l'information du Conseil exécutif. Son bureau se trouvait au même étage que celui de M. Bourassa, au sommet du «bunker», et il avait libre accès au Premier ministre. En outre, M. Bourassa lui accordait tout le temps nécessaire à incruster son image dans l'esprit des électeurs par des apparitions aux émissions les plus populaires du réseau TVA, des rencontres avec les éditeurs de journaux de Montréal ou de Toronto, ou ses entrevues dominicales au réseau radiophonique Télémédia. Ces trois éléments sont mentionnés à titre illustratif; ils paraissent néanmoins fort différents du rôle limité que jouait Maurice Leroux chez les libéraux de 1960 à 1964, ou de celui de Jean Loiselle qui influençait les négociations de l'État avec les professeurs par ses connaissances de la mise en marché des stratégies gouvernementales. Charles Denis occupait une place beaucoup plus grande dans l'univers de Robert Bourassa. Sur le projet de loi 22, le Premier ministre se préoccupait de connaître les façons «d'usurper le vocabulaire qu'emploie le parti québécois» (l'expression est de Michel Roy), et en ce sens Charles Denis a joué un rôle de concepteur de politique. De même, dans la présentation partisane du projet de développement de la baie James, en avril 1971, il a agi comme conseiller personnel du Premier ministre. Tant que les sondages d'opinion publique ont révélé la satisfaction de l'électorat à l'égard du gouvernement Bourassa, c'est-à-dire jusqu'à la fin de 1974, le Premier ministre ne posa guère de geste — partisan, législatif ou publicitaire — sans se confier d'abord à son attaché de presse. En ce sens, M. Denis a exercé un pouvoir nettement plus influent que celui découlant de sa seule fonction d'attaché de presse du Premier ministre.

En fait, son vrai pouvoir dans l'entourage du Premier ministre Bourassa a reposé, de 1970 à 1974, sur sa connaissance de la psychologie sociale (dont découlait sa perception de Robert Bourassa comme «produit d'un réflexe collectif typiquement québécois») et la surveillance scientifique de l'électorat (qui lui signifiait que 55% des électeurs se déclaraient «très satisfaits» ou «plutôt satisfaits» du gouvernement Bourassa).

D'abord le produit d'un réflexe collectif, l'image qu'on a créée de Robert Bourassa est celle du « self-made man » d'une certaine classe moyenne[7] ; c'est l'image du p'tit gars de la rue Parthenais juste au nord d'Ontario, d'origines très modestes, qui, dans des conditions difficiles et par son seul mérite est parvenu à fréquenter les meilleures universités étrangères. Il en est sorti brillant économiste, et, au moment des difficultés économiques de 1969 au Québec, il est apparu en sauveur à un peuple qui ne croyait pas encore posséder d'économistes. L'image ainsi créée par le groupe de spécialistes qui, deux ans plus tôt, avait ainsi mis en marché Pierre-E. Trudeau[8], c'est celle du jeune homme bien, presque un membre de la famille, qui s'est hissé aux plus hauts leviers de l'économie et de la politique, réussissant le tour du chapeau en épousant une fille de millionnaire. Combien de mères québécoises n'ont pas rêvé pour leur fils une carrière aussi fulgurante, un tel succès social ? Ce groupe de spécialistes, qui avait fait connaître en trois mois Pierre-E. Trudeau à l'électorat canadien, s'est dit qu'au Québec, plus petit et surtout plus homogène, on pourrait en un mois vendre ainsi le « produit » Robert Bourassa. (Charles Denis serait ensuite chargé d'entretenir cette image). Ainsi, selon cette thèse, cherchant à obtenir le vote des parents, les spécialistes du marketing ont identifié M. Bourassa à tout ce qui montait dans la nouvelle génération, plus instruite et plus choyée que la précédente. Pour ce faire, quatre éléments, peut-être secondaires, furent privilégiés. Mais, en fait, de l'élection de 1970 jusqu'à 1974 environ, on note deux étapes dans l'évolution de l'image personnelle de M. Bourassa et de ces quatre éléments d'une image visant à séduire les nouvelles classes moyennes : la première plus copiée sur celle de Pierre-E. Trudeau et reflétant l'influence de son équipe de créateurs ; la seconde, en 1973-1974, collant davantage au réflexe collectif québécois :

- L'étape d'imitation d'Ottawa, fin 1969 à fin 1972
  - nageur expert, image du sportif
  - le jeune économiste
  - le projet de la baie James
  - la famille, l'épouse

- La seconde étape, 1973-1975
  - il fait de la natation pour se tenir en forme
  - image du technocrate d'âge moyen (quarante ans)
  - plus universaliste

---

7. Claude Malette, *Le Jour*, 28 avril 1975.
8. Peter C. Newman, *The Canadian Establishment*.

— la famille de l'épouse (famille Simard) fait problème en termes d'image.

Ce dernier élément n'a pas semblé émouvoir outre mesure M. Denis; le même réflexe collectif des Canadiens-français ne continue-t-il pas en matière de moralité publique de se résumer à peu près ainsi: «La politique n'a-t-elle pas toujours été sale? N'est-ce pas la loi du système, la rançon du succès?»[9]

C'est plutôt par ses techniques, sa «quincaillerie», que Charles Denis a détenu une partie du pouvoir dans l'entourage de Robert Bourassa: il a perfectionné le personnage. M. Bourassa sera dorénavant toujours bien vêtu et coiffé — pour faire contraste à René Lévesque — et on ne lui connaîtra qu'un seul tic, soigneusement étudié.[10] À l'aide d'un magnétoscope, cette grosse machine qui enregistre tous les gestes et toutes les paroles d'un individu, M. Denis avait en effet pu étudier toutes les apparitions publiques du Premier ministre et, peu à peu, corriger ses gestes et effets oratoires, de sorte que dès 1972 M. Bourassa — de son propre aveu — se sentait plus à l'aise à la télévision ou sur les «hustings». Il pourfend maintenant l'adversaire sur un ton ferme, pouvait-on noter cette année-là, et il ne conserve qu'un seul geste, celui de passer son pouce à l'intérieur du revers de son gilet d'habit, geste que l'on associe parfois aux hommes de pouvoir, dans la finance ou en politique. En fait, ce que Charles Denis avait conçu, c'est l'idée d'une campagne électorale permanente faite de manipulation[11], plutôt que de simples emballages, et s'appuyant sur une surveillance scientifique de l'électorat. Ainsi, l'information dite «cannée» et le souci de s'adresser aux électeurs directement, sans l'intermédiaire des journalistes, furent utilisés le plus fréquemment possible, de même que la perception de l'adversaire péquiste comme une menace à la stabilité du Québec. Le vétéran courriériste parlementaire Normand Girard a déjà écrit: «M. Charles Denis est tout simplement passé maître dans cet art de mépriser le public à travers l'arrogance qu'il semble entretenir, à l'instar de tous les libéraux, à l'endroit des journalistes.»

La surveillance scientifique de l'électorat s'est fondée sur deux techniques complémentaires, l'une quantitative: l'administration et

9. Malette, *Le Jour*, 28 avril 1975.
10. Réal Pelletier, «Personnage politique le plus perfectionné», *La Presse*, 10 octobre 1973.
11. Gilles Lesage, «Pour Bourassa, des messages et des images exploités aux fins de propagande politique», *La Presse*, 12 décembre 1972, p. A7.

l'analyse de sondages effectués régulièrement pour le compte du parti libéral (au coût d'un million de dollars par année); et l'autre qualitative : l'enregistrement et la lecture de toutes les émissions et de tous les articles portant sur le gouvernement et ses politiques. Dans les sondages, M. Denis analysait moins l'intention de vote, toujours incertaine, que la satisfaction des électeurs au sujet de trois thèmes majeurs : la peur de l'aventure séparatiste, le climat social (grèves en particulier) et les aspects de « pain et de beurre ». On notait en 1973 que 55% des électeurs se déclaraient « satisfaits du gouvernement » dans ces domaines. Charles Denis avait alors suggéré qu'un tel taux de satisfaction assurerait une victoire éclatante au parti s'il annonçait une élection...

Par ailleurs, c'est sa surveillance qualitative des leaders d'opinion qui lui valut d'être décrit comme « roublard » par le directeur du Devoir, et de « Ron Ziegler » — attaché de presse du président Richard Nixon, qui mentait constamment en réponse aux questions des journalistes — par l'ensemble des correspondants parlementaires. Comme son patron, Denis attachait une grande importance à l'éditorial du Devoir, au point de téléphoner aux bureaux de la Presse canadienne à Montréal, le soir, pour se faire lire l'éditorial du lendemain matin. Puis, le Bureau du Premier ministre se fit même installer des téléscripteurs pour obtenir directement cette information. L'intérêt que M. Denis portait à tout ce qui s'écrivait au sujet du gouvernement n'a d'égal que celui de son patron. M. Bourassa suggérait constamment à ses ministres « d'en parler à Ryan » avant d'annoncer tel ou tel projet de loi. À Paris, en visite officielle, il demanda même, un soir, au sous-ministre Claude Morin d'accompagner Mme Bourassa au théâtre parce qu'il n'avait pas encore eu le temps de lire les journaux qui venaient à peine d'arriver du Québec. De même, M. Denis téléphonait aux journalistes pour leur reprocher de ne pas avoir souligné les projets que le gouvernement avait demandé à un député d'élaborer (par exemple, le mandat confié au député Henri Lecours en ce qui a trait à l'amiante). Alors que M. Bourassa demeurait toujours souriant et détendu avec les journalistes en les traitant même en copains, M. Denis avait comme tâche de les traiter de « pisse-vinaigre » à la moindre allusion défavorable, même insérée dans un article somme toute assez nuancé. Auprès de M. Bourassa, il était d'ailleurs plus qu'un fabricant d'images. C'était un conseiller en matière de conception des politiques, un conseiller personnel, en ce sens que M. Bourassa s'en servait comme baromètre. Intelligent, M. Denis a utilisé ses fonctions officielles d'attaché de presse pour être près du Premier ministre et il a pu, ainsi, exercer une influence sur la législation lorsque le Premier ministre lui demandait: « Comment un tel projet sera-t-il reçu par nos gars (militants)? »

En somme, les succès de Charles Denis dans la mise en marché de Robert Bourassa, en 1970 et en 1973, lui ont assuré durant ces années une forte dose d'influence à la tête du gouvernement et au sein du parti libéral. Ce succès provenait non pas de ses bonnes relations avec les journalistes, mais plutôt de sa surveillance scientifique des « réflexes collectifs », préoccupations et anxiétés des électeurs. Son pouvoir réel s'est traduit par le choix de thèmes et slogans particulièrement bien adaptés à ce contexte, par le style plutôt partisan du chef de gouvernement et par ses projets de loi. Ce pouvoir a accentué la polarisation de la vie politique, et il correspondait en tout cela aux objectifs que s'était fixés Robert Bourassa en devenant Premier ministre.

La chute libre (1974-1976)

Durant la décennie 1960-1970, le principal conseiller en communication n'était pas l'attaché de presse du Premier ministre — il jouissait ainsi de plus de recul de la tourmente quotidienne —, et l'attaché de presse (une fonction éminemment partisane) ne cumulait pas la tâche de directeur de l'information du Conseil exécutif (une fonction que l'on avait tenue dégagée du climat partisan durant la décennie précédente). À compter de 1974, l'attaché de presse Charles Denis perdit en fait son influence auprès du Premier ministre, et la stratégie de marketing fut élaborée par un groupe de publicitaires et de membres de cabinets personnels de ministres.

M. Denis cessa d'être écouté et influent lorsque les sondages se mirent à indiquer que de plus en plus de gens se révélaient insatisfaits du gouvernement libéral et que le Premier ministre Bourassa devenait moins populaire que René Lévesque. La dégringolade a débuté au printemps de 1974, mais elle devint brutale à compter de l'automne de cette année-là. Un tableau comparatif préparé par *Le Devoir* et reproduit plus loin indique qu'en effet l'insatisfaction se fit déjà sentir quelques semaines à peine après la victoire de 1973.[12] Certains événements survenus en 1974 et 1975 ont miné la confiance des Québécois en leur gouvernement et ont contribué à la déstabilisation du régime.

Après le « bingo » du camp LG-2 à la baie James, en mars 1974, le gouvernement Bourassa créa une commission d'enquête en réponse aux pressions de l'opinion publique qui lui demandait de poser

---

12. *Le Devoir*, 22 avril 1976, p. 2.

des gestes. Comme membres de cette commission, il choisit sciemment trois adversaires du parti — Robert Cliche autrefois du Nouveau parti démocratique, Brian Mulroney des Tories et Raymond Laliberté, puis Guy Chevrette du parti québécois —, pour donner une image d'impartialité mais aussi pour ne pas se sentir trop lié par leurs recommandations.

L'année 1974 fut marquée, aux États-Unis, par la démission du Président Nixon, à la suite des révélations de journalistes impliquant la présidence dans des activités illégales. En février 1975, Charles Denis tracera ce parallèle au moment de l'effritement de l'image de M. Bourassa: les journalistes ne s'informaient plus de la «politique portuaire» ou de la nouvelle vocation de l'Éditeur du Québec, ils n'interrogeaient le Premier ministre que sur les révélations de la Commission Cliche... et ses réponses, nuancées ou évasives selon les points de vue, feraient les manchettes du lendemain. M. Denis concluait: «Il faut s'accommoder de la situation actuelle empreinte d'une certaine morosité provenant du sillage du Watergate américain.»

Les témoignages devant la Commission Cliche — dévastateurs au dire des observateurs et des sondages — furent recueillis en février et mars 1975. Aussitôt après, Charles Denis affirmait: «Il n'y a rien qui s'est dit à la Commission Cliche qui ne puisse être réparé par une vaste opération de relations publiques.» Le Premier ministre a lui-même répété ces propos lors d'une entrevue qu'il accordait au magazine *Time*, tout de suite après ces témoignages. En mai 1975, le pouvoir de vie ou de mort de M. Denis atteignit durant une brève période des proportions inégalées. En effet, durant les trois ou quatre jours au cours desquels le rapport Cliche fut polycopié, on assista à un cas-type d'influence des conseillers en communication hors des périodes électorales. Durant ces trois jours, Charles Denis fut l'auteur de la plupart des recommandations les plus hostiles aux syndicats impliqués. Le juge Cliche indiqua simplement que les «fuites» n'originaient pas des membres de la Commission et que ces indiscrétions étaient loin de représenter l'essentiel du rapport.

(Journaliste de *La Presse*) «— *Si ces indiscrétions ne proviennent pas de votre personnel ni de celui de la Commission, seul l'entourage du Premier ministre connaissait aussi le contenu du rapport.*

(Juge Robert Cliche) «— *Tirez vous-mêmes vos propres conclusions; moi, je ne dis rien.*» [13]

13. *La Presse*, 3 mai 1975. De plus, le journaliste Pierre Vennat révéla à la télévision que le journaliste de CFCF-TV disposait de l'exemplaire appartenant au ministre Jean Cournoyer.

LES SONDAGES DE 1970 À 1976

Période où fut fait le sondage	Maison responsable et commanditaire	Position des partis politiques provinciaux							
		Lib	PQ	UN	RC	Autres partis	Aucun	Indécis	Pas de réponse
13 au 18 avril 1970	Peter Regenstrief (Toronto Star — Le Devoir)	32.0	23.0	16.0	9.0	1	—	19.[1]	—
mi-avril 1970	CROP (La Presse)	26.	25.	13.	12.	3.	—	12.	10.
mi-avril 1970	V. Lemieux et M. Gilbert	21.7	18.4	9.1	7.5	4	—	24.4	18.5
15-20 avril 1970	CROP (La Presse)	24.	19.	10.	10.	2.	—	20.	15.
mai 1972	SORECOM (Inter-Video-Droit de regard)	33.[2]	21.	12.	30.	3.	—	—	—
octobre 1972	CROP	42.	15.	4.	8.	—	—	31.[1]	—
mai 1973	CROP (Le Devoir)	34.7	17.7	3.	13.	—	—	31.	—
début octobre 1973	CROP — CJMS	37.3	15.5	6.1	12.3	1.5	—	27.3[1]	—
mi-octobre 1973	CROP — CJMS	35.2	21.1	4.	9.8	4.1	—	11.9	13.4
8-12 octobre 1973	V. Lemieux (Le Devoir — Le Soleil)	34.4	19.1	3.	6.7	3.	3.	20.4	13.4
novembre 1974	IQOP (La Presse)	29.	28.	5.	5.	—	5.5	16.5	11.
avril-mai 1975	CROP[3] (Radio-Canada)	21.2	24.8	4.	5.	—	—	45.1[1]	—
21-24 avril 1975	IQOP (Parti libéral du Québec)	30.5	23.	5.5	4.5	5.1[4]	9.	27.[1]	—
14-20 octobre 1975	CROP	24.	28.8	7.1	7.3	—	—	19.1	8.5
4-9 avril 1976	CROP (Radio-Canada)	21.5	31.6	7.6	6.9	9.8[5]	4.1	11.9	6.7
10, 11 et 12 avril 1976	IQOP (Dimanche-Matin)	30.5	26.5	5.5	3.0	5.0[5]	—	29.5[1]	—

(Compilation faite par Le Devoir — avril 1976)

[1] Ce chiffre regroupe à la fois les indécis et ceux qui ont refusé de répondre à cette question.

[2] Les pourcentages résumant les résultats de ce sondage ont été établis en faisant abstraction des réponses fournies par les indécis et des refus de répondre à cette question.

[3] Ce sondage fut réalisé auprès d'un échantillon comprenant seulement des répondants francophones.

[4] Le questionnaire nommait seulement le parti libéral, le PQ, l'UN et le Ralliement créditiste.

[5] Ce chiffre représente les appuis exprimés en faveur du parti national populaire, lequel était explicitement mentionné dans le questionnaire.

De plus, une fois le rapport rendu public, trois projets de loi seront déposés pour donner l'image d'un Premier ministre qui veut «rétablir la paix sociale». Déjà, cependant, M. Bourassa paraissait moins détendu lorsqu'il rencontrait les journalistes; ses rires fréquents et nerveux pour rejeter les problèmes du revers de la main laissaient entrevoir passablement d'insécurité. Le 1er août 1975, enfin, il posa ce qui apparut comme son geste ultime, un remaniement ministériel impliquant le ministre du Travail Jean Cournoyer, blâmé par la Commission Cliche, et des accusations criminelles portées contre le député Gérard Shanks. L'éditorialiste Jean-Claude Leclerc y voyait «non pas plus de substance dans Robert Bourassa ou dans son régime», mais «force est de reconnaître que M. Bourassa sait encore repolir son image publique». Michel Roy, lui, y voyait plutôt des présages de fin de régime; «La volupté du pouvoir, les grenouillages et les combats de coqs achèvent de faire oublier le sens de l'État». [14]

C'est lorsque la surveillance scientifique de l'électorat n'indiqua pas de regain de crédibilité, que Charles Denis perdit l'influence qui lui restait. Selon lui, il fut la victime des journalistes qui ne l'aimaient pas parce qu'il était beaucoup plus au cœur des décisions que ses prédécesseurs (Paré, Corey...) et qu'il ne leur révélait rien. En outre, le climat créé par l'affaire du Watergate laissait croire aux journalistes qu'ils pourraient faire tomber le régime à peu près n'importe où dans le monde.

M. Bourassa, à la suggestion discrète de plusieurs journalistes, avait alors accepté l'idée de remplacer Charles Denis par un autre attaché de presse. MM. Bourassa et Denis avaient même convenu d'un nouveau poste auquel Denis serait muté. Mais lorsque Claude Ryan demanda publiquement, en janvier 1975, le renvoi de Denis de son poste d'attaché de presse, le Premier ministre crut que toute mutation serait perçue comme un signe de faiblesse, et il garda Charles Denis à son poste jusqu'à la fin.

Les spécialistes des systèmes politiques comparés l'ont souvent noté, plus un gouvernement est construit sur des images plus il est facile à détruire. En janvier 1975, à 24 heures d'intervalle, le directeur du *Devoir* et celui du *Jour* — deux concurrents qui ne s'entendaient guère sur quoi que ce soit — réclamèrent la démission de Charles Denis, davantage perçu dans les milieux journalistiques comme un propagandiste inconditionnel et roublard plutôt qu'un

---

14. *Le Devoir*, 1er août 1975, p. 4.

homme d'information.[15] En mars, dans son épître de la dernière chance, le professeur Léon Dion (perçu comme le plus influent universitaire au Québec) s'en prit, lui, au «recours à des slogans creux pour masquer l'absence d'action politique. Robert Bourassa maîtrise à la perfection l'art de forger des slogans politiques qui paraissent annoncer la mise en œuvre de grandes politiques nationales (v.g. souveraineté culturelle) mais qui, en fin de compte, résonnent creux.»[16] En outre, en devenant l'Opposition officielle en 1973, les députés du parti québécois avaient acquis les moyens techniques et l'accès automatique aux média qui leur permettaient de travailler efficacement, en 1974 et 1975, à «démolir l'image de ce gouvernement d'images», selon l'expression du *Soleil*.[17] Ainsi, tout au long de 1975, le parti québécois n'a cessé de répéter que le gouvernement cherchait à orienter le débat pour sauver son image; les fuites avaient pour but d'amorcer le débat sur ces recommandations du rapport Cliche qui blâmaient les syndicats, «de façon à trouver des coupables, dira un jour un député, mais faire en sorte que les seuls coupables soient le domaine syndical. (...) C'est ce que le gouvernement a fait: manipuler l'opinion publique.»[18]

Les deux thèmes paraissent ainsi aux antipodes: l'un veut que les média aient battu les libéraux, et l'autre que le régime Bourassa ait, non pas mieux emballé son produit, mais qu'il ait manipulé l'opinion publique, fabriqué de toutes pièces des situations favorables au gouvernement et laissé dans l'ignorance journalistes et électeurs parce que le pouvoir politique tient en bonne partie à l'information qu'un gouvernement possède et qui fait défaut à ses adversaires.[19]

Le coup fatal qui laissa le leadership de M. Bourassa au plancher fut reçu pourtant du Premier ministre Trudeau, en mars 1976. Comment, en effet, par des images, reconstruire un leader qualifié de «ti-pit» et de «mangeur de hot-dogs»? Des cadres permanents du parti libéral du Québec[20] conçurent, le mois suivant, une stratégie à trois volets qui serait appliquée dès après le congrès du parti (avril 1976), au cas où le Premier ministre déciderait d'aller aux urnes à l'automne:

---

15. Conférence de Claude Ryan devant les membres de l'Institut d'administration publique; éditorial d'Yves Michaud, *Le Jour*, 29 janvier 1975, p. 8.
16. Léon Dion, «La crise du leadership», *Le Devoir*, 11 mars 1975, p. 5.
17. 29 avril 1975, p. 6.
18. Fabien Roy du parti national populaire, *Journal des débats*, 13 mai 1975, p. 725.
19. Marcel Adam, «Pourquoi M. Bourassa manipule l'information», *La Presse*, 30 janvier 1975.
20. Ronald Poupart, Benoit Payeur, Robert McCoy, Pierre Lortie...

1) Les textes de M. Bourassa, ses discours, ses déclarations-capsules de quelques secondes seraient nettement plus agressifs que par le passé; on invitait le Premier ministre à hausser le ton; la mèche de cheveu, pour la première fois en six ans, tomberait sur le front; l'image serait plus décontractée, et plus militante à l'endroit d'Ottawa.

2) Des messages gouvernementaux, au coût de $400,000, souligneraient aux Québécois que les Jeux Olympiques auraient lieu à temps grâce à leur prise en main par le gouvernement provincial. Le message disait: « On est prêt ». M. Bourassa serait présent le plus souvent possible lors des épreuves olympiques et se ferait photographier avec les mères d'athlètes du Québec.

3) Enfin, les ministres « les plus montrables » accompagneraient le Premier ministre en province ou s'y rendraient sans lui, pour s'adresser à des groupes locaux bien précis et y traiter de problèmes « strictement régionaux ».

Mais, sans perdre ses postes officiels, Charles Denis avait perdu son vrai pouvoir. Ceux de qui le Premier ministre suscitait désormais les avis en matière de publicité et de communication constituaient un groupe informel, un comité-ressource, un « pool » de communicateurs dont les postes officiels se trouvaient ailleurs qu'au Bureau du Premier ministre. Les membres les plus influents œuvraient dans l'entreprise privée, après avoir servi dans des cabinets personnels de ministres. D'autres y étaient encore attachés à titre, par exemple, de secrétaires de presse. Guy Morin et Benoit Payeur faisaient partie de l'agence Pierre Tremblay Publicité Inc., qui jouait un rôle analogue, auprès des libéraux, à celui de SOPEQ auprès de l'Union nationale. M. Payeur avait déjà été attaché de presse du ministre de la Justice; les deux étaient très actifs au sein du parti libéral et de ses commissions. Guy Morin fut même identifié, durant cette période, à une orientation partisane assez négative de la communication avec l'électorat (les gadgets à Morin). Négative en ce sens qu'en 1976, le Premier ministre dénonçait uniquement l'Opposition séparatiste, plutôt que de mettre en relief les accomplissements de son gouvernement ou la conception de la société qui sous-tendait son action.

Dans son dernier discours avant d'être élu chef du parti, M. Claude Ryan déclarait, le 15 avril 1978, que les idées allaient de nouveau faire partie du P.L.Q., de bas en haut des structures. Cette allusion fut interprétée comme une rebuffade à l'endroit de M. Morin, qui avait remplacé les idées par « les gadgets à Morin ». Ces gadgets consistaient en des techniques ou déclarations-capsules cherchant à discréditer l'adversaire, du genre « les 100 erreurs des 100 derniers jours des séparatistes ».

Pierre Lortie, lui, occupait aussi en 1976 une place prépondérante dans l'exercice du pouvoir, moins parce qu'il avait la confiance de M. Bourassa qu'à cause de son amitié pour Paul Desrochers. Mal accepté des cercles libéraux de Québec qui lui reprochaient son manque de souplesse, il était perçu comme un « outsider » dans l'entourage du Premier ministre. Celui-ci le trouvait trop tranchant, et pour cette raison M. Lortie avait quitté son poste de chef de cabinet du ministre des Finances, Raymond Garneau, pour « aller faire ses classes » à l'Université de Chicago. Il occupa ensuite un poste de vice-président de la Bourse de Montréal et était devenu président de la quincaillerie J.A. Prud'homme. M. Lortie présidait, en 1977-1978, la firme de marketing Secor. En 1976, il faisait partie de ce pool de communicateurs, parce qu'il était perçu comme le dauphin et le porte-parole de Paul Desrochers auprès de M. Bourassa. Durant toute cette année, MM. Morin, Lortie, Jean-Claude Rivest, et autres, élaborèrent lors de réunions hebdomadaires « la » déclaration qui serait celle du Premier ministre sur tel ou tel sujet d'actualité (grève des infirmières, grève à lka Société des alcools, etc.). Les auditeurs des stations radiophoniques à haute cote d'écoute ont ainsi pu noter que, pour un homme en apparence « insécure » au début de son mandat, M. Bourassa répondait spontanément à ces questions directes, rapides des journalistes des média électroniques. Ces réponses, diffusées d'heure en heure ou à l'émission dominicale « Bourassa dialogue », étaient préparées par ce pool de scripteurs. Elles faisaient souvent la manchette des journaux du lendemain ; elles ne répondaient pas toujours précisément à la question posée, et en dernière analyse elles ne convainquirent pas suffisamment d'électeurs de voter en faveur des libéraux.

En résumé, on retient trois caractéristiques majeures de ces six années de pouvoir, toutes trois découlant de la décennie précédente, mais lui faisant surtout contraste.

1) Les années de la Révolution tranquille avaient créé des expectatives nouvelles au sein des classes moyennes. Marcel Adam, dans l'éditorial de 1976 soulignait que le vrai test du leadership de M. Bourassa s'était déroulé de 1973 à 1975, et que le Premier ministre s'y était montré incapable de convaincre les gens qu'ils demandaient trop pour ce que le gouvernement pouvait offrir. Ce fut une époque où la tendance conservatrice de la classe moyenne ne s'était jamais autant

manifestée.[21] Face à cette nouvelle situation, Robert Bourassa n'eut pas l'art de convaincre les gens qu'ils demandaient trop. Encore que les forces ouvrières soutenaient, elles, que c'est un argument de nantis de vouloir gérer les expectatives suscitées par les années 1960. Mais là se situe la définition même du leadership propre à M. Bourassa. Il voulait non pas guider, mais plutôt traduire la volonté populaire. Une telle attitude provient, de conceptions solides de la notion de démocratie. Mais, en l'absence de consensus social, une telle attitude ne satisfera personne, si ce n'est les favoris du régime.

2) Liée à cette attitude, c'est une absence du sens de l'État.[22] Le Premier ministre ne s'était pas construit une pensée politique avant d'arriver au pouvoir; il a paru aisément souscrire à la thèse voulant que les péquistes soient des agitateurs. Cette thèse était soutenue avec vigueur par plusieurs députés, militants et membres des services policiers qui percevaient, de 1970 à 1973 en particulier, certains éléments du parti québécois comme subversifs. En souscrivant à cette thèse, le Premier ministre a paru à certains moments s'être fait manipuler par les autorités d'Ottawa et certaines éminences grises à Québec. En prenant comme prémisses que ces hommes (Me Julien Chouinard en particulier) agissaient en dépositaires de la sécurité de l'État et en se disant que le sens de l'État se limitait à cette dimension de la protection policière du Premier ministre et de la surveillance scientifique des forces vives en ébullition, M. Bourassa pouvait lui-même mettre plutôt l'accent sur les deux dimensions qui se substituaient chez lui à ce sens de l'État: «l'entrepreneurship privé et le régime des copains».

«L'entrepreneurship privé» s'est traduit par l'arrivée au pouvoir des diplômés en administration des affaires (M.B.A.). Il ne s'agissait plus de se demander si tel type d'investissements cadrait bien avec les priorités gouvernementales, il s'agissait de «gérer le Québec pour qu'il fasse du profit». Toute une série de mesures élaborées à cette fin ont été dénoncées par la Commission Cliche.

Mais la dimension partisane qui animait M. Bourassa importait davantage que les apparences d'illégitimité de certaines décisions «managériales». À ce sujet, M. Bourassa est en effet apparu comme typiquement Canadien français en matière d'intégrité publique: il ré-

---

21. *Le Devoir*, 21 novembre 1972, p. 2.
22. Pour comparer, sur le «sens de l'État» du Premier ministre Lesage, voir Bernard Landry et Denis de Belleval, «La nouvelle génération et l'héritage de la génération précédente», *Les nouveaux Québécois*, Presses de l'Université Laval, 1964 (3e Congrès des affaires canadiennes, 1963), pp. 103-122.

pétait chaque fois: «Apportez-moi des preuves». Dans des circonstances analogues, chez les anglo-protestants, on met plutôt les
ministres sur les tablettes en attendant les résultats de l'enquête —
une enquête que l'on déclenche sur le champ. Il a fallu, au contraire,
beaucoup de pressions de la part des bailleurs de fonds et des
libéraux d'Ottawa avant que M. Bourassa ne donne l'impression de
percevoir le sérieux des conséquences de son inaction. C'est que, au
Québec un parti n'est pas défait aux urnes sur des questions d'intégrité
publique!

Non, l'absence de sens de l'État a marqué ce régime, et là où
la raison d'État aurait pu se justifier (C.A.D., casemate du Premier
ministre), M. Bourassa a préféré démentir, refuser de préciser, donnant l'impression de culpabilité. Le courriériste parlementaire Gilles
Lesage n'a cessé de demander, durant plusieurs mois, dans ses articles du *Devoir*, s'il existait une C.I.A. québécoise; c'est-à-dire une
sorte de police parallèle, avec fonctions de renseignements policiers ou d'intelligence, que l'entourage du Premier ministre a exercées de 1971 à 1975, et en quoi spécifiquement consistaient les activités de cette C.I.A. québécoise.[23] On ne l'a jamais très bien su,
mais ces fonctions furent finalement intégrées en 1975 au ministère
de la Justice et aux forces régulières de police.

3) Jamais, depuis 1960, deux membres de l'entourage du Premier ministre n'avaient obtenu de la part du chef de gouvernement
une délégation de pouvoir si grande, informelle mais bien réelle. Du
premier jour, en avril 1970, jusqu'à la fin de 1974 environ, MM. Paul
Desrochers et Charles Denis ont façonné le Premier ministre, partagé ses objectifs, et sont demeurés dans le quotidien ses conseillers
personnels.

Puis, des souverainetés rivales (parti libéral du Canada,
quelques ministres, Me Claude Desrosiers) ont exercé des pressions dont le Premier ministre a dû tenir compte. Ce type de régime,
qualifié de quasi présidentiel, absent de collégialité, se caractérisait
en outre par une volonté inégalée de manipulation de l'information,
découlant de la crise d'octobre 1970. Durant ces jours qui ont traumatisé le Québec, le Premier ministre a perdu confiance en lui-même
lorsque la majorité de l'intelligentsia s'est tournée contre lui. Les
éditoriaux du *Devoir* ont contribué grandement à sa perte de confiance
en lui-même pendant la première année de son gouvernement, période

---

23. *Le Devoir*, 4 juin 1975.

durant laquelle un Premier ministre se gagne habituellement du crédit. L'inimitié de la presse, notons-le, aurait donné des complexes à tout homme normal ; elle contribua à expliquer la tendance du Premier ministre et de ses conseillers à manipuler l'information [24] et à gouverner en secret, au troisième étage de sa casemate.

Cette structure quasi présidentielle, que l'on retrouvait dans les faits si ce n'est dans les institutions, semble, sous une forme ou sous une autre, mieux adaptée à la décennie actuelle. Edmond Orban, dans son intéressant ouvrage de synthèse sur la « Présidence moderne aux États-Unis », rappelle qu'en 1970 le parti québécois a préconisé l'instauration au Québec d'une « république présidentielle parlementaire, comportant responsabilité ministérielle et Premier ministre ». Cette formule mixte essayait de combiner les avantages de deux systèmes différents sans couper complètement les ponts avec un long passé parlementaire. [25]

24.　« Je ne dis pas que l'attitude de la presse durant octobre 1970 a toujours été répréhensible, je dis que le gouvernement attendait d'elle une autre attitude et qu'il a tiré une leçon de cette expérience. » Marcel Adam, « Pourquoi M. Bourassa manipule l'information », *La Presse*, 30 janvier 1975.

25.　Edmond Orban, *La présidence moderne aux États-Unis*, Presses de l'Université du Québec, 1974, p. 194 ; René Lévesque, *La solution, le programme du parti québécois*, Montréal, éd. du Jour, 1970, pp. 102-103.

TROISIÈME PARTIE

LE VRAI POUVOIR
SOUS RENÉ LÉVESQUE

L'ex-Premier ministre Jean Lesage avait gagné le concours du plus bel homme organisé par Lise Payette et Radio-Canada.

Robert Bourassa s'efforçait toujours de présenter son meilleur profil aux caméras.

René Lévesque, lui, offre sous tous ses angles un portrait en friche, en broussailles. Ses tics nerveux fourmillent; d'un geste brusque et machinal, sa main rabat constamment ses longues mèches de cheveux gris sur son crâne dénudé; à travers le nuage de fumée de cigarettes qui l'encercle du matin au soir, il apparaît toujours mal vêtu, dans des costumes souvent fripés et qui s'inspirent d'un goût douteux; il arrive parfois de retrouver sur sa cravate les preuves de sa préférence pour les frites arrosées de ketchup rouge. Il a toujours l'air renfrogné et ses rares sourires commandés le font grimacer. Bref, les fabricants d'images américains lui diraient qu'il fait tout de travers et qu'il n'a pas d'avenir.

Pourtant René Lévesque est en politique depuis dix-huit ans. Il est l'homme politique le plus adulé des Québécois et sa pensée n'a jamais cessé d'évoluer et de convertir des adeptes. Il y a onze ans, il était seul avec une poignée de disciples à prêcher la souveraineté-association. Aujourd'hui, après avoir bouffé au passage le RIN de Pierre Bourgault, il a conduit son parti au pouvoir et est devenu le chef vénéré de millions de fidèles. Plus que tout autre Premier ministre, ce leader charismatique a marqué la vie politique québécoise. Il est parti de plus loin que tous les autres et il a su vaincre, en cours de chemin, des obstacles qui eussent paru insurmontables à n'importe lequel de ses prédécesseurs. Il a réalisé ce qui semblait être l'impossible.

Ces choses étant dites, il vaut peut-être mieux s'avouer aujourd'hui que l'homme a atteint le sommet de sa gloire et qu'il entre dans la dernière foulée de sa carrière politique. Certains indices portent à croire, en effet, que René Lévesque a donné le meilleur de lui-même et qu'il abandonnera bientôt à ses plus jeunes condisciples le gouvernail de la croisade nationaliste. Il ne témoigne plus du même feu sacré. À l'entendre parler d'un ton blasé de «la job à terminer», de son retour au journalisme et du film qu'il réalisera, à le voir courber l'échine sous le poids du pouvoir, ce n'est pas dramatiser que d'en conclure que René Lévesque est fatigué, qu'il est arrivé au bout de sa corde et qu'il pourrait convoquer un congrès de leadership avant même les prochaines élections.

D'ici le référendum sur l'indépendance et la prochaine campagne électorale, les Québécois vivront des moments d'une forte intensité, sans doute des affrontements caustiques entre francophones et anglophones et peut-être même la violence. Dans cette optique, le fanatisme constitue une menace réelle à la vie du leader indépendantiste et il faut être suffisamment conscients pour penser que René Lévesque pourrait bien ne plus être à la tête du PQ aux prochaines élections générales.

Pour l'instant, ce qui nous préoccupe, c'est de savoir comment s'est exercé le pouvoir à Québec depuis novembre 1976. Leader incontestable et rempli de sérénité dans l'opposition, René Lévesque jouissait d'une autorité morale qui lui épargnait d'élever la voix. Aujourd'hui, il multiplie les sautes d'humeur et n'hésite plus à semoncer publiquement ses collaborateurs. Ainsi, devant les représentants de la presse et les quelque trois cents participants à la réunion du Conseil national, tenue en septembre 1978 à Rouyn, le chef du P.Q. a vivement reproché à son ministre Denis de Belleval et au député Pierre de Bellefeuille d'avoir manqué de discernement en dévoilant prématurément les lignes de force de la stratégie gouvernementale. Ce genre d'incident est fréquent au Conseil des ministres et ses remontrances apparaissent souvent inopportunes et superfétatoires aux yeux de plusieurs collègues. Bref, le pouvoir l'a fait vieillir plus vite et l'a rendu grincheux.

Le chroniqueur Richard Daignault, qui recommençait en 1978 à analyser la situation politique comme il l'avait fait avec Dominique Clift quinze ans plus tôt, notait la force et les faiblesses du Premier ministre Lévesque comme dépositaire de ce pouvoir: au fil des années, sa personnalité a attiré au parti la plupart des ministres actuels, beaucoup de députés et 40% de l'électorat québécois. Son projet de société continue de séduire; son éloquence demeure inégalée lorsqu'il parle du pays à bâtir et sa position de balancier entre les différentes forces au sein du parti le rend indispensable au PQ.

Mais son leadership personnel, depuis 1976, sous d'autres aspects, ne s'est pas solidifié ni stabilisé au cœur de l'appareil gouvernemental. Notons que l'ouvrage de Peter Desbarats, excellent sous plusieurs angles, ne nous permettait pas de prévoir quel type de leader et d'administrateur serait M. Lévesque. La maîtrise que détiennent certains ministres, M. Camille Laurin en particulier, sur de vastes secteurs de l'activité gouvernementale les place non seulement en position de leadership intellectuel au sein du parti mais même en contradiction avec le Premier ministre dans ce domaine socioculturel. Plus encore, les réticences de la fonction publique à collaborer avec le gouvernement péquiste ont forcé les cabinets personnels de ministres à recueillir eux-mêmes les données sur lesquelles se fondent les projets de lois. Si la période débutant le 15 novembre 1976 a pu être appelée «La deuxième phase de la Révolution tranquille», les hauts fonctionnaires n'on ont pas été, eux, les éminences grises ou les détenteurs du vrai pouvoir, au contraire des années 1960-1968.

Enfin, l'image de ce gouvernement et de son Premier ministre a paru inégale; certaines lois ont été fort mal vendues à la population et la vie privée du Premier ministre (sa vie secrète) a fourni des armes aux adversaires politiques. Les conseillers en communication du Premier ministre ont carrément mis l'accent sur le projet péquiste, le référendum et un vrai gouvernement, en prenant pour acquis que l'image publique de ce gouvernement et du Premier ministre était justement celle d'un gouvernement qui comprend la situation. Cette image, se sont-ils dit, ne posait pas de problème. Que M. Lévesque connaisse mal plusieurs dossiers, c'est un reproche qu'ont surtout formulé ses adversaires politiques. Et sa vie privée ne regarde que lui, concluent-ils sur un ton définitif.

Voilà trois dimensions du gouvernement péquiste, sur lesquelles s'arrêtent les trois chapitres suivants. Quel rôle le Premier ministre a-t-il joué au sein de l'exercice réel du pouvoir? Que penser des avis de ses principaux conseillers en matière du parti, des politiques gouvernementales et de la vente du produit péquiste? De telles questions devraient permettre d'esquisser une première ébauche d'analyse de l'exercice du pouvoir sous René Lévesque.

La notion d'autorité ou de leadership fait, elle aussi, appel à des éléments que l'on retrouvera dans les trois chapitres suivants: le Premier ministre donne-t-il l'impression, l'image de quelqu'un qui apporte des solutions à des problèmes? Au moment de la formulation des priorités et des politiques, le Premier ministre sait-il s'entourer de conseillers et comment les consulte-t-il? Dans les relations de pouvoir au sein du parti, M. Lévesque prend-il seul les décisions, s'appuie-t-il sur certains ministres ou délègue-t-il l'autorité à des membres de son Bureau?

Le chanteur populaire Robert Charlebois donnait, en avril 1978, dans le langage coloré qu'on lui connaît, son appréciation du leadership exercé par ses deux leaders politiques préférés: «La différence entre Trudeau et Lévesque, c'est que Trudeau sait tout et ne comprend rien alors que Lévesque ne sait rien ou presque... et il comprend tout.»

SEPTIÈME CHAPITRE

L'EXERCICE DU POUVOIR DEPUIS NOVEMBRE 1976

Le vrai pouvoir au sein du parti, depuis novembre 1976, s'est manifesté à partir de quatre forces principales: le Premier ministre; son cabinet personnel (familièrement appelé le Bureau du Premier ministre); le Conseil des ministres; et les luttes d'influence par structures interposées (instances régionales du parti, clientèles idéologiques...).

Le Premier ministre Lévesque exerce un leadership personnel que plusieurs perçoivent comme ambigu. C'est un homme complexe, attachant par les valeurs qu'il véhicule (liberté des individus, humilité personnelle), mais décevant aux yeux de certains par l'absence de leadership intellectuel qu'il a manifestée depuis l'arrivée au pouvoir du parti québécois.

Même sous cet aspect, il faut établir des distinctions. D'une part il a réagi en «p'tit gars frondeur» à certains moments et il a alors démontré un leadership indiscutable en rabrouant publiquement certains de ses ministres. D'autre part, il s'est laissé mettre en minorité au Conseil des ministres sans que l'on retrouve, en ces occasions, le feu sacré qui l'animait en 1960-61. Enfin, la discrétion bien légitime qui entoure sa vie privée s'accompagne chez ses sympathisants de craintes, tout aussi légitimes, lorsqu'il disparaît sans que même ses gardes-du-corps de la Sûreté du Québec sachent où il se trouve. Ce trait de caractère constitue l'une des explications de l'absence de leadership stable. Les ministres les plus sédentaires et rangés trouvent que M. Lévesque se conduit comme un ministre néophyte de la décennie précédente. Certains députés craignent un attentat et les membres du Bureau du Premier ministre se retrouvent parfois en train de conseiller les ministres sans que M. Lévesque n'ait été mis au courant de tous les détails de la stratégie, personne ne sachant précisément où, ce soir-là, se trouvait le Premier ministre.

Le leadership ambigu du Premier ministre

Le Premier ministre Lévesque a choisi avec soin les mesures, décisions ou projets de lois qu'il a appuyés personnellement et, en ce sens, son autorité morale auprès des militants et sympathisants n'a pas subi de perte substantielle, révèlent les plus récents sondages. M. Lévesque a noté publiquement que la taxe sur les vêtements d'enfants avait été mal vendue à l'électorat. Il aurait préféré que l'on explique le nouveau régime d'assurance-automobile avant que la loi n'entre en vigueur plutôt qu'une fois cette loi votée en troisième lecture. Il a paru alors laisser les ministres Parizeau et Payette se débattre tout seuls au moment de l'étude en commission parlementaire. Il s'est, par ailleurs, engagé en intervenant très tôt à l'Assemblée lors du débat sur l'amiante. [1] En somme, l'une des caractéristiques de son style de leadership, c'est que M. Lévesque ne veut pas diluer son autorité morale en intervenant dans tout projet de loi, même le plus mal engagé ou le plus impopulaire.

Lors de la taxe sur les vêtements d'enfants, l'assurance-automobile, ou la transformation du projet de loi 1 en projet 101, c'est un ministre (ou un groupe de ministres) qui avait pris la décision sur recommandation de l'un ou l'autre des membres du Bureau de M. Lévesque; et pourtant le Premier ministre ne s'est guère manifesté, laissant plutôt le ministre responsable recueillir les critiques. Ainsi, au contraire de Daniel Johnson, René Lévesque laisse à ses ministres une grande latitude dans l'application des politiques et l'art de sensibiliser les citoyens aux bienfaits des nouvelles mesures.

À cet égard, cependant, plusieurs ne reconnaissent pas le René Lévesque qu'ils avaient vu à l'œuvre dans les premières années de la Révolution tranquille. Lorsque, par exemple, il avoua que sur la Loi 101 il avait été mis en minorité au Conseil des ministres, on nota avec sympathie sa très grande ouverture, son sens de la liberté des individus, sa réticence à légiférer dans le domaine linguistique. L'argument inverse, cependant, c'est de se demander (comme l'ont fait les gens opposés à certains articles de la Loi 101) pourquoi M. Lévesque ne s'était pas opposé à cette loi avec la même fougue qu'il y a dix-sept ans.

Ceux qui l'ont connu en 1960-1961 croient déceler que M. Lévesque n'exerce pas, en effet, toute l'autorité dont il se montrait capable à cette époque. Bref, qu'il laisse filer entre ses mains une partie du vrai pouvoir. A-t-il perdu le feu sacré? Ses collaborateurs rappellent sa rencontre avec les dirigeants de la Shawinigan Water & Power pour indiquer à quel point il atteignait alors les objectifs qu'il s'était fixés. Pourquoi n'a-t-il pas agi avec la même autorité au mo-

---

1. *Journal des débats*, 9 mars 1978, pp. 367-73.

ment des discussions de la Loi 101, se demandent-ils. Les dirigeants de la « Shawinigan » (une des compagnies privées d'électricité avant la nationalisation) étaient venus le rencontrer à Québec pour négocier le renouvellement d'un bail de location d'une rivière pour fins hydro-électriques. Ils voulaient, dirent-ils à M. Lévesque, renouveler le bail, rédigé en anglais, aux mêmes conditions que celui qui avait été signé quarante ans plus tôt. C'est la seule fois, paraît-il, que les fenêtres vibrèrent dans la pièce voisine ; c'est la seule fois qu'à force de frapper sur son bureau M. Lévesque brisa la plaque de vitre qui recouvre encore aujourd'hui les bureaux de ministres. « Lorsque le séna-teur Drouin (l'un des dirigeants de la « Shawinigan ») sortit du bureau de M. Lévesque, il était blanc. » M. Lévesque lui avait fait une colère terrible : le bail fut rédigé en français et à des taux différents !

Certes, le leadership, M. Lévesque l'a manifesté à quelques re-prises depuis novembre 1976. Lors de son retour de vacances, en 1977, par exemple. Durant son absence, les taux de chômage au Qué-bec marquèrent une hausse subite qui surprit tout le monde. Les ministres à vocation économique et surtout le ministre d'État, Ber-nard Landry, mirent tout le blâme sur le gouvernement fédéral. M. Lévesque revint en colère ; il donna une conférence de presse pour dire qu'Ottawa, bien sur, partageait une partie des responsabilités mais que le Québec aussi aurait pu mieux prévoir et faire davantage pour stimuler la création d'emplois. Et, pour bien montrer son insa-tisfaction envers le ministre Landry, il demanda plutôt à Louis Ber-nard de « serrer les gosses » des sous-ministres pour qu'ils initient de nouveaux programmes créateurs d'emplois, suscitent des budgets et dépensent effectivement ces sommes. Cette démarche fut perçue par tout le monde (y compris le principal individu visé) comme un blâme à l'endroit de M. Landry. Il s'agit là d'un geste décisif, mais en réaction à des initiatives ministérielles qu'il n'approuvait pas.

Pourtant, lors des décisions où il détenait nettement l'initiative (le remaniement ministériel, par exemple), il s'est révélé d'une faiblesse surprenante. Ce remaniement était annoncé depuis cinq mois. La décision (ou l'absence de décision) a d'autant plus frappé qu'un Premier ministre est l'unique responsable, finalement, de seu-lement deux décisions au cours de son mandat : le choix de ses mi-nistres et la date des élections. En septembre 1977, M. Lévesque déclarait en entrevue à trois journalistes du *Devoir*[2] que le tiers du Conseil des ministres (c'est-à-dire environ neuf personnes) serait mu-té ou retourné à l'arrière-banquette. Les spéculations désignèrent

---

2. *Le Devoir*, 24 septembre 1977.

alors l'un ou l'autre de ces ministres: *Le Jour* annonça que Jacques Couture était prêt à retourner à l'arrière-banquette; *The Gazette* mentionna hâtivement que Jean Garon perdrait son portefeuille, etc. Puis, durant la période des Fêtes, un membre du Bureau du Premier ministre révéla au *Devoir* que seulement deux ministres retourne-raient à l'arrière-banc; on crut alors que les autres seraient plutôt mutés à d'autres ministères. M. Lévesque avait uniquement testé son projet de remaniement auprès de trois ou quatre membres de son Bu-reau personnel, puisque les ministres eux-mêmes tentaient d'appren-dre par *Le Devoir* s'ils devaient déménager leurs pénates.

De toute évidence, l'annonce du remaniement énervait une douzaine de ministres et les empêchait de fonctionner normalement. Comme quoi la « déstabilisation du régime » dont parle souvent M. Lévesque peut aussi venir de l'intérieur.

En janvier, les observateurs politiques prononçaient le même diagnostic: deux ministres retourneraient à l'arrière-banc. Denis de Belleval perdrait son poste de vice-président du Conseil du Trésor et Lise Payette serait soulagée du dossier de l'assurance-automobile, ce qui serait interprété comme un désaveu. À la mi-février, M. Lévesque remit sa décision de huit jours. Il hésitait à blesser les personnes impli-quées. Puis, le 28 février, un communiqué annonça que le Premier ministre assistait en ce moment même à l'assermentation du nouveau ministre Denis Vaugeois chez le lieutenant-gouverneur; c'était là le remaniement!

Cinq mois de nervosité et de sclérose inutiles. M. Lévesque n'émit qu'un seul commentaire sur la montagne en travail qui venait d'enfanter une souris. Il parla « de toutes les imperfections humaines en commençant par celles de votre serviteur... » [3] En somme, au sein du parti, le remaniement servirait à mesurer le pouvoir réel du Pre-mier ministre, se disait-on en décembre 1977 et janvier 1978. S'il réussissait à reléguer deux ministres aux arrière-banquettes et à en muter contre leur gré quelques autres à de nouveaux portefeuilles sans que les dissidences se manifestent, alors le leadership de M. Lé-vesque apparaîtrait intact.

Ainsi, le remaniement n'a pas eu lieu parce que les ministres mutés ne se rallieraient pas à la décision. Mme Payette disparut même de Québec jusqu'au moment où elle sut qu'elle ne perdrait pas le dossier de l'assurance-automobile. Le caractère « religieux » de ce

---

3. *Journal des débats de l'Assemblée nationale*, 28 février 1978 p. 92.

premier Conseil des ministres, formé de bâtisseurs, ne manqua pas de frapper en décembre 1976. Ceux qui ont contribué à assainir nos mœurs démocratiques (Louis O'Neill) ou qui ont contribué à faire passer le message indépendantiste (Lise Payette), ces bâtisseurs de l'idée péquiste, ne pouvaient pas être démis de leurs fonctions.

Le parti québécois constitue en outre un vaste mouvement. Au sein même du Cabinet siègent trois anciens membres du Ralliement national (MM. Garon, Bédard et Lessard) qui, à certains égards, se trouvent aux antipodes de la pensée sociale des anciens membres du parti socialiste du Québec (Robert Burns ou Jacques-Yvan Morin). Et ainsi de suite, entre les péquistes de la première heure et les nouveaux adhérents (Rodrigue Tremblay, par exemple). Face à une telle situation, M. Lévesque prit soin de ne pas engager outre mesure son autorité morale. La satisfaction des électeurs n'aurait pas compensé pour les déceptions qu'aurait provoquées au sein de certains groupes péquistes le départ de Jacques Couture, Lise Payette ou Louis O'Neill. Cette autorité morale, il la conservait pour s'assurer le maximum d'impact au moment du référendum.

Ce qui ressort, par conséquent, de cet exercice du pouvoir depuis novembre 1976, c'est un type de leadership qui ressemble à celui qu'exerçait Jean Lesage; qui tient compte des différents centres de pouvoir réel au sein du parti, un leadership en ce sens fort différent de celui de Robert Bourassa. Depuis 1976, c'est l'approche collégiale qui prédomine. Sa force ressort dans la bonne grâce avec laquelle il confie de grandes questions à ses collègues du Cabinet.

Au contraire de M. Lesage, néanmoins, M. Lévesque ne se confie à personne. Ainsi, durant les quatre ou cinq derniers jours précédant le remaniement ministériel de février 1978, même ses plus proches conseillers ne savaient plus ce que déciderait le Premier ministre. Parfois d'ailleurs, non seulement personne n'est consulté mais personne ne sait où il est.

Cet aspect du vrai pouvoir à Québec (la discrétion entourant la vie du Premier ministre après les heures de bureau et son isolement) est d'ailleurs décrit de plus en plus fréquemment comme une force de déstabilisation interne du régime. Ses anciens collaborateurs se remémorent en ce sens un René Lévesque qui n'a pas besoin d'indiquer à tout le monde ce qu'il fera le soir. Il lira peut-être tel ou tel article de revue, en jetant un coup d'œil distrait à l'image silencieuse de la télévision. Il décidera peut-être aussi d'aller manger avec des compagnons de table ou ses partenaires de jeux. M. Lévesque n'a pas d'amis. Il en a eu un, autrefois. Il l'a vu mourir à ses côtés dans les tranchées, durant la campagne d'Italie. Et, confiait-il quinze ans plus tard, « voir mourir un ami de cette façon, c'est trop pénible ». Peut-être est-ce pour cette raison qu'il s'est refermé à ce moment-là sur le plan de l'amitié

Le Premier ministre, en certaines occasions, disparaît complè-tement. De façon générale, la sécurité de M. Lévesque paraît satis-faisante, en particulier depuis qu'à Montréal le caporal Robert Four-nier (qui occupait un poste au bureau de la Sûreté à Saint-Jean) fut chargé de l'escorte spéciale du Premier ministre, le 1er septembre 1977. À Québec, un groupe semblable de gardes-du-corps assure la protection du Premier ministre lorsqu'il s'y trouve. En fait, cette protection varie suivant l'ampleur de l'auditoire auquel le Premier ministre s'adresse. Ainsi, à une réunion du conseil national du parti (200 à 300 personnes, y compris les journalistes) on dénotait la présence discrète de quatre gorilles en civil.

À l'ouverture de la permanence du parti dans son comté de Taillon, à Longueuil, on comptait un seul garde-du-corps en plus du chauffeur; c'est M. Lévesque lui-même qui a ouvert la portière de sa voiture après la visite. Aucune voiture-fantôme ne suivait celle dans laquelle se trouvait le Premier ministre.

Après la journée, lorsque M. Lévesque quitte son bureau, il tient à la liberté de ses mouvements. Deux jours après son élection, en 1976, il avait clairement indiqué au directeur de la Sûreté du Qué-bec qu'il « n'était pas Bourassa, ne voulait pas de gorilles qui ne le lâcheraient pas d'une semelle lorsqu'il irait prendre un verre ». Bref, « il n'était pas nécessaire » de savoir constamment où le Premier mi-nistre se trouvait.

Ces propos avaient semé la crainte à la Sûreté, qui ne voulait pas subir les foudres de l'opinion publique s'il arrivait quelque chose au Premier ministre. Or, un accident s'est effectivement produit. Ce qui a quelque peu facilité la tâche de la Sûreté: d'abord, M. Léves-que ne conduit plus sa voiture, ce qui implique qu'un garde-du-corps le véhicule d'un endroit à l'autre même après les heures de travail. Ensuite, deux agents en civil suivent discrètement M. Léves-que depuis cette date. Ils se donnent des excuses pour l'accompa-gner lorsque le Premier ministre se déplace. Si M. Lévesque fait arrêter la voiture pour aller s'acheter des cigarettes ou des revues, l'un des agents annonce qu'il doit refaire lui aussi ses provisions. Même lorsque M. Lévesquer veut être seul, on tâche de lui assurer une certaine protection. Ainsi, lorsque, ce jeudi après-midi du début de 1977, M. Lévesque insista pour prendre tout seul le vol régulier de Québécair vers Montréal et payer son billet lui-même, son chef de Cabinet de l'époque (Louis Bernard) demanda rapidement à deux agents de le laisser monter puis de prendre les deux sièges à l'arrière de l'avion, hors de la vue du Premier ministre.

Les gardes-du-corps de M. Lévesque vous diront volontiers que protéger un Premier ministre contre son gré n'est pas chose facile. Alors que Robert Bourassa se pliait avec discipline aux exigences des services de sécurité, René Lévesque continue à se montrer récalcitrant.

Que ce soit à sa résidence de la rue d'Auteuil à Québec ou à ses appartements de la rue Saint-Dizier dans le Vieux Montréal, le Premier ministre fait l'objet d'une constante surveillance. Les gorilles suivent sa trace à la journée longue et veillent sous sa fenêtre toute la nuit, avec cette seule différence qu'ils se montrent plus discrets qu'à l'époque de Robert Bourassa.

Le problème, c'est qu'il arrive parfois à M. Lévesque de tromper sciemment la vigilance de ses gorilles. Sans prévenir qui que ce soit, il sortira de chez lui pour aller s'acheter un paquet de cigarettes au dépanneur du coin, ou encore il ira jouer une partie de poker chez des amis du quartier.

Mais il a fait pire: en 1977, il était l'invité d'honneur des célébrations des fêtes du Patrimoine à Longueuil, dans le comté de Taillon qu'il représente à l'Assemblée nationale. Escorté par devant et par derrière de voitures de la Sûreté du Québec et de la police municipale, la limousine du Premier ministre filait à bonne allure vers l'auditorium où l'attendaient 5,000 personnes, lorsque soudainement M. Lévesque ordonna à son chauffeur de tourner vers la droite pour prendre un raccourci. Les notables de la place furent fort intrigués de voir apparaître la limousine du Premier ministre d'un côté et l'escorte policière de l'autre.

Une autre fois, à Longueuil encore, lors de l'inauguration du centre culturel Claude-Henri Grignon en juillet 1978, les agents de la S.Q. et les voitures de patrouille de la police municipale, équipés de walkie-talkies, surveillaient le quadrilatère pour s'assurer que la limousine du Premier ministre ne serait pas attaquée par un quelconque détraqué. Après une longue heure d'attente, les édiles municipaux, les invités, les journalistes et la police ont soudainement vu venir au loin, à pied sur le trottoir, l'air bonhomme, un homme vêtu d'un costume safari. C'était René Lévesque, Premier ministre du Québec.

L'autre extrême, cependant, pourrait avoir des effets déstabilisateurs analogues. Une escorte constante en uniforme, vingt-quatre heures par jour, donnerait l'impression d'une république de bananes et créerait une impression d'instabilité que les autorités policières fédérales tentent peut-être de créer. Ainsi, lorsque le Premier ministre Trudeau dîne dans un restaurant de Vancouver, deux agents prennent un café dans une pièce voisine. Mais lors de l'inauguration de l'aéroport de Mirabel au Québec, il était accompagné d'une escorte formée de plusieurs douzaines d'agents. « Lorsque M. Trudeau vient au Québec il donne l'impression qu'il se trouve en territoire déstabilisé », écrivait à cette date W.A. Wilson, commentateur chevronné du *Montreal Star*. Sous prétexte que les expropriés de Sainte-Scholastique manifesteraient ce jour-là, la présence policière se voulait ostentatoire et massive.

Ce n'est pas seulement au Canada et au Québec que la vie privée des chefs d'État vient en conflit avec la notion de sécurité. Même le Président de la République française, Valéry Giscard d'Estaing, lorsqu'il ne passait pas la nuit à l'Élysée au début de son terme, indiquait à son chef de Cabinet, sous pli scellé, l'endroit où il disparaissait, au cas où une situation d'urgence surviendrait. M. Lévesque, lui, lorsqu'il disparaît, n'informe même pas son chef de Cabinet ! Ce trait de caractère ne fait qu'accentuer un élément du vrai pouvoir au Québec : l'isolement que souhaite le Premier ministre avec ses avantages et ses désavantages, que ne respectent même pas ses collaborateurs les plus immédiats.

Le Bureau du Premier ministre

L'étude du pouvoir au Bureau du Premier ministre, au-delà des relations interpersonnelles entre individus, comporte deux caractéristiques dominantes : l'effort du Premier ministre Lévesque pour s'appuyer sur des conseillers de sa génération, et les avis partisans et stratégiques beaucoup plus que techniques que M. Lévesque reçoit de son entourage immédiat.

Les compagnons d'armes de M. Lévesque, ces gens du même âge que lui et qui ont vécu les années de la Révolution tranquille au sein du parti libéral, puis ont fondé le mouvement Souveraineté-Association en 1967, ont tour à tour abandonné la partie. Marc Brière, aujourd'hui au Tribunal du travail (nommé par les libéraux) ne représente qu'un cas parmi plusieurs.

Peter Desbarats a bien décrit, dans son livre, comment les jeunes cadres permanents du M.S.A. ont peu à peu fait le vide autour de M. Lévesque grâce aux interminables réunions et discussions au sujet du programme, de la stratégie ou de la constitution du parti, et en accaparant, un à un, tous les postes de cadres permanents au sein de la structure.

La plupart des membres influents du Bureau du Premier ministre ont aujourd'hui trente-cinq ans environ. Ils sont attachés au parti depuis sa fondation, en 1968, et se connaissent entre eux depuis au moins dix ans. Michel Carpentier, par exemple (chef de cabinet adjoint de M. Lévesque), logeait déjà avec André Larocque (adjoint de Robert Burns) avant que le M.S.A. (puis le P.Q.) ne soit créé. Carpentier fut un des premiers cadres permanents du M.S.A. Il devint le plus haut cadre permanent dans la structure du P.Q., affecté à la personne même du président du parti, M. Lévesque. Depuis le 15 novembre, Michel Carpentier est demeuré le second personnage en importance au Cabinet personnel du Premier ministre.

Claude Malette et Michel Maheu sont de cette même génération, ont le même «look» et jouent des rôles clés dans les avis qu'ils donnent au Premier ministre de la même façon qu'ils occupaient des postes clés dans la structure décisionnelle du P.Q. avant 1976. Dans les milieux journalistiques, on les a surnommés «software» et «hardware». Claude Mallette est le concepteur des thèmes, le recherchiste qui prépare les dossiers que le gouvernement choisira d'accentuer. Au moment du débat radiophonique Lévesque-Bourassa de 1976, c'est lui qui, en studio, agissait comme conseiller de M. Lévesque. Celui-ci avait surpris son adversaire en préparant soigneusement, par écrit, ses interventions sur chaque grand thème du débat. C'est en de tels domaines que l'impact de M. Mallette se fait sentir.

Michel Maheu, lui, fut jusqu'en mai 1978 responsable de la quincaillerie (hardware). Ancien réalisateur cinématographique à l'emploi de l'Hydro-Québec, il occupa de novembre 1976 à mai 1978 une partie des fonctions que cumulait Charles Denis. Il était chargé de l'information générale et de l'image que le gouvernement péquiste voulait propager. MM. Malette et Carpentier sont présents lors des conférences de presse hebdomadaires du Premier ministre. (Michel Maheu œuvre maintenant au Bureau d'économie de l'énergie à Montréal).

Le quatrième membre du quatuor, Louis Bernard, apparaît détenir le plus grand pouvoir tout en constituant, sans doute, le personnage le plus énigmatique de l'entourage du Premier ministre. Il est un véritable homme de pouvoir. Il n'argumente pas contre M. Lévesque. (En fait, il n'y a que Mme Louise Beaudoin (Zonzon), jadis chef de cabinet du ministre des Affaires intergouvernementales, qui engueule le Premier ministre comme personne). Louis Bernard écoute beaucoup, n'oublie rien même s'il ne réagit pas ni ne dit ce qu'il pense. Il a démontré qu'il pouvait travailler avec aise auprès de gens qui ne s'entendent guère entre eux. MM. Lévesque et Burns par exemple. Son objectif est l'indépendance du Québec et les leaders ne paraissent pour lui que des instruments de cette longue marche vers l'indépendance. Louis Bernard demeure énigmatique car il peut passer inaperçu. Même Julien Chouinard, un autre mandarin des plus énigmatiques, était capable, à l'occasion, d'argumenter en faveur de telle ou telle recommandation à laquelle il tenait. Louis Bernard tient son pouvoir du fait qu'il semble désintéressé et objectif lorsqu'il rédige, par exemple, un mémo résumant les discussions du Conseil exécutif.

Il a occupé trois postes différents depuis novembre 1976, ce qui s'explique par son expérience diversifiée et se traduit par son âge un peu plus avancé que celui de ses jeunes collègues : il avait 39 ans lorsque le parti québécois forma le gouvernement ; il avait été haut fonctionnaire au ministère des Affaires intergouvernementales et était devenu chef de cabinet du Dr Camille Laurin en 1970. En 1976, il fut tout naturellement nommé chef de cabinet du Premier ministre Lévesque, mais fut bientôt pressenti pour remplacer Guy Coulombe comme secrétaire général du Conseil exécutif.

Sans perdre son influence sur le contenu des politiques, il est donc retourné en 1977 à la haute fonction publique, d'abord comme sous-ministre de Robert Burns, puis comme successeur de Guy Coulombe. MM. Bernard, Carpentier, Malette et Jean-Roch Boivin demeurent les quatre seules personnes non élues à participer aux réunions du Conseil des ministres et du comité des priorités. Ils furent responsables, par leurs avis, des succès législatifs depuis 1976 autant que des erreurs de parcours, retraits de projets de lois, stratégies douteuses et autres «trouvailles du siècle». Sur le plan de l'impact que tel ou tel projet de loi pouvait avoir sur les militants, leurs conseils ont souvent été décisifs. Par la sélection des avis qu'ils formulent au Premier ministre, par les liens qu'ils assurent entre les différents comités du Conseil des ministres, ils demeurent l'âme et le nerf coordonnateur du parti québécois et du gouvernement de M. Lévesque.

Durant la première année de pouvoir en particulier, le Premier ministre aurait souhaité s'appuyer davantage sur les avis de vieux compagnons d'armes. Pour faire contrepoids aux Louis Bernard,

Michel Carpentier, Claude Malette, André Larocque et Michel Le-
guerrier (membre du cabinet politique du ministre d'État Bernard
Landry), M. Lévesque ne comptait que sur Jean-Roch Boivin, conseiller spécial puis chef de cabinet. Celui-ci s'était lié d'amitié avec
M. Lévesque lors de l'élection de 1962, alors qu'il agissait comme
conseiller juridique de l'association libérale du comté de Laurier.
Alors que René Lévesque parcourait la province en vendant l'idée
de la nationalisation de l'électricité, Jean-Roch Boivin veillait à ce
que « les adversaires politiques du ministre ne lui volent pas son
comté ». Il fut donc un fervent militant libéral avant de fonder le
M.S.A. avec M. Lévesque. Il avait connu les mêmes expériences politiques et était de la même génération que le Premier ministre. Mais
c'était le seul.

M. Trudeau, lui, était devenu Premier ministre à Ottawa en
comptant sur au moins deux vieux amis, Gérard Pelletier et Jean
Marchand, au sein du Conseil des ministres et un vieux compagnon
de route à qui se confier, Jacques Hébert.

À Québec, huit ans plus tard, les observateurs notaient l'isolement autour de M. Lévesque, au point que l'ancien lutteur Jean Rou-
geau fut décrit (ce qui était faux) comme le meilleur ami du Premier
ministre. La solitude du pouvoir, la perte relative de liberté de mouvement et la volonté des gardes-du-corps d'envahir sa vie privée,
suscitèrent chez M. Lévesque des ajouts d'importance à son cabinet
personnel à compter de 1978.

Il tenta d'abord de « débaucher » André Bellerose de son poste
de chef de cabinet de Rodrigue Biron, leader de l'Union nationale.
Bellerose avait été, dix ans plus tôt, cadre permanent du Mouvement
Souveraineté-Association. Après avoir œuvré sur la scène fédérale
auprès de Claude Wagner, il s'était joint au chef de l'Union nationale
et avait été perçu comme étant à l'origine des positions nationalistes
prises par l'Union nationale en 1977. Le leader parlementaire des
libéraux, Jean-Noël Lavoie, a même décrit l'U.N. comme un club
fermé du parti québécois à un certain moment. M. Bellerose a démenti (le 1er février 1978) qu'il passait au Bureau du Premier ministre et a annoncé qu'il restait à l'Union nationale « pour le moment ».
Il avait reconnu, en 1977, avoir des amis dans la plupart des cabinets
ministériels. Ses liens d'amitié avec certains ministres (Marc-André
Bédard entre autres) demeurent inchangés. L'offre lui était venue de
Jean-Roch Boivin dont il partage les préoccupations électorales et la
prudence (le conservatisme) dans le rythme des réformes.

Le Premier ministre obtint plus de succès auprès de MM. Eric Gourdeau et Yves Michaud. M. Gourdeau, ingénieur et économiste, était devenu conseiller de M. Lévesque en 1960 au moment où ce dernier commençait sa carrière politique dans le gouvernement Lesage. Avec Michel Bélanger, Éric Gourdeau avait été chargé d'organiser les structures du nouveau ministère des Richesses naturelles dont le premier titulaire fut René Lévesque. En 1963, il devint le directeur-fondateur de la direction générale du Nouveau-Québec et demeura à son poste jusqu'en 1968. En 1977, il devenait sous-ministre de Bernard Landry, ministre d'État au développement économique. En janvier 1978, M. Lévesque le nommait au poste de secrétaire des Affaires gouvernementales en milieu amérindien, qui relève directement du Premier ministre.[4] Sans minimiser les fonctions de M. Gourdeau, on nota qu'elles auraient pu tout aussi bien relever d'un autre ministre d'État, auquel M. Gourdeau aurait pu communiquer ses avis. Ce dernier, avec ses cheveux gris, fait contraste avec les plus jeunes membres du Bureau du Premier ministre. C'est pour cette raison qu'il est là, ont tranché certains militants en caricaturant sans doute un peu.

On ne le connaît en effet pas comme un compagnon de table du Premier ministre ou un couche-tard assidu. Ce fut néanmoins un compagnon d'armes de René Lévesque au moment où il passait des heures exaltantes comme ministre des Richesses naturelles. C'est à lui que M. Lévesque téléphonait, tard le soir, pour lui suggérer de lire tel article ou chapitre du livre qu'il était lui-même en train de lire et qui l'intéressait particulièrement. Cette dimension de l'intellectuel plongé dans l'action gouvernementale avait séduit M. Lévesque au moment où ce type d'individus se faisait encore rare dans la fonction publique québécoise (en 1960-61). En 1978, auprès de M. Lévesque, sa présence est perçue comme rassurante. De M. Gourdeau, le Premier ministre suscite les commentaires et teste ses hypothèses en matières socio-économiques.

Yves Michaud, lui, est le « drinking partner » et le couche-tard par excellence. Après la séance du soir de l'Assemblée nationale, il a partagé avec M. Lévesque repas, discussions et sommes de temps considérables depuis son arrivée en politique en 1966. Les deux sont journalistes de métier. Ils ont fait partie, en 1969, de l'opposition circonstancielle contre le bill 63 et, en 1973, M. Michaud a abandonné son poste de commissaire aux relations avec les pays francophones pour se porter candidat péquiste. C'est à sa recom-

---

4.   Voir *Le Devoir*, 28 janvier 1978, p. 10.

mandation et à celle de Jacques Parizeau, que le parti québécois s'est engagé, peu après, à subventionner la fondation du journal *Le Jour*, dans l'espoir de saboter *Le Devoir*.

M. Lévesque le nomma à son cabinet personnel, avec mission de le conseiller en matière de relations internationales du Québec au début de l'année 1978. Mais en moins de six semaines, Yves Michaud occupa une place prépondérante dans la coordination générale des activités du Bureau du Premier ministre et dans le nombre d'avis que M. Lévesque attendait de lui en matière de stratégie gouvernementale et d'affaires du parti. Bref, M. Lévesque semblait avoir réussi, en 1978, à ajouter à son équipe de conseillers du parti deux ou trois compagnons de route qui avaient suivi, d'une façon ou d'une autre, son cheminement politique depuis 1960.

Depuis 1976, les avis que M. Lévesque a retenus tiennent de cette philosophie plus prudente — davantage en tout cas que celle qu'auraient parfois apportée les plus jeunes conseillers. Contre l'agressivité des plus jeunes membres de son Bureau (qui formaient la structure du parti québécois de 1969 à 1976), M. Lévesque parut, en effet, retenir davantage les avis de l'économiste Pierre Harvey d'abord, puis ceux du stratège Jean Roch Boivin.

L'économiste Pierre Harvey était perçu, jusqu'en 1976, comme l'un des conseillers les plus écoutés de René Lévesque, sinon comme le plus écouté de tous. C'est sur son avis que le président du parti québécois avait préconisé la souveraineté-association comme régime économique. Certains membres du parti mettaient plutôt l'accent sur l'indépendance, suivie d'accords d'association. Il recommanda aussi de conserver la même monnaie alors que Pierre Vallières, par exemple, réclamait une monnaie propre au Québec comme attribut de l'indépendance, au même titre que le drapeau ou le siège aux Nations-Unies.

Lorsque M. Harvey fut élu conseiller au programme, les journaux prédirent que la question formulée lors du référendum le serait en termes de souveraineté-association et non pas d'indépendance puisqu'il préconisait un tel régime. Deux ans plus tard, à la fin de 1978, on note que M. Harvey s'est uniquement révélé une éminence grise en matière de politiques économiques. Ses avis le placent dans la catégorie des prudents au sein du parti. Franchement, disent les péquistes de Montréal-Centre, on ne s'attendait pas à des projets économiques plus radicaux avec Jacques Parizeau comme ministre des Finances et Pierre Harvey comme éminence grise du Premier ministre.

C'est plutôt Jean-Roch Boivin qui devint le principal conseiller de M. Lévesque dès les premiers jours de la prise du pouvoir. C'est de lui que le Premier ministre retenait les avis, lui que M. Lévesque écoutait avec le plus d'attention en ce qui a trait à la stratégie générale à moyen et long termes. Il détenait, au départ, le titre de conseiller spécial; et ses fonctions au Bureau du Premier ministre n'étaient pas très bien délimitées. Alors que le chef de cabinet (Louis Bernard) était le principal conseiller de la stratégie législative au jour le jour, et que le chef de cabinet adjoint (Michel Carpentier) maintenait les liens avec les députés et le parti, Jean-Roch Boivin discutait avec le Premier ministre du comportement général du gouvernement en vue de sa réélection. S'il avait, au début, le même titre que Paul Desrochers au sein du gouvernement précédent, Jean-Roch Boivin est, comme lui également, chef du « bon patronage » mais il n'a pas la même discrétion. On en obtint un indice lorsque, dès son entrée au Bureau du Premier ministre, M. Boivin accordait déjà une entrevue à un journaliste et déclarait qu'il ne s'occuperait pas des grands dossiers économiques et seules les questions politiques relèveraient de sa compétence. Il avait été l'un des douze membres-fondateurs du Mouvement Souveraineté-Association, puis avait été directement mêlé aux discussions, débats et tractations qui faillirent faire éclater le parti québécois naissant. Spécialiste des relations de travail, il avait été l'homme tout indiqué pour arbitrer les revendications et négociations entre les anciens membres du R.I.N., R.N., M.S.A., et P.S.Q.

À la fin de 1977, il accéda au poste de chef de cabinet du Premier ministre et fut perçu comme celui qui tua dans l'œuf le remaniement ministériel. On se mit même, parmi les députés péquistes, à l'appeler « mon oncle Jean-Roch », par allusion évidente à « l'oncle Paul » Desrochers du gouvernement Bourassa. M. Boivin, qui n'a jamais caché sa vision électoraliste de la politique, convainquit le Premier ministre des dangers d'un remaniement qui jetterait « la bisbille dans la gang » quelques mois à peine avant le référendum. [5] Le contenu du message inaugural de février 1978 (le premier qu'influença si clairement le nouveau chef de cabinet) fut également perçu comme électoraliste, prudent et conservateur à l'approche du référendum. Aucune vision progressiste en réformes sociales ou culturelles, disait-on dans Montréal-Centre, mais plutôt un plaidoyer contre des expectatives qui ne pourraient être remplies durant la session parlementaire de 1978. [6] M. Lévesque se laissa donc influen-

---

5. Jean-Claude Picard, *Le Devoir*, 1er mars 1978.
6. *Journal des débats de l'Assemblée nationale*, 21 février 1978, pp. 2-9.

cer, en 1978, par les avis de ministres plus prudents et « cet entourage semble de plus en plus dominé par un personnage clé, M. Jean-Roch Boivin », écrivait *Le Devoir*.

En fin de compte, en 1978 comme en 1977, le Premier ministre Lévesque a bien quelques « drinking partners », mais on ne lui connaît pas d'amis. La sécurité ou la discrétion entourant sa vie privée accentue sans doute cette apparente solitude. Pourtant en 1978, au contraire de 1977, quelques compagnons de route sont de nouveau en contact quotidien avec M. Lévesque, non seulement tard le soir, après la journée de travail, mais aussi au Bureau même du Premier ministre.

Mais si les habitudes de vie du Premier ministre (et de la moitié de son Conseil des ministres, groupe de couche-tard et de fêtards) n'ont pas changé, ses habitudes de travail, elles, se sont transformées. René Lévesque est devenu plus systématique (au sens de système programmé); il mène les débats au Conseil des ministres en animateur hors pair et domine son cabinet personnel. Il demeure brouillon en ce sens qu'il se fait remarquer par ses intuitions (il est perçu comme intuitif plutôt que cérébral). Il n'a plus d'absences inexpliquées comme on lui en connaissait il y a cinq ou sept ans. Dans ces réunions du conseil (formé de ministres néophytes en politique), M. Lévesque arrive à l'heure fixée et anime les débats comme on ne l'avait jamais vu faire en dix-sept ans de vie politique.

Les gens que l'on retrouve à son cabinet personnel, il les transcende tous. Il les domine. C'est lui qui rédige encore ses textes importants et prend, seul, toutes les décisions majeures. En ce sens, le cabinet personnel du Premier ministre joue un rôle fort différent de celui de Robert Bourassa.

Pourtant, ces membres du Bureau du Premier ministre n'ont pas la force de caractère et le brio intellectuel que recherchait le ministre René Lévesque en 1960. Son entourage de cette époque, on en parle encore comme étant un modèle du genre. On l'avait baptisé le « groupe B.C.G. » (Michel Bélanger, Pierre-F. Côté et Éric Gourdeau). Bernard Landry a agi par ailleurs, un temps, comme attaché de presse; puis Jean-Guy Frédette, qui devint sous-ministre dix ans plus tard.

Intellectuellement, M. Lévesque ne paraît plus rechercher, en 1977-78, ce type de personnes qui, de façon soutenue, le « tasseraient » comme Michel Bélanger l'a fait pendant quatre ans — ce qui a abouti non seulement à la nationalisation de l'électricité, mais aussi à la création de la Régie des rentes, de sociétés d'État responsables de la planification, etc. Dans tous ces cas, on disait à Québec que Michel Bélanger en a vendu l'idée au ministre Lévesque qui l'a, à son tour, vendue au Premier ministre Lesage.

L'impact de Michel Bélanger* sur René Lévesque était tel que celui-ci craignait les réactions de son conseiller, lorsqu'il décidait spontanément, de six mois en six mois, de remettre sa démission. Il demandait alors à ses collaborateurs de préparer le déménagement, de préparer des photocopies de tous les dossiers pour son successeur... mais il les prévenait de ne pas en parler à Michel !

Ce type de conseillers, M. Lévesque le recherche tellement peu, depuis novembre 1976, qu'on n'hésite pas à dire qu'il travaille endessous de ses moyens. Pourtant, notons-le, le contexte n'est plus le même puisque ce rôle intellectuel, le Premier ministre l'a plutôt confié au Conseil des ministres et, en particulier, à ses ministres d'État.

Les souverainetés rivales

Dans un parti dont le ciment est une idéologie ou conception de la société, le goût du pouvoir n'efface pas l'esprit critique. Les discussions viriles, qui se déroulent en particulier au Conseil des ministres, tiennent en fait à des conceptions divergentes de la société québécoise. Il s'agit sans doute, dans plusieurs cas, de différences de nuances. Le 19 novembre 1976, Gérard Bergeron avait (quatre jours après la prise du pouvoir) distingué trois groupes de péquistes qu'il avait baptisés les « nationaux », les « sociaux » et les « politiques ». Comme ces objectifs (révolution nationale ou révolution sociale) ne pouvaient être atteints en même temps, le choix des priorités délimiterait les deux camps.[7] Le troisième groupe, les « politiques », est formé de ministres et de militants qui sont perçus comme conservateurs parce qu'ils fixent des étapes et des échéances, plutôt que de mettre en branle toute une série de réformes en même temps dans tous les secteurs de l'activité gouvernementale.

Claude Morin, qui réussit en 1974 à convaincre le parti de promettre un référendum sur la question de l'indépendance, est ainsi perçu comme le plus politique de tous. En mars 1978, après 500 jours

---

* Dans une intéressante série d'articles publiée en août 1978, le journaliste Gérald Leblanc notait que M. Lévesque consulte encore Michel Bélanger de temps à autres. *Montréal-Matin*, 14 au 17 août 78.

7. « Révolution sociale ou révolution nationale : Le parti québécois et les dilemmes du pouvoir », *Le Devoir*, 19 novembre 1976, p. 5.

de gouvernement péquiste, il disait: « Au sein du parti et du gouvernement, il y en a qui croient que le Conseil des ministres peut tout faire, tout changer, et qui me décrivent comme conservateur. Mais moi, je sais depuis 1960-1966 à quel point le déroulement des travaux parlementaires et la création de commissions d'enquête avaient tout ralenti, avaient refroidi l'impression de pouvoir tout changer qui nous animait au moment de la victoire de 1960. »[8]

L'objectif des « politiques » a été décrit comme étant l'étapisme. Puisque la prochaine étape est le référendum, quelles mesures législatives contribueraient à favoriser un vote positif et quelles autres mesures, moins populaires, devraient au contraire être retardées, voilà le type de questions que définissent les « politiques ».

Dans le domaine des priorités budgétaires, le ministre des Finances, Jacques Parizeau, est perçu comme appartenant à ce groupe stratégique. L'accroissement du budget du ministère de l'Agriculture, par exemple, susciterait de la part des cultivateurs un vote favorable aux thèses péquistes. Comme catégorie socio-économique, les cultivateurs avaient favorisé les candidats péquistes en 1976, après s'y être massivement opposés en 1970 et 1973.

De même, Marcel Léger est perçu comme un promoteur de l'organisation et de la mobilisation plutôt que des grandes idées socio-économiques.

Au niveau plus partisan, les « politiques » favorisent volontiers l'octroi de tel ou tel contrat à une étude légale (bureau d'avocats), plutôt qu'à une autre, parce qu'autrement elle contribuerait à la campagne de financement d'Action-Canada, ce groupement pré-référendaire qui favorise le rejet de la thèse péquiste. La fréquence d'une telle argumentation dans les cabinets ministériels paraît révéler qu'en 1978 les « politiques » sont les plus puissants au sein du Conseil des ministres et dans l'entourage de ces ministres clés.

En outre, les membres les plus influents du Bureau du Premier ministre (on l'a déjà noté) sont animés des mêmes préoccupations: ne pas brûler les étapes, ne pas faire peur au monde en accumulant les réformes souvent mal comprises d'une majorité de l'électorat.

Les « nationaux », ce sont les péquistes qui accordent la primauté à l'objectif de l'indépendance. Les « sociaux », sont ceux qui donnent plutôt la préséance aux valeurs de la social-démocratie. Les

---

8. Emission « The Inner Circle », 13 mars 1978, CBMT.

premiers mettent l'accent sur l'épanouissement de la langue et de la nation. Les seconds, sur les réformes sociales. En 1970, note Bergeron, c'est le langage des péquistes « nationaux » qui dominait. La voix des « sociaux » fut plus pleine en 1973. Mais voilà deux objectifs difficilement accessibles en même temps. [9]

Ainsi, le vrai pouvoir, en 1977, ce fut en ce sens la préséance accordée au projet de loi 1, qui devint bill 101, et le refus du Conseil des ministres de retirer ou de nuancer certains paragraphes de ce projet de loi: celui ayant trait à la langue des tribunaux et celui refusant l'accès à l'école anglaise aux nouveaux Québécois venus d'autres provinces canadiennes. Or, le Premier ministre lui-même ne convainquit pas une majorité de ses collègues du caractère intransigeant de ces mesures. Le vrai pouvoir, à ce moment, c'est Camille Laurin qui le détenait. Au sein du parti québécois, ses thèses sont partagées, entre autres, par les anciens membres du R.I.N. pour qui la langue et la nataion constituaient les préoccupations prioritaires. Le Dr Laurin a su convaincre la majorité de ses collègues du Conseil des ministres de la nécessité de mesures draconiennes.

Psychiatre de formation et excellent communicateur (il avait été rédacteur en chef du Quartier Latin durant ses années universitaires), le Dr Laurin avait été élu chef du groupe parlementaire du parti québécois en 1970. De 1970 à 1973, il assura le maintien efficace, à l'Assemblée et en commissions parlementaires, de la députation péquiste, un groupe d'à peine sept députés et d'encore moins de recherchistes. Il perdit son siège de député lors de l'élection de 1973, et son successeur à la tête des élus péquistes, Me Jacques-Yvan Morin, devint vice-Premier ministre en 1976. Pour sa part, le Dr Laurin fut nommé ministre d'État au développement culturel.

Au sein du parti, ce pouvoir du ministre d'État a pourtant paru s'exercer au détriment du ministre de l'Éducation, Jacques-Yvan Morin, dont on a d'ailleurs assez peu entendu parler durant la première année de gouvernement, même s'il occupait en plus le poste de vice-Premier ministre. Lorsque, le 11 octobre 1977, le *Journal de Montréal* annonçait en manchette l'imminence d'un remaniement ministériel dans lequel M. Morin perdrait son poste, certains y virent, à tort ou à raison, l'œuvre d'un membre du cabinet personnel du ministre d'État cherchant à étendre son emprise sur le parti et le Conseil des ministres.

---

9. *Le Devoir*, 19 novembre 1976, p. 5.

Jacques-Yvan Morin fait partie, pour sa part, (avec les ministres Marois, Lazure, Couture et quelques autres) du groupe des «sociaux». Au milieu des années 1960, il militait déjà au sein du parti socialiste du Québec (P.S.Q.) avec, entre autres, Robert Burns et Michel Chartrand. Dix ans plus tard, il fut entouré au Conseil des ministres, par ses collègues Jacques Couture et Denis Lazure qui s'attirèrent les critiques par leurs commentaires mal choisis et leur relative incompétence administrative durant les premiers mois du gouvernement.

Pierre Marois hésita longuement, pour sa part, avant d'accepter le poste de ministre d'État. Il suggéra plutôt au Premier ministre de lui confier une tâche plus légère. Il s'est avéré, au gouvernement, beaucoup plus timide qu'on ne le soupçonnait. Il demeure un des ministres préférés du Premier ministre, mais il ne s'est pas révélé, depuis deux ans, un porte-parole très puissant auprès de l'opinion publique ou auprès des militants.

Le cas de Robert Burns, enfin, paraît un peu particulier au sein de toutes ces souverainetés rivales. Il en était venu à détester personnellement René Lévesque et à le dire publiquement à quelques reprises, en 1975 et 1976. Au cours de l'émission radiophonique «Aux vingt heures», entre autres, en compagnie de l'éditorialiste Daniel Latouche, aujourd'hui membre du Bureau du Premier ministre, il avait émis des propos sévères contre «Don Quichotte qui lutte contre les moulins». Le député de Maisonneuve n'en constituait pas moins la figure de proue et le porte-parole du berceau du parti québécois, la région de Montréal-Centre, qui fit élire les premiers députés péquistes en 1970 et 1973 et qui vota ainsi pour l'indépendance du Québec. Il n'était pas question de référendum à cette époque. Les résolutions adoptées par les militants de cette région ont toujours paru les plus radicales au sein du parti: monnaie autonome, franciser les universités anglaises, construction de logements familiaux en grande quantité plutôt que de financer le stade Taillibert, etc. À cette époque, on faisait également grand état de la lutte interne entre participationnistes et technocrates; et les représentants de cette région constituaient le fer de lance de la conception «participationniste» de la vie politique.

Dans l'optique de ces militants, il ne s'agissait pas de prendre le pouvoir à tout prix; il fallait plutôt sensibiliser les gens au besoin de créer une société nouvelle plus égalitaire, plus juste et rigoureusement francophone. On prendrait le temps qu'il faudrait, mais pas question de compromis électoralistes.

L'arrivée du parti québécois au pouvoir ne provoqua pas à cet égard de très grandes surprises: la conception électoraliste de la vie politique paraît prédominer dans les hautes sphères du gouvernement, et la région de Montréal-Centre paraît plutôt minoritaire dans ces sphères d'influence. M. Burns n'obtint pas le ministère du Travail, ni celui de la Justice auxquels ses compétences personnelles et ses années de service dans le parti le destinaient. Au ministère d'État à la réforme parlementaire et électorale, il a connu à la fois de grands succès et des moments de lassitude et les observateurs à Québec perçurent la brève présence de Louis Bernard à ses côtés (il fut son sous-ministre d'août 1977 à avril 1978) comme un effort pour protéger les projets de lois sur la réforme électorale et sur les référendums et donner plus de consistance à la stratégie parlementaire dont Robert Burns était « l'officier de circulation », à titre de leader de la majorité à l'Assemblée. (Burns avait besoin d'être « coaché » par Bernard, disait-on comme en termes de hockey). Il aurait été indécent, en outre, de promouvoir directement Louis Bernard d'un poste éminemment partisan à celui de plus haut fonctionnaire de l'État sans un stage dans un des ministères. Déjà, depuis l'automne 1977, Guy Coulombe négociait les conditions de son départ du poste de secrétaire général du gouvernement. N'empêche que le choix de ce ministre d'État pour caser temporairement Louis Bernard était révélateur: M. Burns paraissait souvent erratique et fatigué.

Autant Robert Burns apparaît isolé au sein du Conseil des ministres, autant ses appuis demeurent solides auprès de la base militante du parti. Ainsi, chaque fois que ses tendances radicales se sont butées aux préoccupations électoralistes du Premier ministre et de son aile modérée, Robert Burns a invariablement reçu l'aide de la région de Montréal-Centre qui regroupe les militants de dix-sept comtés de l'île de Montréal. La présidente de ce groupement régional, madame Louise Harel, a son entrée chez tous les média d'information qui ne manquent jamais de faire écho à ses élans de contestation.

La tactique de Louise Harel consiste à porter le débat sur la place publique, chaque fois que le conservatisme et l'électoralisme des dirigeants du gouvernement menacent l'orthodoxie de la pensée péquiste, dont Robert Burns est le plus authentique symbole. Ses sorties publiques ne manquent pas d'irriter le Premier ministre, surtout lorsque madame Harel les colore du vocabulaire révolutionnaire. Dans des entrevues accordées au *Devoir*, et ailleurs, la présidente de Montréal-Centre a parlé, par exemple, des « zones libérées », se référant ainsi au langage de la guerre du Vietnam. En 1968, alors que le milieu étudiant se révélait exceptionnellement effervescent, madame Louise Harel était avec Claude Charron à la tête de l'Union générale des étudiants du Québec (UGEQ).

En février 1978, un hebdomadaire de fin de semaine titrait en page frontispice: Louise Harel, la seule femme qui tient tête à René Lévesque.

Mais la région de Montréal-Centre n'est pas le seul foyer de contestation au sein du P.Q. En 1977, la région de Ville-Marie, qui regroupe les militants péquistes des quatorze circonscriptions du nord et de l'ouest de l'île de Montréal, s'est engagée dans des résolutions tout aussi radicales. Comme quoi, moins qu'une question d'individus ou de conflits de personnalités, ce sont des conceptions différentes de la société québécoise qui séparent le gouvernement et certains militants montréalais du parti.

Ainsi, le rôle de René Lévesque paraît différent au sein du Québec et au sein du parti. Sa très grande place aux yeux de l'électorat québécois tient autant à la personnalité de M. Lévesque qu'à son projet de société. Au sein du parti, certains aspects plutôt dilués de ce projet ne font pas l'unanimité. M. Lévesque, de façon générale, n'a pas imposé sa ligne de pensée: il a laissé, au contraire, une grande marge de manœuvre à chacun de ses ministres. Ceci s'explique en partie à cause des conceptions différentes au sein du P.Q.; mais le rôle de «balancier» du Premier ministre demeure assez souvent décisif (mais pas toujours). M. Lévesque continue d'être plus populaire que son parti, ce qui le tient bien en selle au sein du gouvernement et des hautes structures du parti.

Les structures ont dominé toute la vie interne du parti et l'ont animée depuis 1969. Elles ont imposé, avec les années, des règles du jeu que même M. Lévesque ne transgresserait pas. En 1974, par exemple, un profond conflit entre l'aile parlementaire et l'exécutif national du parti avait conduit à un modus vivendi. Ce n'est plus à l'ensemble du Conseil national que le gouvernement actuel est tenu de soumettre ses projets politiques, mais à une commission permanente d'une dizaine de membres nommés à la fois par l'aile parlementaire et le Conseil national.[10] Pourtant, n'en doutons pas, ces luttes entre les diverses structures constituent en réalité des luttes de pouvoir et reflètent des rapports de force au sein du parti.

---

10. «Les rapports gouvernement-parti: Le P.Q. Ville-Marie relance le débat», *Le Devoir*, 25 mars 1977, p. 2.

Une lutte par structures interposées

Le vrai pouvoir au sein du parti québécois avait semblé émaner de ses structures démocratiques; il n'était plus question d'un pouvoir détenu seulement par un chef de parti, un organisateur en chef et un trésorier de la caisse électorale. Vera Murray a bien montré, dans un volume publié juste après l'élection du P.Q., à quel point les structures ont constamment joué un rôle important dans la prise de décision. [11] Raymond Saint Pierre raconte, pour sa part, que même durant la campagne électorale de 1976 il ne put communiquer directement avec René Lévesque pour lui proposer un débat radiophonique contre le Premier ministre Bourassa: il dut passer par la « structure » qui, elle, se révéla plus réticente que M. Lévesque. Mme Murray souligne, avec raison, que la gamme des diverses tendances au sein du parti ne se ramène pas de façon simpliste à des radicaux de gauche et des modérés de centre. Mais, en termes d'orientation générale, le conseil exécutif du parti est nettement moins épris de mesures ouvertement socialistes ou participationnistes que les militants de la base auxquels il prêche constamment le gradualisme. [12] En français plus direct, le Conseil exécutif, puis le gouvernement (depuis le 15 novembre) se sont révélés un pouvoir beaucoup moins radical que certains militants ne le souhaitaient.

Mais il faut noter aussitôt que les structures de base n'ont guère constitué un pouvoir ou n'ont guère exercé ce pouvoir depuis novembre 1976. Les hautes instances ont paru, elles, exercer un pouvoir plus visible à quelques reprises à compter de 1978. Ainsi, en mars, le caucus des députés, lors d'une journée passée à Trois-Rivières, a manifesté ses expectatives au gouvernement en des termes suffisamment urgents pour que l'orientation du régime devienne plus électoraliste, plus pragmatique. Les journaux [13] avaient fait état du malaise éprouvé par les députés: le gouvernement se dispersait, voulait mettre en marche trop de projets de loi trop hâtivement élaborés, ne communiquait pas aisément un projet de société trop vaste et encore trop peu concret. Cette réunion des députés péquistes hors des murs de Québec constitua la structure et l'occasion de manifester le pouvoir du caucus.

De même, à la fin d'avril 1978, le Conseil exécutif du parti exigea du Premier ministre qu'il fasse toute la lumière sur le rôle de trois

---

11. *Le parti québécois, de la fondation à la prise du pouvoir*, Montréal, HMH, 1977.
12. Voir l'analyse de Mario Cardinal dans *Le Devoir* du 5 mars 1977.
13. « Le P.Q. paraît essoufflé et inquiet » et « La trouille au pouvoir », *Le Devoir*, 18 mars 1978; *Journal de Montréal*, 25 février 1978, chronique de Normand Girard.

députés dans «l'affaire Fabien». Le journaliste André Dubois avait mis en cause le ministre Robert Burns, mais le ministre de la Justice, Me Marc-André Bédard, avait annoncé que le livre ne contenait que des insinuations qui ne requéraient pas d'enquête publique. [14] Le président de l'Exécutif du parti, Pierre Renaud, exigea alors que la lumière soit faite dans un domaine où l'intégrité a toujours constitué la marque de commerce du P.Q. Le ministre Burns dut alors faire une déclaration à l'Assemblée à ce sujet. [15]

Mais il ne s'agit pas de cas où certaines structures du parti, détenant un pouvoir réel, s'en sont pris directement et ouvertement au rythme d'implantation ou à la politique d'ensemble du gouvernement. Si on compare la situation de 1978 a celle de 1964-65 ou même à celle de la présidence du notaire Desrosiers en 1974-75, on se rend compte que des structures ont pu, dans le passé, être utilisées au sein du parti libéral du Québec comme instruments de pouvoir face au gouvernement. En 1977-1978, les réunions du Conseil national du parti québécois, ou celles du parti, n'ont guère été utilisées pour contester l'ensemble des activités gouvernementales. Seules certaines instances régionales, à Montréal, ont constamment pris position contre les thèses majoritaires. La partie du pouvoir réel qu'elles détiennent ne se compare guère à l'impact qu'a créé, en 1964-1965, la commission politique du parti libéral du Québec.

Cet état de fait trouve peut-être son explication dans la notion de «lutte par structures interposées». Ces structures servent d'arènes de luttes pour le pouvoir, et les décisions qui s'y prennent doivent être analysées en termes de ces relations de pouvoir, c'est-à-dire de l'existence de souverainetés rivales au sein du parti.

Ainsi, la décision du Conseil exécutif national de demander publiquement au gouvernement de faire la lumière sur le rôle de ministres péquistes dans la démission du juge en chef André Fabien aurait-elle été de même nature ou de même intensité, si un autre ministre que Robert Burns avait été visé? Il importe de savoir que le Conseil exécutif national est essentiellement composé d'inconditionnels soumis au Premier ministre. Ils ont d'ailleurs été élus à l'exécutif avec la bénédiction et sous le patronage de M. Lévesque, qui craignait comme la peste l'arrivée d'éléments radicaux.

À un autre niveau de ces structures interposées, il est par ailleurs important de constater la présence de représentants des divers

---

14. André Dubois, *Les Dessous de l'affaire Fabien*, Montréal Infelec, 1978, chap. 6.
15. Questions de privilège de MM. Robert Burns, Claude Charron, et Guy Bisaillon, *Journal des débats de l'Assemblé nationale*, 4 mai 1978, pp. 1287-1290.

groupes fondateurs du mouvement indépendantiste. André d'Alle-
magne, du RIN, effectue un retour sur la scène politique, à titre de
l'un des huit membres du comité chargé de recommander le libellé
de la question qui sera posée lors du référendum. Le Dr Lussier,
jadis ministre de l'Union nationale, s'est fait élire à la vice-présidence
du P.Q. Bref, au sein de la plupart des structures du parti, on retrouve
d'anciens membres du parti socialiste du Québec, du R.I.N., du
M.S.A., du Ralliement national et même de l'Union nationale.

Issus de diverses formations politiques disparues ou moribondes,
ces anciens militants indépendantistes des années 1960 ont conservé
leur conception originale de la vie politique (électorale ou participationniste), leurs préoccupations premières (nationales ou sociales)
et leur culte du chef. Pour les membres du P.S.Q. et du R.I.N., le
ministre libéral René Lévesque pratiquait le gradualisme et Jacques
Pariseau, conseiller économique de Jean Lesage, était un agent du
capitalisme d'État. Pour les autres, le succès original du P.Q. en 1970
doit être attribué aux qualités charismatiques de son chef porté à
un dessein providentiel.

Une grille d'analyse comprenant toutes ces anciennes formations politiques et ces trois variables permet de mieux soupeser les
coalitions circonstancielles qui se créent au Conseil des ministres
chaque mercredi, et d'expliquer ainsi telle ou telle décision qui en est
issue. Elle souligne, également l'importance de l'autorité morale que
détiendra le Premier ministre (comme balancier) aux moments clés
de ce régime. Déjà, on a ainsi noté que l'exercice du pouvoir exécutif à Québec, depuis 1976, n'avait rien de quasi-présidentiel en dépit
de ce que le programme du parti ait pu comporter à ce sujet. Le
Bureau du Premier ministre, pour sa part, sert de personnel de soutien et de centre de coordination des dossiers, beaucoup plus que
de repaire d'éminences grises.

Le vrai pouvoir se situe plutôt, sous ce régime-ci, chez les
groupes fondateurs sur lesquels s'appuient les diverses tendances au
sein du Conseil des ministres.

Déjà, depuis 1974, Claude Morin est perçu comme un des principaux stratèges électoraux du parti, tandis que Robert Burns apparaît
comme le principal porte-parole de la conception « ouvriériste » du
P.Q. En 1977, le Dr Camille Laurin est devenu le héros des militants
nostalgiques de la glorieuse époque du R.I.N. et des autres mouvements nationalistes.

Depuis l'été 1978, le chef du parti libéral du Québec, M. Claude
Ryan, aime à souligner que le Premier ministre Lévesque donne

l'impression de se « sentir coincé, très soucieux des réactions de MM. Laurin et Parizeau, chaque fois qu'il fait une déclaration ». [16] Or, ces deux ministres doivent leur influence au fait qu'ils furent, depuis novembre 1976, des concepteurs de politiques au même titre qu'ils avaient été, une décennie plus tôt, les conseillers techniques, les sous-ministres, en somme les mandarins du pouvoir sous la Révolution tranquille.

---

16. *The Gazette*, 15 juillet 1978, p. 4.

HUITIÈME CHAPITRE

LE POUVOIR AU SEIN DE L'APPAREIL GOUVERNEMENTAL

Dans la nuit du 15 au 16 novembre 1976, René Lévesque disait à Pierre Marois et au maire Marcel Robidas de Longueuil: « On a gagné l'élection; il faut maintenant gagner le pouvoir. » C'est là aussi une dimension de ce que les Américains appellent « the leadership test». Il s'agit à la fois de mettre sur pied une équipe de ministres qui transformeront en lois les engagements du parti québécois, et de dominer les hauts fonctionnaires qui assurent, eux, la continuité des dossiers d'un gouvernement à l'autre. C'est tout à fait le sens des propos tenus par M. Lévesque, le soir de la victoire.

Depuis quinze ans, en effet, c'étaient les hauts fonctionnaires qui détenaient les grands dossiers et présidaient à l'élaboration des projets de loi ainsi qu'à l'exécution des décisions gouvernementales. Depuis l'arrivée du P.Q. au pouvoir, la situation est sensiblement changée. Les hauts fonctionnaires sont de plus en plus encadrés, étroitement surveillés, en perte nette d'influence. On a noté un déplacement du vrai pouvoir de conception des politiques vers les officines de ministres. Les lois importantes de ces deux premières années du régime péquiste ne sont pas l'inspiration des mandarins de la fonction publique, mais émanent en droite ligne du programme du parti et des congrès de la base militante. (v.g. loi sur le financement électoral; loi des référendums, loi sur l'assurance-automobile). En décembre 1977, M. Lévesque soulignait d'ailleurs que l'adoption de ces lois avait généré la formation d'une équipe maintenant aguerrie, efficace. C'est en somme la stratégie du ballon-panier qui a servi de « pattern » décisionnel, plus qu'une structure hiérarchique.

À son arrivée au Bureau du Premier ministre, le nouveau chef de cabinet, Jean-Roch Boivin, s'est un moment comporté comme un chef d'état-major, téléphonant aux ministres pour leur dire: « ton 'ostie de dossier est mal foutu. Je te le retourne. » Tout comme l'enfant qui s'extasie devant les films de cowboys à la télévision, Jean-Roch Boivin qui avait lu des témoignages sur les exploits de Paul Desrochers lui enviait la réputation de puissance. Mais il s'est vite rendu compte que ce comportement d'organisateur électoral, de chef de patronage, n'était plus de mise avec ce gouvernement élitique. Les manières de charretier de Jean-Roch Boivin n'ont pas manqué d'indigner ces nobles ministres, qui s'en sont plaints à M. Lévesque. Le Premier ministre a fait comprendre à son chef de cabinet qu'il fallait changer de ton.

En fait, une bonne demi-douzaine de ministres sont aussi intelligents que le Premier ministre[1], et d'autres se sont révélés de compétents « chevaux de labours » qui travaillent fort, de sorte que M. Lévesque leur accorde la même liberté d'action qu'il avait obtenue lui, avec le Premier ministre Jean Lesage de 1960 à 1966. Pour la plupart issus de la petite bourgeoisie québécoise et du milieu universitaire, ces nouveaux ministres n'avaient pas du tout l'intention d'expérimenter l'exercice du pouvoir sous le joug d'une faible copie de l'ancien Desrochers. Les rapports entre ces ministres et le chef de cabinet de M. Lévesque se sont finalement quelque peu améliorés, mais un malaise certain persiste. La sécurité de Jean-Roch Boivin tient surtout au fait qu'il est l'unique gardien des affaires intimes du Premier ministre et des dossiers les plus délicats du gouvernement.

Plus que jamais auparavant le Conseil des ministres établit les politiques, de façon collégiale. La haute fonction publique, par contre, exerce un pouvoir incertain, ne serait-ce que parce que les ministres (à une ou deux exceptions près) ont cherché à procéder sans elle. Ce sont les deux volets que l'on distinguera maintenant, le pouvoir de conception des politiques et celui de l'exécution des décisions.

La formulation des politiques

On a relevé trois aspects marquants des lois adoptées à l'Assemblée nationale, depuis le 15 novembre 1976: le pouvoir des structures auquel semblent croire les dirigeants péquistes, le pou-

---

1. Le journaliste Allan Fotheringham a écrit, un jour, que dans tout autre pays que le Canada un homme aussi intelligent (« bright ») que Lévesque serait Premier ministre du pays !

voir des ministères d'État de les concevoir, et le pouvoir collégial du Conseil des ministres... d'en dénaturer parfois le sens original.

1. Le changement par les lois

La plupart des gouvernements, dans nos sociétés occidentales, attendent l'évolution des mentalités pour amender telle ou telle loi, pour modifier le code pénal ou pour interdire telle ou telle pratique. La loi consacre alors dans les textes le nouvel état réel des choses. Ces gouvernements se fondent sur les prémisses suivantes: ce ne sont pas des lois et des règlements qui vont changer la réalité.

Le gouvernement péquiste s'est au contraire appuyé sur le pouvoir qu'ont les lois de changer la réalité. «De nouvelles lois et de nouvelles structures peuvent changer la réalité dans le domaine municipal», disait en février 1978 le ministre Guy Tardif, l'un des ministres les plus efficaces à faire accepter ses propositions législatives par les divers échelons de l'appareil gouvernemental: le Comité des priorités, le Conseil du Trésor puis l'Assemblée nationale. Le ministre Tardif reflète bien, en ce sens, le point de vue du parti québécois.

Ce n'est pas là une conception de la politique qui s'appuie sur le consensus; c'est plutôt une volonté de réforme qui fait du gouvernement un fer de lance du changement au sein de la société, qui en fait l'avant-garde de la prise de conscience collective. Ce pouvoir des lois et des nouvelles structures, deux groupes le ressentent au sein du Conseil des ministres, l'un plus pragmatique et l'autre plus contraignant, mais tous les deux réformistes et tous les deux conscients de l'impact des lois et des structures pour modifier les mentalités.

Le premier groupe compte en ses rangs le Premier ministre Lévesque, les ministres Claude Morin, Pierre-Marc Johnson, Jacques Parizeau, Denis Vaugeois, Pierre Marois et quelques autres. On le décrit comme étant plus libéral; il définit avec optimisme l'art du possible et crée des secteurs-témoins au milieu d'activités largement dominées par l'entreprise privée multinationale. Ce groupe perçoit les limites de l'activité étatique au Québec, il y fixe des objectifs plus modestes que certains ne le souhaiteraient. Compte tenu de ces contraintes, ce groupe se perçoit plutôt comme réaliste et pragmatique.

L'autre groupe au sein du Conseil des ministres sans doute majoritaire, il est davantage nationaliste; il s'est fixé des objectifs de révolution culturelle, il veut mettre sur pied un grand projet

collectif. Le Dr Camille Laurin, à cause de sa loi 101 et de son
Livre blanc sur le développement culturel, est perçu comme son
principal porte-parole. Or ce Livre blanc, comme certains articles de
la loi 101, ne projette pas une vision stimulante, dynamique du
développement culturel et linguistique. C'est plutôt une vision de
conservation qui s'en dégage et, dans ce domaine en tout cas, ce
groupe détient le vrai pouvoir, au point de mettre même le Premier
ministre en minorité.

Durant les premiers dix-huit mois du gouvernement péquiste,
les réunions du Conseil des ministres duraient des heures et des
heures, chacun voulant y apporter « tout l'acquis qu'il a dans la vie »,
disait un jour M. Lévesque. Cela ne donnait pas nécessairement
des séances de travail aussi productives que certains le voulaient,
mais ces réunions demeurent le lieu privilégié des prises de décision
en ce qui a trait aux grandes politiques de ce gouvernement. Nuan-
çons tout de suite. La conception des politiques est l'œuvre indivi-
duelle des ministres et de leur cabinet personnel. Ceci est particulièrement vrai des ministres d'État. Mais le Conseil des ministres
discute collectivement et abondamment de chaque proposition d'un
ministre, et alors seulement celle-ci devient projet de loi. Dans plusieurs cas, dont celui du Livre blanc sur le développement culturel,
le projet fut dilué pour satisfaire le plus grand nombre de ministres.
Dans le cas de ce Livre blanc, Michel Roy notait que le chapitre sur
les media avait été vidé d'une bonne partie de son contenu innovateur
(par rapport à des versions précédentes qu'il avait pu lire) et il attri-
buait cette dilution aux consultations des divers ministres sectoriels.
Lise Bissonnette notait un peu le même phénomène, dans les chapitres sur l'éducation.[2] Ainsi, le Conseil des ministres s'est révélé
le lieu où se sont, non pas véritablement conçus, mais plutôt formulés
les textes des Livres blancs et projets de loi déposés à l'Assemblée
nationale.

2.   Les ministères d'État

Les « *policy-makers* », ceux qui conçoivent les projets de lois,
sont depuis 1976 membres du Conseil des ministres. Ce ne sont
plus en effet les sous-ministres ou conseillers techniques comme au
cours de la décennie précédente. Les conseillers, dont le Premier

---

2. Gouvernement du Québec, *La politique québécoise du développement culturel*,
   vol. 2, chapitres X, XI, XVIII, XIX et XX ; Michel Roy, émission « The Editors », CFCF-TV, 24 juin 1978 ; Lise Bissonnette, « Le Livre blanc et l'éducation : un simple collage », *Le Devoir*, 30 juin 1978, p. 25.

ministre Lévesque suscite les avis sont en ce sens des élus du peuple, ce qui constitue un élément de fierté chez les péquistes. On compte cinq ministres d'État qui jouent un rôle primordial à ce titre. Deux tâches leur ont été confiées: concevoir les grands objectifs législatifs et coordonner les comités interministériels mis en place dans les cinq grands secteurs d'activités gouvernementales: économique, culturel, social, l'aménagement du territoire et la réforme parlementaire. Comme titulaires, MM. Bernard Landry, Camille Laurin, Pierre Marois, Jacques Léonard et Robert Burns.

En fait, cette structure gouvernementale qui voulait permettre au Conseil des ministres de remplir ce rôle d'innovation a été empruntée à l'Ontario. Au Québec, la formule a connu depuis deux ans des succès, dans la mesure où de ces cinq ministres et de leur cabinet personnel sont sorties les lois les plus marquantes du gouvernement péquiste. Elle a aussi indisposé parfois le Premier ministre et son entourage, par le fait que certains ministres d'État ont connu moins de succès que d'autres. Il s'agissait, au départ, avait-on dit au Bureau de M. Lévesque, d'éviter l'erreur de l'Ontario où les ministres d'État dominaient, voire écrasaient les ministres sectoriels. Le Premier ministre Lévesque voulait donc y nommer des gens (sauf Robert Burns) acquis à sa façon de concevoir l'action politique et la direction des affaires publiques, mais qui en même temps laisseraient une large autonomie aux ministres sectoriels dans la façon de concevoir les lois découlant de ces grands objectifs. Or, c'est à ce niveau que la personnalité des ministres a provoqué des remous.

M. Bernard Landry, à qui on n'avait d'abord pas songé pour le poste de ministre d'État au développement économique, a éprouvé des difficultés à coordonner ses efforts avec ceux des ministres sectoriels. Il a pris beaucoup d'espace; on a noté, par exemple, qu'à la conférence fédérale-provinciale de février 1978 c'est lui qui était le porte-parole de l'Agriculture et du Tourisme. Les ministres sectoriels n'étaient même pas présents. On a relié cette absence aux difficultés de coordination entre l'équipe des concepteurs et les ministres et sous-ministres sectoriels. On a noté la même présence envahissante chez le Dr Laurin mais on ne parle guère d'éducation malgré tous les problèmes de ce secteur.

MM. Pierre Marois et Jacques Léonard se sont révélés plus discrets, M. Marois est peut-être «gardé en réserve» en vue du référendum. «C'est leur arme secrète», disait un observateur averti à Québec. Son image est demeurée intacte. Au sujet de Tricofil, par exemple, Mme Payette a essuyé les foudres de la critique; puis c'est

M. Marois qui a apporté l'octroi gouvernemental aux dirigeants de l'entreprise. M. Léonard, lui, a éprouvé des difficultés à faire accepter par ses collègues du Conseil des ministres ses projets de décentralisation[3] jugés trop théoriques et ses recommandations quant à l'aménagement du territoire, décrites comme vagues et floues. Pourtant, M. Léonard fait partie des «bons chevaux de labours» qui plaisent à M. Lévesque parce qu'ils mettent leur vanité ou coquetterie de côté, ne jouent pas à la vedette, et travaillent assidûment. Pour ces mêmes raisons, un des ministres sectoriels qui a connu le plus de succès est M. Guy Tardif, ministre des Affaires municipales. Celui-ci a réussi en 1977-1978 à faire adopter plus d'une demi-douzaine de projets de loi par le comité interministériel de l'aménagement, par le comité des priorités du Conseil des ministres, par le Conseil du Trésor, par le Conseil des ministres puis par l'Assemblée nationale, ce qui constitue un véritable tour de force. Passer à travers tant d'obstacles témoigne de la part du ministre Tardif d'un talent d'innovateur qui plaît au Premier ministre, d'autant plus qu'il n'existe pas de divergences idéologiques entre les deux hommes. En ce sens limité, le vrai pouvoir du ministre Tardif, c'est sans doute qu'il pourrait maintenant demander quelque chose à M. Lévesque (un bureau plus vaste, la nomination de tel ancien collègue à tel poste...) et qu'il l'obtiendrait.

Ces divergences idéologiques sont, au contraire, latentes dans l'inimitié que se vouent le Premier ministre Lévesque et son ministre d'État à la réforme parlementaire, Robert Burns. Le député de Maisonneuve, on le sait, se veut moins électoraliste. Il appartient au groupe décrit comme «participationniste». Il est du club des francs-tireurs et ne s'est pas gêné, en 1975 et 1976, pour remettre en question le leadership de René Lévesque. Sur la première ligne de front de l'opposition parlementaire péquiste dès 1970, il est devenu, avec la prise du pouvoir, l'un des cinq super-ministres du Cabinet, tout simplement parce que le Premier ministre ne pouvait faire autrement.

Mais en mai 1978, Robert Burns était terrassé par une crise cardiaque. La célérité avec laquelle on a procédé à son remplacement en Chambre et à l'extérieur a démontré qu'il était davantage craint qu'estimé dans les hautes sphères du pouvoir. Le temps de le dire, Claude Charron fut désigné pour assurer seulement l'intérim, disait-on au Bureau du Premier ministre, alors que tous les lucides

---

3. Voir à ce sujet l'analyse de Louis LaRochelle, «Une 'révolution culturelle' qui n'en finit pas de soulever des résistances», dépêche de la Presse canadienne, 5 mai 1978.

observateurs de la cité parlementaire savaient très bien que Robert Burns ne retrouverait jamais son siège de leader de la majorité. Claude Charron fut même autorisé à déloger Burns de son bureau du Parlement, et peu de temps après, il célébrait son ascension au même bar que les deux amis avaient l'habitude de fréquenter. Mais, plus significatif et important encore, c'est le déplacement de pouvoir qui venait de se produire en faveur d'une tendance plus modérée.

Depuis deux ans, les ministres d'État et leur cabinet personnel, en plus de concevoir les grands objectifs et de coordonner le travail de formulation des politiques, jouent un rôle d'écoute et de contrôle de ce qui se brasse dans les ministères sectoriels.

La plupart des membres du cabinet personnel de chacun des cinq ministres d'État viennent de l'extérieur de la fonction publique; ils sont des souverainistes de longue date et parfois des membres clés ou des cadres permanents de l'appareil du parti. Leurs contacts avec les ministres sectoriels et les hauts fonctionnaires s'effectuent au nom de la coordination administrative, certes, mais aussi en vue d'une conception des politiques qui soit fidèle à l'idéologie socio-démocrate et aux objectifs de « ceux qui ont fait la longue marche ».

3. L'arbitrage du Conseil des ministres

Alors que, de 1970 à 1976, la plupart des réunions du Conseil des ministres ne remettaient pas en cause les décisions prises dans l'entourage du Premier ministre et du ministre concerné, la situation s'est profondément modifiée depuis novembre 1976. Le Conseil des ministres a fréquemment fait la vie dure à des avant-projets de loi de tel ou tel ministre. Parfois le caucus des députés s'est mis de la partie. Lorsque de telles discussions donnent lieu à des compromis de dernière minute à la fin d'une session, le projet de loi qui est finalement adopté article par article en troisième lecture risque alors de comporter des ambiguïtés, voire des contradictions d'un article à l'autre.

L'adoption, par exemple, de la Loi 45 en décembre 1977 se fit dans des conditions telles que les révisions de dernière minute, approuvées par le Conseil des ministres, comportaient soixante-quinze amendements. Ceci fit dire à un juriste, membre d'une étude légale de Québec, que si les avocats avaient à cette époque effectivement perdu une partie de l'assurance-automobile, ils avaient par contre gagné le champ des relations de travail. La Loi 45, dite « anti-briseurs de grèves », par ces 75 amendements de dernière minute, constitue un fouillis monumental dans sa formulation et les interprétations juridiques qu'elle suscitera.[4] L'arbitrage du Conseil des ministres dans la conception des politiques témoigne ainsi de son vrai pouvoir, mais il crée aussi des ambiguités par les compromis qu'il impose au ministre titulaire et même au comité interministériel qui coordonne la formulation des projets de loi en matières sociales, culturelles ou économiques, et même dans le domaine de la fiscalité municipale et scolaire.

En juin 1978, M. Claude Paquette, président de la Fédération des commissions scolaires catholiques du Québec, affirmait que les propos que lui tenaient les ministres impliqués ne correspondaient pas aux lois votées par l'Assemblée nationale. L'implication de ces déclarations de M. Paquette, c'est que les politiques avaient été «mal rédigées», c'est-à-dire qu'elles tenaient compte des nombreux compromis — ou contradictions — découlant des réunions du Conseil des ministres. Face aux propos de tel ou tel ministre (différents de ce que disait le projet de loi), M. Paquette traçait le parallèle avec le régime précédent. Comme le Dr Gérard Hamel de la Fédération des médecins omnipraticiens du Québec, il avait déploré, de 1970 à 1976, l'apparente «faiblesse» de M. Bourassa et de son ministre titulaire, il eût souhaité pouvoir les rencontrer pour clarifier tel ou tel aspect. Depuis le 15 novembre, si l'accès à tel ou tel ministre paraît en général plus aisé, les propos que tiennent ces ministres sont par contre souvent tamisés par l'arbitrage du Conseil des ministres. De sorte qu'en fin de compte, l'incertitude risque d'être aussi grande!

En somme, la formulation des politiques a abouti, en deux ans, à une grande quantité de mesures réformistes adoptées par l'Assemblée nationale. Elle a pour objectif la transformation des mentalités, et elle se fonde sur les cogitations non pas de la haute fonction publique, mais plutôt des cinq ministères d'État, auxquelles s'ajoutent les avis du Conseil des ministres. Dans bon nombre de cas, cependant, l'arbitrage du Conseil des ministres a retardé l'adoption de projets, et il a même parfois dénaturé le projet initial du ministre.

Des fonctionnaires clandestins?

Au sein de la fonction publique, trois caractéristiques ont marqué les deux dernières années, tant sur le plan de l'élaboration des politiques que sur celui de leur exécution: les cabinets personnels de ministres remplissent des fonctions dites «*line*» et se substituent ainsi aux fonctionnaires; des hommes clés, sympathiques au parti

---

4. Émission «Présent québécois», 8 février 1978.

québécois, ont été insérés dans la structure même de certains ministères, le plus souvent à titre de sous-ministre adjoint; et enfin les intérims dans la haute fonction publique ont sapé le pouvoir des fonctionnaires, tellement ils se sont prolongés durant des mois et des mois.

1. Des conseillers qui jouent aux fonctionnaires

L'administration publique établit des distinctions très nettes entre les fonctionnaires qui remplissent des fonctions dites *« line »*, et les conseillers qui font rapport directement au ministre (ou au sous-ministre) et qui remplissent des tâches dites *« staff »*. Les membres de cabinets personnels de ministres ont toujours joué des rôles de conseillers du ministre — des fonctions dites *« staff »*. Ils ont beau obtenir leur permanence au sein de la fonction publique, ils n'en font pas moins partie du cabinet politique du ministre; ils sont le plus souvent des partisans et ils conseillent le ministre dans l'élaboration des projets de loi et l'administration « politique » des dossiers. Or, depuis 1976, ils s'insèrent au contraire dans la hiérarchie administrative des fonctionnaires du ministère. En effet, non seulement effectuent-ils eux-mêmes la cueillette des données sur lesquelles s'appuieront les politiques ministérielles, mais ils donnent aussi des instructions aux fonctionnaires dans l'exécution des politiques de leur ministère.

Ce qui frappe d'abord, c'est que depuis novembre 1976, dans plusieurs ministères, le sous-ministre n'assure plus la continuité des dossiers du ministère. Les ministres qui furent eux-mêmes des hauts fonctionnaires durant plusieurs années continuent d'être, si l'on peut dire, leurs propres sous-ministres. En outre, les ministres commencèrent leur travail en s'appuyant à peu près uniquement sur les cabinets personnels, tous formés de gens de moins de trente-cinq ans. En 1977, seul le ministre Yves Bérubé s'est appuyé sur M. Daniel Perlstein, son haut fonctionnaire, dans la conception et la défense en commission parlementaire de son projet de loi créant la Société nationale de l'amiante. Peut-être le gouvernement péquiste n'a-t-il pas voulu consciemment démoraliser la haute fonction publique, mais il ne lui a même pas donné le temps de mettre des bâtons dans les roues: les cabinets personnels de ministres se sont tout de suite mis à l'œuvre dans la cueillette des données, en ne se fiant pas aux données ou avis qui viendraient des fonctionnaires.

Les ministres ont même demandé à de jeunes consultants de regarder de plus près les dossiers que leur soumettaient les hauts fonctionnaires. Le procédé confère un vaste pouvoir à ces consultants choisis hors des rangs de la fonction publique. Les hauts fonctionnaires ont réagi, selon les cas, de deux façons différentes. Certains ont appris de la bouche du ministre que leur projet avait été rejeté sur avis du consultant; ils ont alors souhaité pouvoir au moins rencontrer ces consultants en présence du ministre («Qu'ils consultent qui ils veulent, mais qu'ils le fassent devant nous. On verra lequel des deux va manger l'autre.»). D'autres, après un premier moment d'irritation, ont accepté cette consultation externe, puisqu'elle «permettait de vulgariser au bénéfice du ministre un rapport hautement technique». Citons un cas fréquemment mentionné à Québec. L'un des sous-ministres adjoints aux Communications, M. Gaston Beauséjour, avait préparé une étude sur le parc ordinateur du gouvernement, une étude technique de trois à quatre cents pages, dont l'objet était les perspectives d'avenir quant au mode d'acquisition ou de location des ordinateurs d'ici 1980. Cette étude fut soumise au Conseil du Trésor, qui en fit son propre sommaire pour présentation aux ministres membres de ce Conseil. C'est alors que le Président du Conseil, M. Jacques Parizeau, demanda à un conseiller en informatique, son ancien élève des Hautes études commerciales, de vulgariser le rapport et de lui formuler ses commentaires. La première réaction du sous-ministre Beauséjour fut la surprise, face à l'apparition de ce consultant de l'extérieur («le pouvoir des intrus», a-t-on pu entendre à cette époque). Plus tard, il a cependant reçu l'assurance que le ministre Parizeau avait effectivement discuté des recommandations du consultant avec le secrétaire-adjoint du Conseil du Trésor (un haut fonctionnaire), et en fait les recommandations ont non seulement été acceptées mais elles ont même déjà commencé à être mises en pratique. «Beaucoup de fumée, mais pas de feu» derrière toute cette histoire, dira le sous-ministre Beauséjour. On note néanmoins le nouveau pouvoir des consultants venant de l'extérieur de la fonction publique aux dépens des hauts fonctionnaires. S'il fallait que ces jeunes consultants aient été choisis parce qu'ils avaient fait la longue marche au sein du parti québécois, on comprendrait les frustrations de certains hauts fonctionnaires...

Enfin, dans d'autres cas, les cabinets personnels de ministres ont carrément exercé des fonctions de type *«line»* en donnant des ordres aux fonctionnaires. Le cabinet personnel d'un ministre devrait être composé entièrement de fonctions *«staff»*, c'est-à-dire que tous leurs titulaires ne devraient communiquer qu'avec le ministre. Or, depuis 1976, on a fréquemment noté qu'un chef de cabinet de ministre prenait l'initiative de donner des ordres au sous-ministre (exemple: Mme Louise Beaudoin, jadis aux Affaires intergouverne-

mentales). Et, à un niveau inférieur, on a relevé des cas où l'attaché de presse du ministre donnait des ordres («formulait des vœux fermes») à des fonctionnaires de Communications-Québec en poste à Rimouski, Sherbrooke ou ailleurs. Relevons en particulier ce cas souvent mentionné à Québec. Le pouvoir des attachés de presse sur les fonctionnaires s'est exercé dans le cadre des tournées de consultation des ministres. À la suite de la publication d'un livre vert ou blanc plusieurs ministres ont voulu consulter les citoyens. Or, parce que les premiers à le faire en 1977 ont dû parfois affronter des salles hostiles, ceux qui leur succédèrent — c'est le cas en parti-
Or, parce que les premiers à le faire en 1977 ont dû parfois affronter des salles hostiles, ceux qui leur succédèrent — c'est le cas en particulier du ministre Claude Charron et de son livre vert sur les loisirs — voulurent limiter les risques. Lorsque l'attaché de presse de M. Charron téléphone au bureau de Communications-Québec à Rimouski pour dire: «Arrangez-vous pour qu'il n'y ait pas de chahut», il exerce alors une fonction de type «line», il donne ordre aux fonctionnaires de trier sur le volet les gens qui soumettront verbalement des mémoires au ministre. Ce pouvoir, tel qu'exercé depuis le 15 novembre par les attachés de presse ou chefs de cabinet de ministres, constitue néanmoins un glissement plutôt qu'une stratégie, dans la mesure où il paraît s'être effectué inconsciemment.[5] Dans ce processus de consultation, ces tournées constituent un nouveau procédé: il demeure difficile de trancher s'il s'agit de propagande d'un parti politique ou de consultation non partisane. Les règles de conduite imposées aux fonctionnaires ne devraient cependant pas être fixées par les membres du cabinet politique du ministre, encore que certains fonctionnaires sympathiques au P.Q. ne demandaient pas mieux (dans ce cas-ci) que de recevoir de tels ordres! Avant que l'attaché de presse du ministre Charron n'entre en action, il y a quelques mois, l'attaché de presse de tel ou tel ministre informait auparavant le directeur général des Communications, au ministère du même nom, que le ministre effectuerait une tournée. Le Directeur informait alors les bureaux régionaux de Communications-Québec qu'il fallait réserver une salle et convoquer les groupes susceptibles de présenter un mémoire. Sans plus.

Il est difficile de conclure à une stratégie nouvelle de manipulation de la fonction publique à des fins partisanes. Il s'agit plutôt

---

5. L'ancien sous-ministre Gérard Frigon, du ministère des Communications, le reconnaissait volontiers, même s'il avait pris néanmoins la peine de faire part de ses réserves au ministre Charron. Celui-ci admit apparemment ne pas avoir songé à la portée du geste qu'avait posé son attaché de presse.

d'un glissement où l'on vide le processus législatif de la présence d'adversaires. Au nom des meilleurs motifs du monde (consulter les citoyens), le ministre qui s'amène dans une région avec ses hauts fonctionnaires écoute les doléances et suggestions des groupes de l'Âge d'or, de la Commission scolaire régionale et du Conseil régional des loisirs. On vide inconsciemment, ainsi, le processus législatif de ses éléments constitutifs, dans la mesure où ce processus devrait par essence être un processus contradictoire, mettant en présence des points de vues adverses. Or, ce n'est pas une commission parlementaire qui se déplace ainsi d'une région à l'autre — commission parlementaire formée de représentants de tous les partis politiques. C'est plutôt le ministre qui rencontre, entre amis, des groupes croyant obtenir davantage du ministre s'ils le prennent en douceur. Surtout si l'attaché de presse a donné instruction d'éviter le chahut, dix-huit des dix-neuf mémoires présentés ce soir-là au ministre risquent d'être formulés entre amis durant cinq longues heures. L'opinion publique n'obtient guère les deux côtés de la médaille, ni les multiples objections à la politique contenue dans le livre blanc. Ce glissement du processus législatif, l'animateur Laurent Laplante en avait fait un bilan il y a quelques années, lors d'une série d'émissions présentées sur les ondes de Radio-Québec. En confiant, vis-à-vis des fonctionnaires, autant d'influence aux attachés de presse en matière d'information qu'en possèdent les chefs de cabinet vis-à-vis des sous-ministres, on modifie encore davantage le processus législatif. Fort des appuis ainsi recueillis lors de sa tournée, le ministre reviendra à l'Assemblée nationale, sans que l'on sache toujours si tous les arguments défavorables ont pu être connus, et il fera adopter le projet de loi en disant: «Voyez, tout le monde est favorable!»

Le gouvernement d'un parti idéologique compte, au sein des cabinets personnels des ministres, des gens qui n'éprouvent aucun scrupule à faire de l'information idéologique biaisée et partisane. Depuis deux ans, les attachés de presse comme les chefs de cabinet de ministres ont tendance à mener la fonction publique. Ils détiennent ainsi une vaste portion du vrai pouvoir. L'élément nouveau, c'est que face à une telle situation, les hauts fonctionnaires n'osent pas protester; partout dans les ministères, ils partent plutôt.

2. Les intérims qui durent

Une deuxième caractéristique du pouvoir sous le gouvernement péquiste, c'est l'absence de stabilité des sous-ministres dans leurs fonctions. Celle-ci a pris au moins trois formes distinctes: certains sous-ministres ont occupé leur poste de façon intérimaire durant plusieurs mois; d'autres sont demeurés plusieurs mois à leur poste après avoir annoncé qu'ils le quittaient; d'autres, enfin, ont été mutés. Les conséquences sont partout les mêmes. Un sous-ministre intérimaire n'ose pas prendre d'initiatives qui lui feraient perdre ses chances d'obtenir le poste en titre. Par ailleurs, lorsque le sous-ministre annonce son départ mais n'est pas remplacé, le vide crée des incertitudes et des jalousies chez les sous-ministres adjoints qui espèrent, tous, obtenir la promotion. Les décisions, à ce titre, relèvent du Premier ministre et de son entourage. Dans certains cas, le ministre a simplement été informé du choix.

Une des conséquences de l'arrivée de Louis Bernard au poste de secrétaire général du Conseil exécutif en 1978 fut la nomination de plusieurs sous-ministres en titre. La situation paraît donc lentement se stabiliser. Le gouvernement a comblé les vides. Dans certains cas, on a nommé l'un des sous-ministres adjoints. Dans d'autres, on n'a pas nommé le sous-ministre intérimaire au poste de sous-ministre en titre; on a plutôt choisi un autre haut fonctionnaire à ce poste. L'importance du sous-ministre au sein d'un ministère n'a pas besoin d'être démontrée. Le sous-ministre assure la continuité des politiques d'un régime à l'autre à un point tel que le ministre, lui, devient un simple porte-parole. À moins d'élaborer consciemment une nouvelle politique, tel ou tel ministre se sent, de toute façon, «plus ou moins lié par ce qui a été fait. Autrement dit, il y a continuité de certaines politiques et cette continuité est assurée par les hauts fonctionnaires qui les défendent jalousement dans la mesure, d'ailleurs, où ils se sentent impliqués.» [6]

Le gouvernement péquiste a éprouvé de la difficulté à travailler avec les sous-ministres arrivés à la fonction publique depuis la fin de la Révolution tranquille. Dans la mesure où il souhaitait modifier plusieurs des politiques gouvernementales, il n'avait donc pas d'autre solution que de déstabiliser le pouvoir réel de ces hauts fonctionnaires. Ne pas combler durant plusieurs mois des postes de sous-ministres, c'est le meilleur moyen d'immobiliser la fonction publique. Car, dans chaque cas, les aspirants au poste (le sous-ministre par intérim, et quatre ou cinq sous-ministres adjoints) ne prendront aucune initiative: ils se tairont, et tous leurs subordonnés seront laissés sans instructions sur les orientations du ministère.

---

6. François Cloutier, *L'enjeu. Mémoires politiques 1970-1976*, Montréal, Stanké, 1978.

3. Les hommes du P.Q.

Certains sous-ministres ont quitté la fonction publique, d'autres ont été mutés, mais en plus le gouvernement a nommé aux postes de sous-ministres adjoints un certain nombre de gens connus pour leur sympathie au P.Q. M. Roch Bolduc,* dans une communication à L'Institut canadien d'administration publique, notait l'an dernier l'accroissement du nombre de sous-ministres adjoints au sein de chaque ministère. Ce nombre atteint maintenant une proportion de quatre ou cinq par ministère, soit une multiplication rapide depuis dix ans. Or, le parti québécois au pouvoir a voulu s'assurer d'une plus grande loyauté de la fonction publique en nommant, d'abord en 1977 puis en 1978, des spécialistes connus pour leur allégeance péquiste. On pense à François Dagenais à l'Agriculture, à Richard Pouliot aux Affaires intergouvernementales, à Jean Laurin aux Communications (nommé par le Premier ministre sur recommandation du journaliste Jean Paré pour coordonner l'information gouvernementale), à Michel Archambault au Travail, et à quelques autres. Eux aussi, ils exercent une fonction d'écoute et de contrôle qualifiée de «*monitoring*» par les anglophones.

Dans plusieurs cas, ces nouveaux sous-ministres adjoints comblent en effet une lacune. Plusieurs ministres actuels ont tendance à laisser totalement à leurs hauts fonctionnaires l'administration de leur ministère. On disait encore récemment, à Québec, que M. Jean Garon, ministre de l'Agriculture, était au contraire un des rares membres du Conseil des ministres à connaître ses fonctionnaires, en ce sens qu'il savait lesquels pouvaient lui mettre des bâtons dans les roues. Les sous-ministres adjoints sympathiques au P.Q. auraient donc pour tâche de relancer certains dossiers susceptibles de favoriser les thèses péquistes (les relations internationales du Québec, par exemple); ils soutiendraient en outre le ministre dans la gestion du ministère, apprendraient forcément à connaître les fonctionnaires, verraient lesquels s'avèrent spontanément sympathiques aux nouvelles politiques et lesquels semblent plutôt froids.

À ce sujet, Lysiane Gagnon écrivait en août 1978: «Cela montre simplement que les ministres péquistes sont comme la majorité des employeurs: ils préfèrent s'entourer de gens qu'ils connaissent déjà, même au niveau de postes qui sont en principe politique-

---

* Roch Bolduc «*Les cadres supérieurs, quinze ans après*», Communication présentée au Colloque régional de l'Institut d'administration publique du Canada, le 28 avril 1978, p. 15.

ment neutres.» La notion de neutralité est-elle en train de se modifier à Québec?

La haute fonction publique a traversé diverses étapes depuis quinze ans. Les sous-ministres de la Révolution tranquille ont travaillé avec les ministres libéraux, puis avec ceux de Daniel Johnson. Jean-Jacques Bertrand, lui, se fiait à un chef d'état major, Julien Chouinard, en qui Robert Bourassa a mis lui aussi toute sa confiance, même si Chouinard avait été candidat Progressiste-Conservateur en 1968. Depuis 1976, le gouvernement péquiste a nommé aux postes de sous-ministre *en titre* des gens déjà membres de la haute fonction publique. Robert Normand (Affaires intergouvernementales) et Pierre-A. Deschênes (Communications), entre autres, ont occupé, sous l'administration libérale de Robert Bourassa, des postes de sous-ministre ou de sous-ministre adjoint. Ils avaient acquis la permanence. Par contre, le recrutement aux postes de sous-ministre *adjoint* s'effectue, comme aux États-Unis, parmi les partisans. (Aux États-Unis, la notion de permanence n'existe cependant pas. Les hauts fonctionnaires changent quand les Présidents changent). Ces hauts fonctionnaires partisans sont perçus comme «les yeux et les oreilles du régime», comme des hommes acquis à l'idéologie souverainiste. Le parti québécois ne croit pas à la neutralité de la fonction publique. Même le secrétaire général du Conseil exécutif, Louis Bernard, premier fonctionnaire de l'État, admet être membre du P.Q. et contribuer à la caisse électorale de ce parti. Contrairement à Julien Chouinard, il n'ira pas discuter de dossiers avec le Premier ministre Claude Ryan ou Rodrigue Biron en «prenant sa marche» du midi sur les Plaines d'Abraham; il suivra les péquistes dans l'Opposition quand ceux-ci perdront le pouvoir.

On comprend mieux pourquoi les ministres s'appuient uniquement sur leurs cabinets personnels pour la conception des politiques. À tort ou à raison, ils font surtout confiance aux gens qui militent depuis plusieurs années au sein du P.Q. La fonction publique québécoise, jadis perçue comme sympathique au parti québécois, n'a donc pas reçu du P.Q. lui-même le bénéfice du doute: dès le 15 novembre, le nouveau gouvernement n'a fait confiance, pour concevoir ses politiques ou ses stratégies, qu'aux militants de longue date, ceux qui ont «fait la longue marche». Car, voilà peut-être la raison de cette démarche, on parlerait beaucoup de *stratégie*. Il faudrait donc s'appuyer sur des sympathisants pour élaborer des stratégies conduisant à la souveraineté-association... Lorsqu'il devient difficile de savoir s'il s'agit de politiques fermes que l'on conçoit ou, au contraire, de stratégies, mieux vaut faire confiance à des gens sûrs!

Substance ou stratégie?

Dans plusieurs secteurs de l'activité gouvernementale, le *contenu* a prévalu, et en deux ans le gouvernement péquiste a paru mériter son titre de « vrai gouvernement » (promesse qu'il avait faite lors de la campagne électorale de 1976). Dans le domaine social et culturel, le contenu législatif a même fait penser à la Révolution tranquille, tant les réformes sont nombreuses. Des institutions municipales à l'assurance-automobile, du financement des partis politiques aux lois de la Consommation, les nouvelles législations paraissent même satisfaire une majorité de Québécois, maintenant que les lois sont mieux comprises et que l'on a vu comment elles étaient appliquées. En matières économiques et financières, le contenu des mesures prises visait des objectifs de « bon gouvernement ». Les impôts demeurent élevés à cause de la situation financière du Québec, mais le gouvernement péquiste et l'Hydro-Québec ont pu emprunter sur les marchés mondiaux les sommes jugées nécessaires. Pourtant, dans ces domaines, certains ministres fédéraux ont pu laisser entendre que la victoire du parti québécois avait déstabilisé le dollar canadien. En réponse à tel commentaire, le contenu a déjà ainsi fait place, en partie, à la stratégie. Et, enfin, dans tout ce qui a trait au référendum et au thème principal du P.Q., la souveraineté-association, « il est devenu difficile (notait Jean Paré en juin 1978) de distinguer ce qui est *contenu* de ce qui est *stratégie*. »[7]

On a jugé dès le début (1974) que l'étapisme constituait une stratégie: le parti québécois ne pourrait prendre le pouvoir que s'il défaisait les libéraux sur une promesse de « vrai gouvernement » ou de « bon gouvernement », et en promettant qu'ensuite les gens pourraient se prononcer sur la souveraineté-association. Ce thème de la souveraineté-association est encore mal défini, et dans tous les domaines qui s'y rattachent la *stratégie* paraît prédominer.

Il s'agit en fait de trouver des thèmes, des contenus de politiques qui gagneraient plus de 50% des Québécois à l'idée de la souveraineté-association. Des ballons d'essais sont lancés depuis le 15 novembre: une politique étrangère du Québec, autonome de celle du Canada, encouragerait-elle plus de Québécois à voter « oui » lors du référendum? Et de nouvelles normes d'acceptation des immigrants? Les ministères fédéraux empiètent sur les juridictions du Québec de façon outrancière? On crée alors le poste de sous-

---

7.   Jean Paré, directeur de la revue *Actualité*, lors de l'émission « The Editors » du 24 juin 1978 sur les ondes de CFCF-TV.

ministre adjoint aux affaires internationales, on demande à des spécialistes de l'École nationale d'administration publique de calculer combien de programmes fédéraux empiètent effectivement sur les plates-bandes provinciales, etc. Mais, dans tous ces domaines de juridiction conjointe Ottawa-Québec, il ne s'agit jamais de politiques fermes ; le contenu peut être vidé de toute substance ou le budget coupé des trois-quarts, si le gouvernement se rend compte qu'il ne se gagne pas de votes en parlant de tel ou tel thème, de telle ou telle politique.

On se retrouve donc, après deux ans de pouvoir péquiste, avec une législation abondante dans certains secteurs socio-culturels, une méfiance soutenue des milieux économiques et des incertitudes dans d'autres domaines. Dans ces derniers cas, on ne sait guère en effet s'il s'agit de ballons d'essais pré-référendaires ou des embryons de contenus de politiques. Le marketing a remplacé la substance.

Pour sa part, face à une telle situation, le Premier ministre Lévesque a l'air d'aimer exercer le pouvoir. Durant ses premiers cinq cents jours au pouvoir, en tout cas, il a donné l'impression d'être plus détendu que durant ses années dans l'Opposition, hors de l'Assemblée nationale. Si M. Lévesque semble aimer exercer le pouvoir, plusieurs parmi ceux qui l'ont vu à l'œuvre depuis vingt ans croient néanmoins qu'il pourrait l'exercer... mieux ; c'est-à-dire qu'il possède les qualités et les compétences pour l'exercer avec plus de dynamisme et produire ainsi lui-même plus de substance. Depuis deux ans, ce sont en effet les ministres d'État qui conçoivent les politiques, et les spécialistes en marketing qui en déterminent les priorités. À certains moments, le Premier ministre a paru coincé.

Victime d'une crise cardiaque,

ROBERT BURNS HOSPITALISÉ D'URGENCE!

M. Robert Burns, le ministre d'Etat à la réforme électorale et parlementaire et principal artisan du projet de loi sur le référendum, a été hospitalisé d'urgence vendredi soir à la suite de malaises cardiaques.

Roger Drouin

M. Burns est actuellement «sous observation» à l'unité coronarienne de l'hôpital Saint-Luc et les médecins ne savaient pas encore, hier, quand le ministre pourrait quitter l'hôpital.

Selon un médecin de l'unité coronarienne, l'état de M. Burns est considéré de «stable» et on procède depuis hier à une série d'examens dans le but de connaître la nature exacte et la gravité du malaise du ministre.

Son état serait très

faible et aucune visite ne peut lui être faite à l'heure actuelle.

«Les électro-cardiogrammes n'ont pas permis de préciser jusqu'à quel point M. Burns a été affecté à précise le médecin, mais nous continuons nos recherches. Pour l'instant, la vie de M. Burns n'est pas en danger et il est conscient.»

Le ministre s'était d'abord rendu de lui-même à l'hôpital de Verdun vers six heures vendredi soir avant d'être recommandé aux autorités de l'hôpital Lasalle où, à la suite de premiers exa-

mens, on décida de le transporter par ambulance jusqu'à l'hôpital Saint-Luc.

C'est la deuxième fois que le député de Maisonneuve est hospitalisé depuis deux ans. La première fois M. Burns avait été admis en septembre 76 alors qu'il avait dû subir une opération mineure au poignet et à une jambe.

Cette défaillance d'un des principaux lieutenants du premier ministre René Lévesque survient au moment où commençait à s'amorcer le débat sur la loi du référendum à laquelle le ministre a consacré, au

cours des derniers temps, la majeure partie de ses énergies.

En plus de parrainer le projet de loi sur le référendum, M. Burns agissait aussi comme leader parlementaire à l'Assemblée nationale et, depuis le 15 novembre 77, le ministre n'a connu que très peu de moments de répit.

D'ailleurs ceux qui ont côtoyé M. Burns depuis son entrée à l'assemblée nationale s'accordent à dire que le ministre a peut-être trop travaillé au détriment de sa santé alors qu'avec seulement cinq autres députés dans l'opposition, il avait mené les destinées de l'opposition pendant le régime Bourassa en prenant les bouchées doubles.

Plus tôt cette semaine, une rumeur voulant que le ministre prenne sa retraite de la vie politique et qu'il accepte un poste du juge avait circulé dans le milieu parlementaire québécois. M. Burns avait par ailleurs démenti cette rumeur en affirmant qu'il avait autant de chances d'être nommé juge que le chef du Parti libéral, Claude de Ryan, d'accéder au cardinalat.

Photo, Le Journal — Jacques BOURDON

On voit ici le couloir menant à la chambre de M. Burns à l'unité coronarienne de l'hôpital St-Luc.

NEUVIÈME CHAPITRE

MARKETING OU ÉDUCATION POPULAIRE?

La troisième dimension de la fonction de Premier ministre a trait à ce que l'on appelle de plus en plus la faculté d'identification, c'est-à-dire la propension des gens à s'identifier ou non au Premier ministre et à son projet de société. La personnalisation du pouvoir, même en régime de collégialité gouvernementale de type britannique, a depuis vingt ans accentué le premier de ces deux aspects (identification au leader) dans les démocraties occidentales. Le style d'autorité pratiqué par le Premier ministre revêt en effet, chez les électeurs, une importance marquée, peut-être même une importance plus grande que le contenu des politiques qu'il préconise. Ainsi, le fait que le Premier ministre Lévesque fume comme une locomotive lui attire plus de courrier que tout autre sujet. De même, tout ce que certains téléspectateurs ont paru retenir de la série d'émissions sur les vingt années de pouvoir de Maurice Duplessis, c'est qu'il buvait comme une éponge!

Un Premier ministre est-il réélu s'il réussit à communiquer un style de leadership, ou plutôt le contenu d'un programme d'action? Ceux qui croient que l'on vend, finalement, la forme plutôt que le fond, l'empaquetage plutôt que la substance, prétendent que l'on «fabrique» un chef d'État ou de gouvernement, et que le contenu de son programme législatif importe somme toute assez peu. Cette approche théorique assez pessimiste se fonde sur l'appel de l'homme de la société de masse à un héros qui incarne le groupe, en qui le héros se reconnaît. [1] L'une des thèses expliquant, par exemple, la baisse étonnante de popularité du Président Carter en 1977-1978 sou-

---

1. Jacques Ellul, dans *Propagandes*, a énoncé sa thèse en ces termes: «L'homme de la société de masse a conscience d'être infériorisé, fait appel au héros, et transfère à ce héros tout ce qu'il voudrait faire lui-même et ne peut pas faire. C'est pourquoi l'analyse du leadership comme fonction de commandement est notoirement insuffisante. Le leader ne peut pas être seulement celui qui prend des décisions, celui qui se dégage pour exercer l'autorité. Il est bien plus que cela, il est celui qui incarne le groupe, en qui le groupe se reconnaît, et qui sert de médiateur envers le phénomène mystérieux du pouvoir.»

ligne que « son style oratoire tout en douceur et son approche non-idéologique des questions l'empêchent de se créer chez les électeurs américains des partisans fortement engagés à sa personne même » [2].

Deux spécialistes du vrai pouvoir de la présidence américaine s'inscrivent pourtant en faux contre une telle théorie. « Ce qui définit un Président — ce qui attire ou repousse les gens —, écrit David Broder, ce n'est pas son style, mais le contenu de ses politiques ». [3] Et Henry Fairlie, dans son étude critique de la présidence de John Kennedy, souligne, pour sa part, que la popularité du Président auprès des électeurs se fondait sur une rhétorique triomphaliste et une séduction intellectuelle des journalistes plutôt que sur la mise en pratique effective d'un programme de gouvernement; la manipulation des media aurait même été utilisée à cette fin, plus que jamais auparavant. Fairlie souligne les dangers de telles techniques de marketing qui, selon lui, remplacent le contenu par le style, le fond par la forme. [4] Ainsi, en théorie, certains croient que la popularité d'un gouvernement ou d'un Premier ministre repose sur son style d'action, et d'autres, sur le contenu de ses politiques.

Depuis le 15 novembre 1976, la nécessité de communiquer, de projeter la personnalité du Premier ministre auprès des électeurs a constitué l'un des deux volets du pouvoir exercé par les conseillers en communication. L'autre volet, celui de la publicité des divers projets de loi, a revêtu une dimension nouvelle, plus décentralisée que sous le régime libéral précédent; et, par conséquent, certains projets de loi ont été mieux « vendus » à l'électorat que d'autres. Un trait découle d'une telle affirmation: personne au Bureau du Premier ministre, ne détient le pouvoir que Charles Denis possédait avant 1976 et ainsi chaque ministre — ou plutôt chaque attaché de presse* — détient le pouvoir de bien informer ou de peu informer le grand public sur les projets de loi du ministère. On notera les conceptions diverses,

---

2. « Advisers close to the President say it is his low-keyed rhetorical style and his nonideological approach to issues that keep him from building a strong personal constituency. »
3. « What defines a president — what draws or repels political support — is not his style but his substance. The goals a president espouses give the hard edge of meaning to his administration and politicize the country. », *The Washington Post* (weekly edition), 14 mai 1978.
4. Henry Fairlie, *The Kennedy Promise*, New York, Dell, 1973.
*   On prendra pour le moment ce terme en son sens générique d'agent d'information, et non uniquement en celui d'attaché de presse du ministre.

et peut-être opposées, de ces agents d'information, les uns favorisant des techniques de marketing — et les autres s'y refusant carrément. Ceux-ci ne font que de l'éducation de la sensibilisation des masses, disent-ils; le marketing, le maquillage, constituent des éléments de manipulation, de persuasion clandestine. On s'arrêtera tour à tour sur les deux éléments de cette communication: le Premier ministre lui-même et les objectifs et lois de son gouvernement.

«Ti-Poil» Lévesque

Un mois après la victoire du 15 novembre, la remise du Prix David à Pierre Vadeboncoeur était rehaussée de la présence du Premier ministre Lévesque. Certes, des rumeurs avaient circulé au sujet de cette présence éventuelle et c'est avec intérêt que l'on remarqua l'émotion, le courant d'agréable surprise qui traversa la salle lorsqu'une voix monocorde annonça l'arrivée de M. Lévesque. Chez les intellectuels qui, sans être indépendantistes inconditionnels, avaient voté en 1976 pour des candidats péquistes, l'émotion qui les anima ce jour-là les fit parler de la réconciliation de l'État québécois et de son intelligentsia. Depuis les événements d'octobre 1970, les intellectuels reprochaient au gouvernement du Québec d'avoir abdiqué, ni plus ni moins. Vera et Don Murray ont bien montré dans leur livre à quel point cette dimension ne préoccupait absolument pas le Premier ministre Bourassa de 1970 à 1976, ce qui lui mit à dos l'ensemble de cette catégorie sociale.[5]

Son successeur, René Lévesque, n'a guère manifesté de «goûts d'intellectuel» durant sa carrière politique. La projection de sa personnalité auprès de l'électorat en tout cas, c'est beaucoup plus «Ti-poil»; et M. Lévesque a lui-même déploré à quelques reprises (avant 1976) ce que Gérard Bergeron a appelé «le ton professoral» de plusieurs leaders péquistes.[6] Cette indentification des Québécois à «Ti-Poil», comporte deux éléments complémentaires. M. Lévesque incarne la nation québécoise, et, ce faisant, c'est son côté fier, «baveux qui séduit l'homme canadien-français»[7]. D'abord le leader charismatique. Le professeur Léon Dion le soulignait une semaine après la prise du pouvoir: «René Lévesque réalise une exceptionnelle

---

5. *De Bourassa à Lévesque*, chap. VII, pp. 170-171.
6. G. Bergeron, «La politique intérieure du Parti Québécois», *Le Devoir*, 21 mai 1977, p. 4.
7. L'expression est empruntée à Fernand Dumont, «Y a-t-il un avenir pour l'homme canadien-français?», dans *La vigile du Québec*, Montréal, HMH, 1971, pp. 57-66.

synthèse des traits majeurs d'un leader charismatique. Sa grandeur depuis seize ans, c'est d'avoir intuitivement incarné une certaine image de la nation profondément ancrée dans l'Histoire et le peuple du Québec »[8] Les spécialistes des communications y ont également trouvé un second élément, un aspect de fierté que certains ont taxé de «*capricious*»[9], mais que d'autres ont plutôt qualifié d'«un peu baveux»[10]. L'image fonctionnelle du Premier ministre Lévesque,[11] c'est-à-dire celle de sa fonction sociologique dans la société québécoise, Robert Filion l'a tracée en ces termes, en l'opposant à celle de Pierre Trudeau :

> «*René Lévesque, lui, est simple, pas particulièrement beau, pas toujours bien habillé, il parle comme tout le monde, ses expressions nous ressemblent, même qu'à Québec on dit parfois : «Un peu baveux». On le soupçonne de négliger sa santé. Il répond foncièrement au besoin d'identification des Québécois. Nous ressemblons à «Ti-poil», à René...*»[12]

Ce côté «baveux» du tempérament de M. Lévesque, Jacques Godbout l'a associé au personnage de «ti-coq» créé par Gratien Gélinas et il en a fait un des archétypes littéraires du peuple québécois : le petit gars frondeur et éveillé au service du peuple. Ce côté du Premier ministre Lévesque constitue l'une des caractéristiques dominantes de sa façon d'exercer le pouvoir depuis novembre 1976. Il n'exerce plus son pouvoir avec la même autorité qu'en 1961-1962, mais devant un obstacle qui se présente à lui, il fonce tête basse.* Son leadership, on l'a évoqué aux chapitres précédents, revêt de

---

8. *Le Devoir*, 22 novembre 1976, p. 5.
9. Le journaliste Peter Trueman, à l'époque où il animait CTV Report, avait décrit M. Lévesque en ces termes : «I believe he is evil, capricious, and a phony.», *Maclean's*, 17 octobre 1977.
10. *Le Devoir*, 17 mars 1977, p. 4.
11. «Celui-ci représente l'identification et la projection ultime du moi individuel et collectif du citoyen. Le charisme, c'est ça, simplement le fait de se reconnaître individuellement et collectivement dans une personne».
12. Robert Filion, «Vous n'y êtes pas, Marshall McLuhan», *Le Devoir*, 17 mars 1977.
 * Cela ne se reflète cependant pas sur les relations interpersonnelles qu'entretient M. Lévesque avec ses collaborateurs. Il n'engueule pas son personnel, continue de frapper à leur porte avant d'entrer, s'excuse, n'est pas dur du tout avec ses collaborateurs, en dépit de l'impression bougonne qu'il pourrait donner lors de certaines conférences de presse. Sur le plan des relations humaines, il est charmant ; ses collaborateurs actuels corroborent ce que disaient à l'époque ceux de 1960-1966 puis de 1966-1970. Il était cependant exigeant sur le plan du travail, il demandait beaucoup de son personnel.

façon générale des allures d'animateur de discussions plutôt que de *decision-maker*. Mais il a conservé son côté frondeur qui renaît chaque fois qu'on lui dit: Parizeau ne veut pas, ou Ottawa ne veut pas. Donnons deux cas, à titre illustratif. Ce n'est pas M. Lévesque qui a manifesté catégoriquement son désir de recruter M. Éric Gourdeau. C'est le ministre Bernard Landry, au début de 1978. M. Gourdeau quittait un emploi lucratif d'économiste-conseil et posait des conditions qui faisaient hésiter le président du Conseil du Trésor, M. Jacques Parizeau: M. Gourdeau aurait des attributs et un salaire que d'autres (Fernand Dumont, par exemple) n'avaient pas. C'est alors seulement que le p'tit gars frondeur manifesta toute son autorité (« Ah, Parizeau veut pas? On va bien voir! »). De même pour les conférences de presse convoquées chaque fois qu'Ottawa en tenait une. Certes, dès que le gouvernement du Québec annonce une décision qui met Ottawa sur la défensive, on s'attend à ce que le gouvernement fédéral convoque une conférence de presse. Mais assez souvent, en 1977 et 1978, on ne voyait pas en quoi il était utile que le Premier ministre du Québec en convoque une le lendemain pour dire: Ah, Ottawa ne veut pas? On va bien voir!

Par rapport à l'un et l'autre de ces deux éléments de l'image du Premier ministre Lévesque, ses conseillers ne jouent pas un très grand rôle; il n'existe pas de fabricants d'images comme au temps de M. Bourassa. M. Lévesque exerce le métier de journaliste depuis trente ans et n'a que faire de tels conseils.

D'abord parce qu'il possède ce que Maurice Champagne-Gilbert appelle « des qualités exceptionnelles d'enracinement dans la société québécoise »[13]. Il a vécu toutes sortes d'expériences, la grève de Radio-Canada, l'indépendance de l'Algérie, etc.; on ne crée pas de toutes pièces l'image de quelqu'un qui incarne ainsi le peuple canadien-français, et M. Lévesque l'a fait en suscitant les meilleures qualités en l'homme québécois. L'utilisation de l'État, par exemple, s'est faite depuis 1960 en témoignant des qualités de tolérance et de réalisme, que l'on ne trouve pas chez tous les péquistes! Les qualités de pouvoir convaincre et rassurer, que l'on retrouve chez M. Lévesque (et que l'on trouvait chez Daniel Johnson avant lui), les conseillers en publicité peuvent, au mieux, les mettre en valeur; ils ne peuvent pas les créer artificiellement.

---

13. Sur les ondes de la radio de Radio-Canada, le 20 mai 1978. L'animateur était Pierre Olivier.

Ce pouvoir personnel de M. Lévesque s'est accru avec les années, auprès d'un électorat qui a reconnu en lui des qualités de ténacité à son projet de société et d'autorité, qui manquaient à son prédécesseur, C'est, en tout cas, l'interprétation que l'on donnait en 1976-1977 à la popularité de MM. Trudeau et Lévesque auprès des Québécois: ils étaient perçus tous les deux comme fidèles à leurs projets de société et intègres dans leur façon d'exercer le pouvoir, l'un à Ottawa, l'autre à Québec.

Cette transparence du gouvernement péquiste est pourtant devenue un sujet de controverse en 1977 et 1978, et à ce titre les conseillers en communication du gouvernement ont paru détenir une partie importante du pouvoir lors de l'élaboration de sa stratégie. Ce qui frappe, en effet, c'est que la transparence financière demeure intacte après deux années de pouvoir mais que la transparence intellectuelle, elle, est jugée de façon sévère par l'ensemble de la presse parlementaire: «Ce gouvernement ment aussi souvent qu'il le faut pour vendre son projet de société», disait l'un d'eux en n'y mettant guère de nuances. Une table ronde de l'émission «Présent Québécois» en arriva à la conclusion, au début de 1978, qu'aucun autre gouvernement depuis 1960 n'a rendu la tâche aussi difficile aux journalistes.*

M. Lévesque lui-même conserve l'image de probité et de franchise, et il la projette mieux que quiconque au sein du parti québécois. C'est un art de trouver la formule choc, la réponse qui fait image, le langage qui attire l'attention, en réponse aux questions des journalistes. La formule doit se limiter à quinze ou vingt secondes pour satisfaire aux lois propres aux bulletins de nouvelles des media électroniques. Ce sont aussi ces réponses qui feront les manchettes de la presse écrite, et tout homme politique préfère une manchette à un éditorial, c'est bien connu. Par exemple (en avril 1978) «Claude Ryan a été élu grâce aux délégués anglophones». Encore que cette déclaration ne témoigne peut-être pas de la plus grande transparence intellectuelle dont ait fait preuve M. Lévesque!

Le rôle principal des conseillers du Premier ministre s'est limité à créer le cadre qui permettrait à M. Lévesque d'utiliser ses

---

* Lors de l'émission «Présent, édition québécoise» du 20 décembre 1977, à la suite de témoignages nombreux et bien documentés, les journalistes Michel Lacombe et Jean-François Lépine concluaient en effet que, pour les journalistes, les attachés de presse des ministres péquistes rendaient leur travail plus difficile que sous les gouvernements précédents, en dépit du fait que le gouvernement péquiste avait recruté comme attachés de presse plus de journalistes que tout autre gouvernement précédent.

connaissances des media. Ce sont essentiellement les conférences de presse du jeudi qui remplissent ce rôle. Durant la campagne électorale de 1976, certains avaient reproché aux conseillers de ne pas prévenir les journalistes à l'avance d'une déclaration importante de M. Lévesque. «Il ne dira rien d'important ce soir», prévenaient-ils. Or, presque chaque fois, raconte Gilbert Athot du *Soleil*, M. Lévesque se lançait dans une diatribe à l'emporte-pièce que rapportaient les journaux, mais non pas les media électroniques: «La radio et la télévision rataient les bonnes '*cuts*', comme ils disent dans leur métier, c'est-à-dire les courtes déclarations d'une minute».[14] Depuis l'élection, les déclarations du jeudi satisfont ce besoin. La période de «lune de miel» n'est pas encore terminée, dans la mesure où la plupart des journalistes ne mettent pas en doute les affirmations ou les silences du Premier ministre. M. Lévesque se sert, par ailleurs, de ses conférences de presse pour critiquer le travail des journalistes, surtout ceux de la presse anglophone. À un point tel que les journalistes ont baptisé les conférences du jeudi de «Journalisme 101», une sorte de cours de journalisme servi aux courriéristes parlementaires par le Premier ministre.

Celui-ci conserve, avec Judith Jasmin, la réputation d'avoir modelé pour les générations subséquentes la structure des émissions d'information télévisées. Une bonne documentation, puis un langage simple et direct qui utilise cartes et tableau noir pour éclairer le téléspectateur. Pas de «cours du soir» comme semble en donner Radio-Québec, disait Pierre Nadeau en se réclamant de Lévesque et Jasmin.[15] MM. Lévesque et Nadeau sont «des naturels; ils semblent nés avec un micro dans les mains», entend-on encore dans les couloirs de Radio-Canada. L'art consiste à communiquer de façon suffisamment claire pour que le téléspectateur puisse, le lendemain, expliquer à son voisin ce qui se passe à Ottawa, à Paris, ou à Suez.

L'émission «Point de mire» durait trente minutes, le dimanche soir il y a vingt ans. Ce qui frappait, c'est l'aternance constante de M. Lévesque, debout devant une carte géographique ou au tableau noir, et un extrait de film. Les films, tous brefs, comportaient des entrevues de M. Lévesque avec l'homme de la rue et des spécialistes de la question, des extraits de discours. Il n'était pas rare de compter une douzaine d'extraits de films au cours de la même émission. Celle-ci se terminait par une entrevue de cinq minutes en studio, lorsque le

---

14. *Le Soleil*, 4 novembre 1976, p. A6.
15. Dans la revue *Actualité* en 1977.

sujet portait sur la situation canadienne ou québécoise. MM. Pierre-E. Trudeau et Jacques Parizeau furent à ce moment les invités les plus assidus de René Lévesque. L'approche était pédagogique ; M. Lévesque soulevait les questions que le public peu au courant poserait. On était loin de l'allure de confrontation que prennent les entrevues télévisées des dix dernières années.

Une telle approche constitue l'antithèse de la méthode dite scientifique : celle de la définition cérébrale des hypothèses, puis de la vérification de chacune des variables utilisées et enfin de l'énoncé des conclusions. Non, au contraire, il s'agit plutôt de mettre d'abord en valeur les éléments de l'actualité qui suscitent immédiatement l'intérêt, c'est-à-dire les conclusions de la recherche cérébrale. En somme, à cause de la nature même du médium, « le journalisme télévisé n'a rien à voir avec le monde des idées », disait Pierre Nadeau dans le film « Derrière l'image ». Par ailleurs, deux ambiguités qui découlent de cette démarche journalistique doivent être élucidées. D'abord, le « style journalistique » de M. Lévesque n'impliquait pas que les faits étaient escamotés ; l'équipe du temps se souvient que l'animateur René Lévesque passait trois jours en bibliothèque, à se documenter sur son sujet avant de s'interroger, avec le réalisateur Claude Sylvestre et la script Rita Martel, sur la meilleure façon de le présenter à l'écran.

La télévision est de tous les media d'information celui qui suscite davantage l'émotion. M. Lévesque y était passé maître, et il s'est servi de ce talent lorsqu'il entra en politique active. Avec quatre lignes de texte, il improvisait un discours dans lequel il suscitait mieux l'émotion que quiconque, faisant passer la salle de la colère à la fierté, une qualité — ou un défaut — que ses discours improvisés n'ont pas perdue en 1978. La communication du Premier ministre Lévesque avec les citoyens comporte encore toutes ces dimensions, avec ses qualités indiscutables, ses défauts latents, et ses lacunes de plus en plus évidentes. Ses « tics » et ses expressions caractéristiques font la joie des imitateurs [16] et font douter des efforts de renouvellement du communicateur qu'est M. Lévesque. Bref, son expérience de la communication est telle qu'aucun conseiller ne détient de pouvoir réel d'influencer son approche ou sa structure.

Cette expérience, les conseillers en publicité l'ont mise à profit une fois par mois, le samedi soir, alors que M. Lévesque répond aux

---

16. On pense en particulier au spectacle complet de Jean-Guy Moreau intitulé « Mon cher René, c'est à ton tour... » présenté durant toute la saison 1977-1978.

questions des téléspectateurs. Ces questions sont choisies a l'avance, et M. Lévesque y répond brièvement, de façon simple, en utilisant les arguments les plus séduisants et en se servant fréquemment du tableau comme il le faisait avec tant de succès il y a vingt ans, lors de son émission «Point de mire». Le moment choisi fait compétition à la troisième période de la joute de hockey, ce qui constitue un handicap, et l'émission ne met pas l'accent sur l'inquiétude créée dans certains milieux par le thème de la souveraineté-association. La stratégie était de ne rien dévoiler de ce thème avant l'élection fédérale, qui tarde à venir! Entretemps, c'est la personne même de M. Lévesque qu'on livre à l'électorat — Gilles Proulx rappelait en mai 1978 que «le Vieux» passe encore mieux l'écran que tous et chacun de ses ministres.

La stratégie du référendum constitue, elle, une campagne de mise en marché d'un produit, peut-être élaborée au jour le jour par la méthode du progrès par l'erreur; mais c'est une stratégie de marketing développée avec beaucoup de soin. Comment «vendre» le projet de société péquiste, c'est-à-dire le projet de souveraineté-association, conçu en 1967 sur les plages du Maine par le député libéral René Lévesque? C'est sous cet angle, par contre, que la transparence du Premier ministre a fait place aux «manigances» de certains ministres et conseillers en publicité.

Information ou lavage de cerveaux?

Les adversaires du gouvernement péquiste l'ont accusé à plusieurs reprises d'utiliser des techniques de persuasion clandestine, de manipulation des foules, bref de lavage de cerveaux. Ces accusations ont été, par exemple, portées lorsque la Société nationale des Québécois a mis sur pied un concours qui proposait aux élèves du cours secondaire d'expliquer «pourquoi je dis oui à l'indépendance», et que trois commissions scolaires de l'Est du Québec ont approuvé un tel concours; les mêmes accusations sont venues lorsque le téléjournal de Radio-Canada a décrit comme «triomphal» le retour du Premier ministre Lévesque après son voyage officiel en France. Ce terme ne parut pas suffisamment neutre, sur les ondes de la télévision d'État. L'expression «lavage de cerveaux» fait en ce sens état d'une propagande massive utilisant des canaux multiples (école, télévision, institutions locales, groupes populaires) qui répandent de façon répétitive un message orienté («tendancieux») par des moyens qui ne devraient pas servir à des fins partisanes.

Par ailleurs, au sein même du parti et chez les observateurs qui se spécialisent dans le domaine de la communication, une opinion a prévalu durant une brève période de temps, à la fin de 1977, voulant que le gouvernement péquiste ne se préoccupe pas du domaine des «communications» et que, pour cette raison, des projets de loi comme l'assurance-automobile et la «taxe de vente sur les vêtements d'enfants» étaient fort mal accueillis du grand public. Or, il ne paraît pas exact d'affirmer que la dimension de la communication avec les citoyens ait été négligée par le gouvernement péquiste durant ses deux premières années de pouvoir. Mais elle a pris deux formes distinctes: l'information et le marketing. Certes, toute l'information n'est pas aussi centralisée au Bureau du Premier ministre que sous le gouvernement de M. Bourassa, et, de cette décentralisation du vrai pouvoir des attachés de presse, découlent des pratiques différentes selon les ministères. Dans certains ministères, on a même connu des échecs retentissants. Mais le marketing fabriqué pour le compte des divers ministères et sociétés d'État met l'accent, lui, sur un même thème sous-jacent, de façon répétée et systématique. Ce thème fait appel à la fierté des Québécois, à leur identité culturelle, et il est véhiculé dans tous les messages commandités par les ministères. On distinguera ainsi deux conceptions sans doute contradictoires de la communication, l'information et le marketing.

L'information

Quelques ministres et la plupart des militants de la première heure au sein du parti québécois perçoivent le marketing comme synonyme de manipulation des masses. Au contraire de MM. Maurice Leroux, Jean Loiselle et Guy Morin ou Charles Denis, qui étaient «*marketing-oriented*» et qui n'avaient pas de formation d'agent d'information ou de journaliste, ces gens misent sur l'information; ils sont «*information-oriented*», avec des résultats qui se sont d'ailleurs révélés différents selon les ministères et selon que leurs communiqués de presse décrivent les déplacements du ministre, ou plutôt le contenu des nouveaux programmes du ministère. Au sein du parti, ce sont l'ancien R.I.N., les militants les plus actifs en 1970 et 1973 qui sont devenus moins actifs depuis le congrès de Mont-Joli en 1974, et les militants de Montréal-Centre qui croient à la dimension «politisation», «éducation» par des campagnes d'information. Selon eux, ce qui est rationnellement articulé, les gens en verront eux-mêmes tous les bénéfices.

Dans deux cas, cependant — la « taxe de vente » sur les vêtements d'enfants et l'assurance-automobile (jusqu'à la 3e lecture du projet de loi) —, cette approche a connu des échecs. Ceci a fait dire à plusieurs observateurs que les journalistes ne deviennent pas nécessairement d'excellents agents d'information. Les journalistes ne conçoivent rien en termes de campagne d'information ; ce n'est pas leur rôle. Le rôle des agents d'information est plutôt de planifier des campagnes, en termes de coûts, d'échéanciers, de clientèles-cibles, etc. Cela avait d'ailleurs incité l'ancien ministre des Communications, M. Jean-Paul L'Allier, à suggérer instamment que l'on arrête d'engager des journalistes ! Si on ajoute à cette dimension la méfiance de plusieurs péquistes à l'égard du bel emballage, de la mise en marché, on conçoit que la communication avec l'électorat, décentralisée dans son application, ait pu connaître des ratés dans tel ou tel ministère.

Le parti québécois a en outre privilégié la presse locale et régionale beaucoup plus que ne le faisait le gouvernement Bourassa. Parti qui s'est élargi de la base et qui a conservé ses relations avec elle, le P.Q. continue en effet de privilégier la presse hebdomadaire. On envoie fréquemment les ministres en province ; on s'assure que la couverture de telles visites sera adéquate ; les instances locales du parti fournissent aux média locaux toutes les informations hebdomadaires traitant à la fois des activités gouvernementales et de la vie même des associations locales et régionales du parti. Dans plusieurs régions du Québec, un contrat signé plusieurs mois à l'avance stipulait que, lors du déclenchement de l'élection, le P.Q. se réservait telle page, telle page et telle page pour fins de publicité.

Ainsi, la diversité des media utilisés par le gouvernement péquiste constitue une caractéristique qui tranche sur la décennie précédente (1966-1976), où la télévision était devenue le moyen privilégié de communiquer des messages et des images. Peut-être n'est-il pas surprenant, dans ce contexte, qu'on ait fait appel au publicitaire des hebdos A-1, M. Jean Laurin, au début de 1978 pour coordonner la publicité gouvernementale à titre de sous-ministre adjoint aux Communications. C'eût été un élément de la stratégie de communication du P.Q. en vue du référendum. Ce projet de centralisation ne recueillit cependant pas l'encouragement d'un comité de directeurs des communications de divers ministères, comité présidé par le sous-ministre des Communications, M. Gérard Frigon. Ces hauts fonctionnaires recommandèrent plutôt une coordination plus limitée*. M. Laurin ne fut d'ailleurs pas nommé sous-ministre en titre pour succéder à M. Frigon. C'est plutôt un autre sous-ministre adjoint, M. Pierre-A. Deschênes, qui obtint le poste en juin 1978. Ces structures administratives — qui demeurent donc décentralisées — semblent néanmoins aller en contradiction avec la politique de la plupart des membres du Conseil des ministres d'utiliser les budgets gouvernementaux, afin de mettre l'accent sur des thèmes nationalistes, qui glorifient l'identité culturelle québécoise. Ceci s'est accentué dans toute la plubicité gouvernementale depuis la fin de 1977. Certains parlent même de lavage de cerveaux, tant cette approche paraît systématique.

Le marketing

Dès 1974, le marketing était déjà utilisé au sein du parti par un autre groupe plus « électoraliste » qui comprend, entre autres, depuis l'élection de 1976, les ministres Claude Morin et Jacques Parizeau et le chef de cabinet du Premier ministre, M. Jean-Roch Boivin. Le projet principal du gouvernement, la souveraineté-association, est ainsi « vendu » à l'électorat en fonction, non pas de la transparence et de l'information, mais selon les règles classiques de la mise en marché d'un produit. Dépendant des auditoires auxquels ils s'adressent, MM. Lévesque, Morin et Parizeau vendent en effet leur projet selon des emballages différents : à New York, en 1977, ce fut l'analogie avec l'indépendance des États-Unis, et à Boston, un an plus tard, ce fut la thèse de la restructuration du continent canadien. « Non, il ne s'agira pas de reprendre l'analogie avec l'indépendance américaine », avait dit en souriant le Premier ministre à la suite du peu de succès obtenu par la première approche. M. Lévesque n'a d'ailleurs pas besoin de spécialistes de mise en marché ; intuitivement, sa façon de livrer son message témoigne de beaucoup d'expérience de la communication (« cette communication viscérale à la Lévesque » [17], le Premier ministre s'en est un jour ouvert au journaliste Allan Fotheringham à la télévision de CKVU, après un discours en Alberta. Le message demeure constamment le même, la souveraineté-association, mais tel ou tel thème est livré en douceur, selon l'auditoire auquel on s'adresse, selon les attentes de cet auditoire.

---

*   *Les communications gouvernementales. Document de travail*, Rapport préliminaire du Comité de travail des directeurs de Communications, Québec, le 20 septembre 1977, 82 p.
17. « Les caméras confirmeront si (Claude Ryan) peut rivaliser avec le macho à la Trudeau et la communication viscérale à la Lévesque ». Gérald Leblanc, *Montréal-Matin*, 25 mai 1978.

Dans le cadre des débats organisés par la Société Saint-Jean Baptiste de Montréal (en 1978), où l'on s'adresse à des indépendantistes, les ministres et députés mettent l'accent sur la souveraineté, le passeport québécois, le pays à créer. Devant l'électorat québécois ou des auditoires anglophones, on met plutôt l'accent sur les domaines où l'association sera souhaitable. La défense constitue un domaine sur lequel on met soudainement l'accent en 1978, et on comptera de plus en plus de ces domaines d'association avec le Canada, à mesure qu'approchera le référendum.[18] De même, le soin que met le gouvernement à présenter les documents du groupe de travail dirigé par le sous-ministre Bernard Bonin: il s'agit de créer le cadre de présentation le plus propice, disaient MM. Lévesque et Morin en mai 1978; il n'est plus question d'un débat, au réseau TVA, opposant le ministre Parizeau à des représentants des trois autres partis politiques! Et l'information brute ne suffit pas, elle est très technique et complexe, et pourrait semer plus de confusion qu'éclairer les électeurs, disait M. Lévesque. La stratégie de vente, apprit-on de l'entourage même de M. Morin, mettrait l'accent sur les conséquences désastreuses d'un «non» lors du référendum, plutôt que sur les avantages d'une réponse affirmative. Un vote négatif mettrait fin à toute négociation constitutionnelle, soulignera-t-on en s'inspirant en particulier de témoignages d'hommes perçus pour leurs idées fédéralistes, tels que le juge Robert Cliche qui déclarait au *Reader's Digest*, à l'automne 1977: «À mon avis, l'un des plus graves dangers maintenant serait un non au référendum. Le Canada anglais croira alors la crise écartée et retournera à sa léthargie.»[19]

En somme, une stratégie de mise en marché de la thèse péquiste a été élaborée; elle demeure suffisamment souple pour qu'on l'adapte, si des erreurs de parcours se produisent. En fait, le message est présenté devant les militants, au Colisée de Québec, à Boston, puis à l'émission «Today» au réseau NBC, puis ailleurs, de telle façon qu'il donne toujours l'apparence d'être neuf (d'être «*cool*», disait McLuhan). On minimise ainsi les risques d'un message qui viendrait à sembler usé.

Par ailleurs, il ne paraît pas s'agir là d'un gouvernement qui utilise les fuites calculées comme «ballon d'essai»; c'est au

---

18. Michel Roy, dans son éditorial du 20 avril, cite en ce sens le ministre Claude Morin.
19. La première analyse de cette stratégie a été publiée dans la chronique de Gérald Leblanc, *Montréal-Matin*, 30 mai 1978. C'est à cette même époque que le député Gérald Godin dans le *Montreal Star* et Pierre Vadeboncoeur dans *Le Devoir* développèrent pour la première fois une argumentation analogue.

contraire un gouvernement qui se méfie des fuites. Le gouvernement précédent avait plutôt été victime de fuites provoquées par
des dissensions au sein du parti, surtout en 1975 et 1976. Le gouvernement péquiste apparaît, lui, «comme la strip-teaseuse qui
est transparente quand elle veut bien l'être». Notons pourtant qu'on
ne trouve pas nécessairement là de la manipulation, mais bien du
marketing, c'est-à-dire de l'emballage attrayant sur un produit, la
souveraineté-association, que Maurice Champagne-Gilbert décrivait
un jour comme l'un des projets les plus séduisants qui s'offrent aux
humanistes : réconcilier ces deux concepts plus complémentaires que
contradictoires (souveraineté et association). [20] Une stratégie de
vente de ce produit comporte apparemment plusieurs scénarios, et
on attend le meilleur moment (le «timing») pour poser son geste
vis-à-vis d'Ottawa. C'est là, sans doute la raison majeure du grand
succès qu'ont connu les contre-propositions de M. Parizeau au budget fédéral de M. Jean Chrétien (mai 1978) : le gouvernement fédéral
a paru pris de court.

Pourtant, ce ne sont guère deux ou trois communicateurs, attachés de presse ou directeurs de l'information qui détiennent le vrai
pouvoir en la matière. Après cinq cents jours, quinze des vingt-cinq
attachés de presse avaient quitté leur travail pour un autre emploi, y
compris Michel Maheu et Michel Héroux qui, lors du succè remporté
par son patron (le ministre Parizeau, en avril et mai 1978), s'attira les
compliments des journalistes en manifestant bonne volonté, coopéra-
tion et compétence. Héroux prenait beaucoup d'initiatives personnelles pour «publiciser» les actions de son ministre, on l'aimait bien au
Ministère, on le qualifiait en boutade de «sous-ministre» pour bien
montrer l'originalité de certaines de ses initiatives de diffusion de l'information en ce qui a trait aux Finances. Pourtant, au-delà des individus, c'est plutôt un système qui s'est érigé ; le marketing l'a emporté dans la plupart des ministères, l'information abondante — la
transparence — n'a pas primé sur le bel emballage. La question
principale est devenue : quelle est la meilleure façon de présenter le
beau côté du produit péquiste ? Et, de la part du P.Q., l'approche
des communications apparaît très centralisée. Certes, dans le cadre
des normes de la fonction publique*, ça demeure forcément décentralisé ; chaque attaché de presse continue d'être responsable d'un

---

20. À la radio de Radio-Canada, à l'émission de Pierre Olivier le 20 mai 1978.
 *   Le retard mis pour faire la publicité de la nouvelle Loi de l'assurance-automobile
     fut, par exemple, provoqué par le refus du ministre Lise Payette de passer par
     la filière administrative prévue par les normes et règles de procédure de la fonc-
     tion publique, ce qui provoqua des délais considérables.

budget fixe et limité. Mais en matière d'information, les attachés de presse sont aussi influents au sein de leurs ministères respectifs que les chefs de cabinet le sont, en fait, vis-à-vis des sous-ministres. Ces attachés de presse se rencontrent souvent entre eux ; on leur a même donné des cours à l'E.N.A.P. le dimanche (École nationale d'administration publique). Peu importe leur valeur, les attachés de presse détiennent en fait le vrai pouvoir de communication. Comme les chefs de cabinet, les attachés de presse mènent la fonction publique, en utilisant par exemple les bureaux de Communications-Québec pour «préparer» des salles sympathiques à tel ou tel ministre dans le cadre de sa tournée de consultation à propos d'un Livre vert. Dans la mesure où le gouvernement péquiste semble mettre l'accent sur le marketing plutôt que sur la transparence, ce vrai pouvoir que détiennent les attachés de presse paraît dangereux, et les accusations de lavage de cerveaux et d'utilisation des fonds publics à des fins partisanes continuent de se faire entendre.

Encore que certains fonctionnaires, d'allégeance péquiste, ne demandent qu'à se faire ainsi manipuler, un système paraît s'être érigé. On ne sait d'ailleurs pas dans quelle mesure ceci découle d'une stratégie toute consciente «pour fourrer le monde», ou d'un parti très motivé dont les membres posent tout naturellement de tels gestes. M. Lévesque lui-même semble surpris de l'ampleur de ces techniques de lavage de cerveaux, chaque fois qu'on lui fait état de cas trop patents. Il insiste pour dire qu'il ne s'agit pas d'une stratégie du parti. Pourtant, les attachés de presse paraissent les instruments de ce marketing bien plus que leurs initiateurs. Ce sont les hautes instances du parti qui donnent les mots d'ordre, et les instruments de ce marketing sont des «inconditionnels» qui ont fait la longue marche. Au niveau gouvernemental, ceux qui exercent le plus d'influence en ce domaine sont Jean-Roch Boivin, le ministre Claude Morin, et Marcel Couture, directeur des relations publiques de l'Hydro-Québec, dont M. Lévesque sollicite régulièrement les conseils. On sait à quel point la publicité de l'Hydro a été bonne pour la personne même de M. Lévesque depuis seize ans ; M. Couture continue dans cette foulée. Ces hommes manipulent la forme plutôt que la substance, encore qu'en toute situation de marketing, il devient difficile de distinguer ce qui est contenu de ce qui est stratégie.

«Le P.Q. va réaligner son tir», soulignait-on après cinq cents jours de gouvernement. En exagérant sans doute un peu. Le Premier ministre soulignait d'abord, en février 1977, que «jamais gouvernement n'a vécu des cent jours plus difficiles». Au sein du parti, «les

grandes attentes socio-économiques ne sont pas encore déçues, soulignait Gérard Bergeron en mai, mais il leur est demandé de savoir
patienter jusqu'à ce que la fameuse crédibilité financière soit assurée » [21]. L'image du gouvernement auprès du grand public a connu,
elle, des ratés durant les premiers cinq cents jours. Ces ratés se sont
produits en l'absence de vastes campagnes d'information, et le
marketing n'est souvent venu que sur le tard. L'image du P.Q. est
en chute libre, révélait l'Institut québécois d'opinion publique, en
mars 1978. « Attendez, notre campagne pré-référendaire n'a même
pas démarré », répondait le Premier ministre. Bref, le pouvoir réel
des spécialistes en publicité était inexistant ! « L'hiver (1977-1978) a
été dur pour le gouvernement Lévesque, notait Gérald Leblanc.
Après l'euphorie du pouvoir sont venues les embûches de son exercice. » Le chômage, les méfaits de l'assurance-automobile, le succès
de la course au leadership libéral, un message inaugural terne ont
forcé les dirigeants péquistes à refaire l'échéancier de la marche vers
la souveraineté. [22]

Celle-ci emprunte de plus en plus les techniques déjà testées du
marketing. L'analogie avec l'indépendance américaine — une idée
des jeunes conseillers du Bureau du Premier ministre [23] — a été reti-
rée du marché, le temps de refaire l'emballage. Par contre, le succès
remporté par le séjour de M. Lévesque en France et par la Légion
d'honneur qu'il porte à la boutonnière sera exploité, surtout si cet
appui suscite d'Ottawa d'autres réactions négatives. [24]

Ah, Ottawa ne veut pas, dira alors un « Ti-poil » frondeur, on
va bien voir ! L'accueil de la France à M. Lévesque, en novembre
1977, a donné au Premier ministre une tribune internationale pleine
de sympathie, après cinq ou six années de prudence de la part du
gouvernement français. On y trouve certes des causes reliées à la
vie politique intérieure française. Chez les gaullistes, néanmoins,
l'accueil à la personne même de René Lévesque (et non seulement

---

21. « La politique intérieure du Parti Québécois », *Le Devoir*, 21 mai 1977, p. 4.

22. Gérald Leblanc, *Montréal-Matin*, 12 mai 1978.

23. M. Bernard Landry et beaucoup d'autres ont touché au discours de New York.
C'était le premier d'importance, et M. Lévesque s'est laissé influencer par beaucoup de gens. De même, lors du discours de Paris, c'était M. Landry qui avait
suggéré le long rappel historique. Mais, de façon générale, M. Lévesque travaille seul. Ceux qui lui préparent des textes au Bureau du Premier ministre, M.
André Marcil par exemple, ne savent jamais quand M. Lévesque les utilisera.
Il s'en sert en fait lorsqu'il est fatigué et qu'il n'a pas eu le temps de préparer
lui-même son discours.

24. On relira à ce sujet l'article du *Globe & Mail*, reproduit ci-joint.

au Premier ministre du Québec) témoigne d'un aspect de l'identification des Québécois eux-mêmes à cet homme. Plus que ces prédécesseurs, il a connu toutes sortes d'expériences qui le placent au cœur même du mouvement nationaliste et des réformes sociales que le Québec a vécus depuis vingt-cinq ans (depuis, en particulier, la grève de Radio-Canada à la fin des années 1950).

Par ailleurs, la progression de M. Lévesque s'est peut-être modifiée depuis le temps qu'il œuvre en politique. Il conserve l'image d'un homme politique capable d'éprouver des sentiments, il n'hésite pas à exprimer publiquement ses incertitudes, voire son opposition, à des décisions prises collectivement par le Conseil des ministres. «Ceux qui préfèrent la méthode autoritaire qualifient de faiblesse une telle attitude», reconnaissait Évelyn Dumas; elle-même y voyait plutôt un élément de démocratie mue par un chef de l'Éxécutif particulièrement tolérant.[25] Cette image — faiblesse ou tolérance, peu importe — marque tout de même un changement. En 1960 et 1961, lorsqu'il devint ministre et qu'il tenait à tel ou tel projet, René Lévesque y mettait en effet tout l'élan, toute la fougue qu'il fallait pour l'obtenir; il passait alors pour têtu et même autoritaire. Dans sa façon d'exercer le pouvoir à titre de Premier ministre, on ne retrouve cette même attitude, en 1977 et 1978, que lorsqu'on semble défier son autorité et qu'on le place sur la défensive. Son côté frondeur reprend alors, un instant, le dessus...

---

25. Evelyn Dumas, «The days of grace are over», *The Montreal Star*, 19 août 1977, p. A-7.

Avec Lévesque, la presse a une tâche difficile

4 mai 76

par Gilbert ATHOT

envoyé spécial du Soleil

MONTREAL — Si les libéraux accusent les péquistes d'infiltrer les journalistes, ces derniers ne peuvent accuser les péquistes de les utiliser. Ils pourraient même accuser M. René Lévesque de ne pas toujours leur rendre la tâche facile.

. En effet, autant par les horaires inhumains de la tournée du leader péquiste que par les moments qu'il choisit pour faire des déclarations intéressantes, les représentants des média d'information, surtout ceux de la presse électronique, sont loin d'être choyés.

De fait, M. Lévesque ou ses conseillers sont à cent lieues des performances de M. Bourassa et de ses conseillers pour profiter systématiquement de la présence inévitable des média d'information dans l'entourage des chefs de partis, en période électorale. Ainsi, il est souvent impossible de savoir si le chef du Parti québécois va faire ses déclarations importantes à tel ou tel moment.

Il est même arrivé, la semaine dernière, que ses conseillers disaient aux journalistes qu'il n'y aurait rien lors de telle ou telle manifestation politique. Eh bien, presque à chaque fois, M. Lévesque se lançait dans une diatribe à l'emporte-pièce ou bien annonçait quelque chose que les média jugeaient devoir refléter dans leurs informations au grand public.

Avec le résultat que la radio et la télévision rataient les bonnes "cuts", comme ils disent dans leur métier, c'est-à-dire les courtes déclarations choc d'une minute ou deux sur des sujets importants.

Ou encore, M. Lévesque semble avoir l'art de choisir le mauvais moment pour faire ses déclarations importantes. Il ne tient généralement pas compte des heures de bulletin d'information, à la télévision surtout. Ce qui fait qu'il manque parfois le bateau, tout en rendant le travail des journalistes de la presse électronique très difficile.

Pour ceux qui connaissent M. Bourassa et ses conseillers, en période électorale comme en tout temps, cette situation ne prévaut aucunement. Le chef libéral sait fort bien "profiter" de la présence des média électroniques, autant au niveau de la longueur de ses messages qu'au niveau des heures qu'il choisit pour faire ses déclarations.

Du côté de la presse écrite, le problème est beaucoup moins sérieux parce que ses représentants peuvent toujours poser des questions dans les heures qui suivent, d'autant plus que leurs heures de tombée sont généralement moins exigeantes que celles de la presse électronique.

La guerre de propagande jusqu'à l'école et l'université

GÉRARD D.: C'EST DU LAVAGE DE CERVEAU
RENÉ: NON, LES CERVEAUX SE RÉVEILLENT

14-12-79

Daniel Brosseau

QUÉBEC — La bataille du référendum atteint les milieux de l'éducation et il s'y fait du lavage de cerveaux, selon le chef de l'Opposition officielle, Gérard D. Lévesque.

Pour René Lévesque, ce sont plutôt les cerveaux qui se réveillent, «un peu partout au Québec».

Hier matin, l'Opposition officielle faisait état d'un concours lancé au niveau secondaire par la Société nationale des Québécois et approuvé par trois commissions scolaires du Bas-Saint-Laurent.

En l'absence du ministre de l'Éducation, c'est le premier ministre qui a pris avis de la question, à savoir s'il est d'accord qu'on accepte de tels concours.

Toutefois, le chef de l'Opposition en a profité pour mentionner qu'une pochette intitulée «O Canada» avait été interdite aux commissions scolaires par le ministre de l'Éducation, et il a demandé si M. Morin agirait de la même façon dans le cas du concours de la SNQ intitulé «Pourquoi je dis oui à l'indépendance».

Au même moment, le député libéral Michel Gratton dévoilait un incident qui s'est produit le 8 décembre dernier à l'université Laval, lors d'une cérémonie de collation des grades.

Le programme officiel portait la mention «O Canada» et on a réimprimé le programme sans la mention, ceci ayant un lien avec le fait que le ministre de l'Éducation prenait la parole à cette occasion.

Dans ce cas aussi, le premier ministre a pris avis de la question, tout en mentionnant que dans certains milieux, «y compris des milieux aussi autonomes que les universités, on commence spontanément à contrer une certaine propagande qui s'organise de tous bords tous côtés, actuellement du côté fédéraliste».

Et le premier ministre de conclure qu'il trouvait cela parfaitement normal, ce qui a provoqué la colère du chef de l'Opposition:

M. Lévesque (Bonaventure): Il y a une question, M. le président, qui dépasse même une question de privilège. C'est la question de savoir si ce gouvernement va continuer ce lavage de cerveau, particulièrement chez la jeunesse québécoise. Nous en avons assez!

M. O'Neill: Ce n'est pas possible, que c'est triste, on n'en a qu'un!

M. Lévesque (Taillon): Il ne s'agit pas de lavage de cerveau, il s'agit de cerveaux qui s'éveillent un peu partout dans le Québec.

Un concours de la SNQ irrite l'opposition 13-12-77

QUÉBEC (PC) — "Cela part d'un bon naturel'', a lancé hier à l'Assemblée nationale le premier ministre M. René Lévesque, invité à commenter un concours organisé dans l'est du Québec par la Société nationale des Québécois qui propose aux étudiants du niveau secondaire d'expliquer: "Pourquoi je dis oui à l'indépendance''.

La question a été soulevée par le chef de l'opposition officielle, M. Gérard-D. Lévesque, qui a précisé que cette promotion de la SNQ aurait reçu l'approbation des commissions scolaires régionales des Monts, de la Vallée et du Grand-Portage et serait sur le point de recevoir celle de la CSR du Bas Saint-Laurent.

En dépit de cette observation ironique, le premier ministre a promis de s'enquérir auprès du ministre de l'Édu-

cation, M. Jacques-Yvan Morin, des détails de cette affaire comme il a promis de se renseigner aussi sur une autre affaire survenue celle-là dans l'ouest du Québec.

Le député libéral de Gatineau, M. Michel Gratton a déclaré que les organisateurs d'une cérémonie d'allocation de diplômes se seraient contraints de supprimer de leur programme officiel la mention du chant "O Canada''.

Commentant ces deux incidents, le chef de l'opposition, sur le ton de la juste indignation, a fait valoir qu'il s'agit de lavage de cerveau'' avant que l'indépendance du Québec ne soit une fait accompli.

"Ce n'est que du lavage de cerveau, a répliqué le premier ministre. Je crois qu'il s'agit plutôt de cerveaux qui s'éveillent''.

CONCLUSION

M. Lévesque n'aime pas beaucoup qu'on le psychanalyse. Là n'était pas notre objectif et nous n'en détenons d'ailleurs pas les compétences. Néanmoins, notre étude a peut-être suscité le besoin de le faire dans le cas de René Lévesque, comme dans celui de ses prédécesseurs depuis 1960. La connaissance du psyché des cinq plus récents Premiers ministres aiderait sans doute mieux à comprendre leur façon d'exercer le pouvoir. À cet égard, on a noté la caractéristique dominante de chacun.

Jean Lesage se fiait aux autres pour formuler les diverses options: il attendait souvent trop tard pour intervenir dans le processus, parfois même jusqu'à la cristallisation des tendances. Cette démarche aboutit à tant d'embouteillages, qu'il perdit le contrôle intellectuel du Conseil des ministres.

Daniel Johnson craignait l'approche technocratique, qui le séduisait néanmoins. Il se montra soucieux d'utiliser l'approche humaniste pour faire contrepoids aux technocrates. Il suscitait les avis de conseillers humanistes (véritables éminences grises dans certains cas) autant que ceux des hauts fonctionnaires de la Révolution tranquille. Il sollicitait presque toujours ces avis en parallèle, sans que les deux groupes de conseillers se consultent ou travaillent en commun. C'était là une façon de s'assurer qu'il prendrait finalement les décisions lui-même.

Jean-Jacques Bertrand apportait avec lui toutes les racines et tout le «background» d'un notable de petite ville, qui n'avait peut-être pas perçu tous les changements que le Québec connaissait en cette fin de décennie. Les valeurs qui l'animaient et le type de leadership qu'il exerçait ne correspondaient pas à la nouvelle ère de la télévision et du nationalisme. Voilà un phénomène qui exigeait d'un Premier ministre des talents de communicateur et de pédagogue. Il aurait fallu à M. Bertrand, sinon une conception nouvelle de la société québécoise, tout au moins un vocabulaire mieux adapté au Québec urbain, pluraliste et fier de sa culture autonome.

Robert Bourassa, traumatisé dès les premiers mois de son mandat par une grave crise politique, s'est résolu à gouverner seul, entouré d'un peitit groupe de conseillers cyniques et assoiffés de pouvoir.

Le Premier ministre Lévesque, par ailleurs, paraît éprouver des difficultés à se donner à fond de train à son projet d'autodétermination du peuple québécois. Il donne l'impression de ne pas exercer en ce sens tout le leadership qu'on lui connaissait à l'époque de la Révolution tranquille. À travers les crises de sécurité et les moments dépressifs, qui ont marqué sa carrière politique, chaque fois qu'un collègue semblait contester sa vision de la société québécoise ou son style de leadership, René Lévesque brandissait sa démission. Maintes fois, en 1963, alors qu'il était ministre des Richesses naturelles, ses collaborateurs ont reçu instruction de préparer les dossiers pour son successeur. Cet indice d'émotivité s'est également manifesté après la défaite de 1970, et à nouveau en 1974, lorsqu'il a senti son leadership remis en question par la déception, la contestation et le désarroi qui s'exprimaient de l'intérieur du parti.

Un trait de caractère susceptible de marquer le style de leadership du Premier ministre réside dans l'incapacité de se confier à des amis et sa propension à s'entourer plutôt de partenaires de jeux. Ces fous du roi, dit-on, exercent plus que quiconque une influence directe sur lui dans la gouverne de l'État. Quoi qu'il en soit, la psychanalyse pourrait apporter des explications aux phénomènes signalés dans cet ouvrage.

Le genre de conseillers choisis par les Premiers ministres peut également aider à expliquer leur façon d'exercer le pouvoir et leur style de leadership. Le Premier ministre a besoin d'aide, entendait-on à quelques reprises, de 1969 à 1976. Or, les Premiers ministres de cette période s'en remettaient à un nombre restreint de conseillers et ne faisaient guère confiance à la majorité de leurs ministres.

En 1969-1970, le Premier ministre unioniste Jean-Jacques Bertrand avait, pour ainsi dire, délégué ses pouvoirs exécutifs au secrétaire général du Conseil exécutif, Me Julien Chouinard, qui a conservé une marge de manœuvre impressionnante, malgré l'entrée en scène des deux plus puissants conseillers partisans de ce régime, MM. Paul Desrochers et Charles Denis.

Lorsque la baisse de popularité du gouvernement Bourassa, en 1975, a fait fuir Paul Desrochers et que Charles Denis est tombé en disgrâce, le Premier ministre ne manifesta aucune imagination nouvelle pour changer les structures du vrai pouvoir exécutif. Les années 1975 et 1976 révélèrent alors un vide à cette double dimension de la communication avec les citoyens et de la conception des thèmes qui donnent le ton à tout régime politique.

Par contre, les années précédentes, de 1960 à 1968, avaient révélé un meilleur jugement dans le choix des conseillers, et surtout des structures plus diversifiées permettant au Premier ministre de recueillir de plus nombreux avis. À certains égards, on a donné le nom de « stratégie d'une équipe de ballon-panier » au type de pouvoir qu'exerçait Jean Lesage et de « structures parallèles compétitives » à celui exercé par Daniel Johnson. Dans les deux cas, il s'agit de structures informelles qui reflètent l'état d'esprit des deux hommes plus que la situation politique dans laquelle ils manœuvraient.

MM. Lesage et Johnson gouvernaient avec aisance, l'un enrichi de l'expérience de ministre fédéral tandis que l'autre avait le don de savoir conserver à la fois la confiance des technocrates et des partisans. Les deux avaient une vision du Québec, un grand dessein, qui les anima et qui les incita à s'entourer des esprits les plus lucides. Cette audace comportait le risque de s'aliéner les troupes partisanes. Jamais ils ne gouvernèrent « en-dessous de leurs moyens », sauf peut-être en 1965-1966, alors que la Révolution tranquille parut manquer de souffle. Une fois les penseurs de la commission politique et les communicateurs neutralisés, il était devenu impossible pour les ministres de convaincre le Premier ministre Lesage de poursuivre les réformes. L'équilibre était rompu ; le Premier ministre s'appuyait dorénavant sur les conseils d'un seul type d'hommes, ceux du parti, qui lui suggéraient la prudence, un ralentissement des réformes.

Peut-on parler d'une modification fondamentale des structures réelles de l'Exécutif, soit un régime parlementaire durant la décennie 1960-1970, qui aurait fait place à un régime quasi-présidentiel à compter de 1970 ? Il est vrai que les années 1960-70 ont été celles du parlementarisme : « colères du vendredi » de Jean Lesage, débats interminables, émotifs et acrimonieux à l'Assemblée en 1969. Par contre, le régime quasi-présidentiel mis en place par le Premier ministre Bourassa n'aurait pas été prémédité, mais plutôt circonstanciel et spontané. C'est la performance décevante, sinon décourageante, de la plupart de ses ministres durant les événements d'octobre 1970 qui l'aurait résolu d'assumer lui-même la gestion des affaires de l'État, avec le seul concours d'une équipe restreinte de conseillers partisans et d'éminences grises.

Dès 1969, les observateurs politiques, dont le directeur du *Devoir*, n'avaient pas manqué d'observer la présence de « king-makers » dans l'entourage de Robert Bourassa, alors candidat au leadership du parti. De fait, Paul Desrochers avait entrepris à l'époque de construire son cercle de pouvoir autour du futur chef du parti. Après la victoire libérale d'avril 1970, on était déjà en mesure de soupçonner que la collégialité ne serait pas le mode d'exercice du pouvoir et que le Conseil des ministres n'en serait pas le lieu privilégié.

C'est presque l'inverse que l'on retrouve depuis novembre 1976. Non pas que l Assemblée nationale soit le véritable centre du pouvoir. Les députés ministériels ont certes, en caucus, modifié certaines orientations du gouvernement péquiste. Mais sans plus Et le Conseil des ministres est redevenu le lieu de l'exercice du pouvoir.

Ce déplacement de l'exercice du pouvoir a rassuré les plus démocrates, mais il a permis de déceler chez le Premier ministre Lévesque des faiblesses de leadership qui ont déçu ceux qui avaient cru enfin retrouver un « vrai Premier ministre » qui ferait oublier les hésitations et l'équivoque chroniques de Robert Bourassa. Ces appréhensions des tenants de la fermeté se sont confirmées lorsque M. Lévesque, par exemple, s'avoua incapable de procéder au remaniement ministériel qu'il avait annoncé depuis des mois. L'inquiétude s'accrut encore lorsque le Premier ministre laissa passer certains paragraphes du projet de Loi 101. Il fut plus évident que jamais, qu'on était bien loin d'un régime présidentiel lorsque le nouveau chef du gouvernement commença à se faire servir régulièrement des menaces de démissions de ministres au beau milieu des réunions du Cabinet (une pratique dont il avait lui-même fait un usage outrancier, alors qu'il était ministre libéral et plus tard président du P.Q).

Les spécialistes des institutions politiques comparées attribuent trois fonctions distinctes à un Premier ministre dans l'exercice du vrai pouvoir exécutif: le leadership du Conseil des ministres et du parti au pouvoir; la transformation d'un programme politique en lois et décisions gouvernementales; et l'identification des citoyens à ce leader et à ces lois. Comment furent remplies ces trois fonctions par les cinq Premiers ministres qui se sont succédé depuis 1960? Parmi d'autres, c'est une question à laquelle cet ouvrage a tenté de répondre.

Direction du Conseil des ministres et du parti

Jean Lesage arriva au pouvoir en comptant à la fois sur des éléments réformistes et des éléments plus traditionnels. Il jouissait de la confiance du gouvernement fédéral, ce qui permit des négociations discrètes préalables aux conférences fédérales-provinciales. M. Lesage était suffisamment sûr de lui pour susciter des candidatures de fortes personnalités qui devinrent ministres à la suite d'élections complémentaires. Il s'entoura par ailleurs de conseillers techniques et de sous-ministres qui le forcèrent constamment à fournir le meilleur de lui-même, intellectuellement et administrativement. Intellectuellement, on ne peut guère comparer M. Lesage à certains de ses ministres ou hauts fonctionnaires (Paul Gérin-Lajoie ou Michel Bélanger, par exemple). Il ne lisait pas beaucoup, n'était curieux que de questions financières et se révélait incapable de rédiger le moindre discours. Il se laissa néanmoins convaincre du rôle moteur de l'État dans le développement socio-économique de la collectivité. C'est lui, par exemple, qui donna à Claude Castonguay la chance de se faire valoir en élaborant un régime universel de rentes du Québec. Administrateur, (il en faisait sa qualité majeure) il parut prudent dans la gestion quotidienne de l'État, se fiant sous cet angle à des éléments plus traditionnels du parti en qui il avait confiance. Cependant, il ne sut peut-être pas communiquer aux citoyens son sens de la mesure et ses qualités de saine gestion. Il fut perçu par plusieurs comme dépensier et instigateur de politiques de grandeur.

Daniel Johnson gouverna, lui, souvent contre son parti. Son charme personnel lui permit de manœuvrer durant les années 1966-1968 au milieu de députés et ministres plus traditionnalistes que lui. Son autorité, il l'exerça avec l'appui des sous-ministres de la Révolution tranquille et en consultant abondamment, aux quatre coins de la province, les vieux militants et les jeunes cadres de son parti.

Jean-Jacques Bertrand se heurta à plusieurs de ses ministres durant ses dix-huit mois au pouvoir. Ces tensions touchaient à la personnalité même des hommes en présence, mais elles s'envenimèrent au sujet de politiques spécifiques que le Premier ministre conçut sans l'accord de ses ministres.

Robert Bourassa n'a pas voulu s'entourer de gens d'horizons divers pour le conseiller. Écrire qu'il n'a pas su s'entourer serait mal formuler cette lacune. Il n'a pas voulu le faire. Les spécialistes, c'est-à-dire les gens formés à une discipline très technique (ce qu'est essentiellement M. Bourassa) ont tendance à tout percevoir sous l'angle de leur spécialité au sein de l'activité gouvernementale. Ils recherchent les avis de gens qui situent les problèmes dans le contexte de leur seule spécialité.

René Lévesque, enfin, s'entoure au contraire d'un personnel de généralistes, fidèles au parti ou à sa personne depuis de nombreuses années. Plusieurs ont noté que l'apparence d'un leadership incertain

provenait de l'absence de conseillers qui « tasseraient intellectuellement » le Premier ministre, contrairement à l'époque de la Révolution tranquille.

Associé au projet de souveraineté-association qu'il a conçu il
y a plus de dix ans et décrit, à ce titre, comme leader historique,
le Premier ministre jouit ainsi auprès des militants de son parti d'une
confiance nettement plus grande que son prédécesseur. La différence se situe d'ailleurs autant dans le type de parti que dans la
personnalité des deux chefs. Un parti d'animateurs fonde sa légitimité sur le programme qu'il préconise, plus que ne le fait un parti
d'organisateurs d'élections. Le parti québécois se rapproche bien
plus, sous cet angle, de la Fédération libérale des années 1960-1965
que ne l'a fait le parti libéral de 1970 à 1976. On voit ici apparaître
la seconde dimension du vrai pouvoir exercé par le Premier ministre.

Pouvoir d'innovation et d'exécution gouvernementale

Ce pouvoir nécessite des qualités qui permettent de faire fonctionner l'appareil gouvernemental. Le Premier ministre Lévesque
considère qu'il s'agit là de l'aspect le plus gratifiant de sa fonction :
le pouvoir de faire avancer des dossiers jusqu'à leur aboutissement
final en lois.

Nous avons distingué deux qualités propres à ce type de leadership : l'innovation (la conception) et l'exécution des politiques. De
1960 à 1968, les avis qu'a sollicités le Premier ministre provenaient
surtout des hauts fonctionnaires et, au début, de trois ou quatre
ministres clés. Par contre, de 1968 à 1976, l'innovation ne constituait pas une priorité du Premier ministre. L'exécution, elle, a im-
manquablement été confiée aux ministres, durant la décennie 1960-
1970, puis à des chargés de mission désignés par le Premier ministre de 1970 à 1976. Et, depuis le 15 novembre 1976, la conception
des politiques s'est effectuée à partir des cabinets personnels de ministres qui ont parfois même exercé, de fait, des fonctions de commandement dans l'exécution de ces politiques.

Les talents qui permirent d'abord au Premier ministre Lesage
de faire fonctionner l'appareil gouvernemental ont été comparés à
ceux d'un instructeur d'une équipe de ballon-panier. Les dossiers
se passaient de l'un à l'autre, de sorte que quatre ou cinq ministres
voyaient tous les dossiers des autres ministères. De même, au Bureau
du Premier ministre, personne n'avait de fonctions nettement définies. Avec l'accord de M. Lesage, certains ministres prenaient

goût à lancer le ballon dans n'importe quelle direction, comme les Harlem Globe-trotters, et ils tenaient à ce qu'il soit continuellement en rebondissement.

Le Premier ministre Johnson utilisa, lui, un type concurrentiel de gestion. Plutôt que la stratégie de ballon-panier, une telle approche implique deux groupes de conseillers distincts que le Premier ministre consulte séparément. Les avis que MM. Lesage et Johnson demandaient étaient cependant nombreux pour chaque dossier. Le Premier ministre Bertrand, au contraire, utilisait une structure hiérarchique ou militaire. Malgré les tours de table qu'il suggérait lors des réunions du Conseil des ministres, il se fiait à peu près uniquement aux avis d'un chef d'état-major. C'est ce dernier (plutôt que le Premier ministre) qui faisait le bilan à partir de recommandations provenant de sources multiples (dans la plupart des cas). M. Bourassa a eu tendance à adopter le même type de gestion; il définissait les priorités gouvernementales en se fiant à un groupe très restreint de conseillers non élus et en élaborant les politiques en consultation du seul ministre chargé de ce portefeuille.

Sous le gouvernement péquiste, enfin, le vrai pouvoir de conception des politiques se retrouve au sein des ministères d'État et des cabinets personnels de ministres. Ce gouvernement s'est très peu appuyé sur la haute fonction publique pour la cueillette des données et la formulation des projets de lois. Les exceptions se retrouvent au ministère des Richesses naturelles. La définition des priorités a mis en conflit, au sein du Conseil des ministres, ceux qui utilisent une approche plus pragmatique de la souveraineté-association (lors de négociations avec Ottawa notamment) et ceux qui préconisent, au contraire, des mesures plus contraignantes, soit les visionnaires.

Le trait le plus marquant de l'exercice du pouvoir sous le régime Lévesque constitue la mise en place de nouvelles structures ministérielles, notamment les ministères d'État et le comité des priorités. En accentuant ainsi la dimension politique des prises de décisions, les hauts fonctionnaires sont relégués, comme sous le régime de Jean Lesage, à un rôle plus traditionnel de techniciens et de personnes-ressources.

À l'époque de la Révolution tranquille, quelques rares fonctionnaires détenaient déjà un rôle prépondérant dans la gestion des affaires de l'État: Claude Morin, aux Affaires intergouvernementales; Arthur Tremblay à l'Éducation; Roch Bolduc, d'abord à la Commission de la fonction publique puis aux Affaires municipales; Michel

Bélanger aux Richesses naturelles; et Jacques Parizeau aux Finances. Mais ce n'était rien, si l'on compare à l'ère des mandarins inaugurée sous le régime de Robert Bourassa. Pour la première fois, un pouvoir écrasant était centralisé entre quatre ou cinq postes de la haute fonction publique. Ainsi, les Julien Chouinard, Guy Coulombe, Claude Rouleau, Robert Normand, Pierre Goyette et Jean-Claude Lebel contrôlaient à eux seuls l'essentiel du fonctionnement de l'État. Depuis les élections de 1976, certains furent mutés à des postes plus inoffensifs, tandis que les autres ont quitté la fonction publique.

En principe, on reconnaît encore quelques mandarins dont les postes névralgiques confèrent une réelle participation au pouvoir et à la réalisation des grands objectifs du gouvernement: le secrétaire général du Conseil exécutif, Louis Bernard; le sous-ministre aux Affaires intergouvernementales, Robert Normand; le sous-ministre des Finances, Michel Caron; le sous-ministre de la Justice, René Dussault et le secrétaire général du Conseil du Trésor, Jean-Claude Lebel. Dans les grands dossiers auxquels ces hauts fonctionnaires ont encore un accès privilégié, leur influence n'est plus systématiquement déterminante, depuis que le gouvernement Lévesque a rapatrié au Conseil des ministres le vrai pouvoir de conception des politiques.

L'exécution des politiques, quant à elle, a mis en évidence deux caractéristiques du vrai pouvoir sous René Lévesque: un très grand nombre de ministères ont été administrés durant de longs mois par des sous-ministres intérimaires, ce qui diminuait l'initiative et l'autorité que pouvait exercer la fonction publique; et, dans certains cas, les cabinets personnels de ministres ont exercé l'autorité sur les fonctionnaires plutôt que de se limiter à conseiller les ministres, ce qui tranche très nettement sur les régimes précédents. On a en outre noté un glissement du processus législatif depuis 1976, lors des tournées de consultation de ministres dans le cadre de Livres blancs ou verts: le processus d'adversité, d'opposition, qui caractérise le régime parlementaire de type britannique y paraît d'autant plus mis en veilleuse que le ministre se déplace entre amis, les commissions parlementaires demeurant à Québec et l'attaché de presse du ministre insistant pour qu'il n'y ait pas de chahut. Cette dimension de la communication avec les citoyens se révélera, par ailleurs, une source majeure du vrai pouvoir sous ce gouvernement péquiste.

Identification au leader et à son programme législatif

Dès l'instant que son arme principal est la persuasion (plutôt que la répression), chaque nouveau Premier ministre doit parler, non seulement *au nom* de la collectivité, mais surtout *à* celle-ci. Se faire élire ne constitue que le prélude du processus de communication. Sa façon, bonne ou mauvaise, de jouer son rôle de premier publiciste du gouvernement aura un effet décisif sur son pouvoir de Premier ministre.[1] Dans son livre *L'enjeu*, l'ancien ministre François Cloutier raconte comment, dans ses conversations personnelles avec lui, Robert Bourassa articulait de façon fort lucide certains raisonnements et il s'étonne que M. Bourassa n'ait jamais fourni une telle argumentation aux citoyens. Le Premier ministre se fiait aux conseils de fabricants d'images et n'utilisait que de la propagande et des slogans creux. Un peu en sens inverse, le journaliste William Johnson reprochait au gouvernement péquiste, en 1977, de prétendre savoir ce qui est bon pour les Québécois sans leur expliquer le sens des gestes qu'il posait. C'est la troisième dimension du leadership qui est en cause ici. Le Premier ministre détiendra d'autant plus le vrai pouvoir à Québec, qu'il aura cette pédagogie d'expliquer aux citoyens quelle est la situation politique ou économique. S'il crée des expectatives, il doit être en mesure de les satisfaire. (Ceci, en ce sens, lie la deuxième et la troisième dimensions du leadership qu'exerce le Premier ministre.)

Certains Premiers ministres québécois se sont sentis démunis de tous moyens d'exercer ce rôle. Ils ont fait appel à des conseillers dont ils ont sollicité des avis techniques. MM. Lesage et Johnson ont ainsi embauché des conseillers en télévision, un médium nouveau à l'époque par l'influence qu'il était en train d'acquérir. Ces conseillers ne se percevaient pas comme des militants du parti, ni comme concepteurs de politiques; ils ne se substituaient pas aux deux autres types de conseillers.

M. Bertrand, lui, fut fort mal conseillé. Les discours qu'on lui préparait sont, dans certaines circonstances, demeurés mémorables tellement ils cadraient mal avec le lieu et le moment où ils ont été lus par le Premier ministre. Certains actes posés à la télévision — se faire laver les cheveux — ont indisposé tous les téléspectateurs qui ne les percevaient pas comme appropriés. La faculté d'identification des citoyens à un Premier ministre est peut-être, pour la première fois, apparue lorsque, à cette même époque, Pierre Trudeau est devenu Premier ministre du Canada. Il répondait à ce besoin de projection. Trudeau correspondait à ce que plusieurs Canadiens-français avaient longtemps et souvent désiré être: sportif, riche, grand, voyageur, écrivant et parlant bien. Par contraste, la banalité du discours et du comportement, chez M. Bertrand, n'en était que plus frappante. À

---

1. Douglass Cater, *Qui gouverne à Washington?*, p. 111

une époque où le nationalisme devenait de plus en plus aigu au Québec, M. Bertrand a lamentablement failli dans ses efforts pour vendre la Loi 63. Aux expectatives qu'avaient créées ses prédécesseurs, Jean-Jacques Bertrand ne sut y répondre. Parmi d'autres, cet échec a ébranlé les militants et personnalités influentes de son propre parti. Les militants d'un parti se laissent toujours guider par les réactions du grand public à l'image que projette le Premier ministre. Le pouvoir du Premier ministre ne repose plus uniquement sur ses bonnes relations avec les chefs de file régionaux de son parti. C'est là l'impact politique majeur de la télévision depuis dix ans au Québec : le leadership du Premier ministre dépend tout autant de son prestige populaire. Cette dimension prit pour la première fois toute son ampleur en 1969-1970.

Les conseillers en communication de Robert Bourassa élaborèrent des campagnes particulièrement intelligentes en 1970 et 1973, mettant l'accent sur les ingrédients nécessaires à la mise en marché de tout produit : faire prendre conscience d'un besoin, signaler qu'un produit existe pour satisfaire à ce besoin et faire désirer ce produit grâce à un bel emballage. Les problèmes économiques et la crainte de l'aventure séparatiste servirent à créer le besoin d'un jeune économiste qui mit l'accent sur des finances saines et le fédéralisme rentable. Un conseiller en communication, Charles Denis, et un stratège du parti, Paul Desrochers, réussirent pendant cinq ans à convaincre une majorité de citoyens que la victoire du parti québécois constituerait une catastrophe. À un point tel que les résultats de l'élection de 1973 ne représentaient sans doute pas un échec pour Gabriel Loubier. La débandade de l'Union nationale, cette année-là, ne s'explique pas du tout pas la personnalité de M. Loubier. La campagne de marketing libérale était telle que « ç'aurait été un autre chef (de l'U.N.) et le résultat aurait été le même. »[2] De leur propre aveu, M. Bourassa et ses conseillers empruntèrent aux Démocrates-chrétiens d'Italie et aux forces de droite française une tactique qui les a maintenus au pouvoir durant deux décennies après la guerre : la peur du communisme !

Pour parvenir à ses fins, Charles Denis manipula l'information grâce à des techniques que l'importance nouvelle des media électroniques favorisait. Les déclarations-capsules, les messages enregistrés sur cassettes, l'usage sélectif de la télévision, voilà toutes des techniques que les conseillers en communication utilisaient beaucoup moins fréquemment durant la décennie précédente. Les journalistes

---

2. *Si l'Union nationale m'était contée*, p. 69.

de la presse écrite avaient beau être critiques à l'égard du gouvernement Bourassa dès 1971, celui-ci fut réélu en 1973 avec un pourcentage de voix inégalé en situation de multipartisme.

L'influence de ces conseillers de Robert Bourassa devint manifeste, lorsque la cote de popularité du gouvernement s'effondra et qu'une relance se serait avérée nécessaire. L'approche plus pédagogique dont M. Bourassa eût été capable ne fut jamais mise à exécution. Ce sont, au contraire, «les gadgets à Morin» qui succédèrent aux conseils de Charles Denis en 1975-1976. Les conseillers en communication dont M. Bourassa s'entoura alors (MM. Morin, Tremblay, Lortie…) ne modifièrent guère la stratégie d'ensemble du régime toute faite de slogans partisans, d'absence de vision à long terme et, pour la première fois en dix ans, d'absence de sens de l'État.

Depuis novembre 1976, la communication avec l'électorat a, elle aussi, connu des ratés. Le Premier ministre demeure, lui, un grand maître de la communication et l'un des leaders charismatiques les plus attachants sur le plan personnel. Il ne s'est cependant pas entouré de communicateurs particulièrement influents au sein du régime. Les stratèges du régime sont le chef de cabinet du P.M. et un ou deux ministres. La diffusion de cette stratégie et des diverses lois nouvelles relève par conséquent des ministères, des associations régionales et locales du parti (chacune compte un attaché de presse). Le pouvoir est ainsi plutôt décentralisé. Pas de «king-maker» ni de fabricants d'images artificielles, mais des spécialistes du bel emballage, dans certains cas. En somme, des succès nuancés et quelques ratés: c'est le corollaire d'un pouvoir éparpillé.

Par contre, ce qui est plus centralisé, ce sont les thèmes propagés par la mise en marché des différents ministères à Québec. Le marketing fait appel aux tripes des gens, à leur fierté nationale, de façon systématique, soutenue, et techniquement poignante, à un point tel que les adversaires politiques du parti québécois parlent de lavage de cerveaux. C'est là le marketing d'un parti mu par une cause et qui utilise la publicité gouvernementale pour promouvoir une telle cause. Le gouvernement libéral fédéral fait la même chose depuis 1977.

Pourtant, le vrai pouvoir des conseillers d'un Premier ministre paraît hypothéqué par l'environnement dans lequel il se déroule. L'étude du leadership à Québec, et plus particulièrement celle de l'entourage du Premier ministre depuis 1960, débouche ainsi tout naturellement sur la pensée sociale et les forces économiques avec lesquelles (ou contre lesquelles) ces conseillers doivent travailler. Trois caractéristiques méritent d'être soulignées.

Le Premier ministre Bourassa, si préoccupé de gestion gouvernementale, a mis le blâme de sa défaite sur la récession économique. de 1973-1974 qui, a-t-il dit, aurait défait tout gouvernement en 1976. Des conseillers plus diversifiés auraient cependant donné des avis plus énergiques, allant dans le sens d'un leadership plus innovateur en 1975 et 1976. Le politicologue Denis Monière soulignait néanmoins, en 1978, que même l'arrivée du parti québécois au pouvoir a dévoilé les limites de la pensée sociale développée depuis la Révolution tranquille.[3] Les concepteurs de politiques au sein des cabinets ministériels se situent par conséquent dans la même lignée petite bourgeoise que ceux de la Révolution tranquille.

Voilà la seconde caractéristique de la période actuelle : les avis donnés au Premier ministre se heurtent à un courant plus radical qui déborde le parti québécois sur sa gauche et que l'on retrouve aussi en son sein. Lorsqu'en juin 1978, à Granby, le Premier ministre Lévesque dut mentionner au conseil national du P.Q. que progrès ne signifie pas anarchie, on a ressenti le poids qu'exerce sur le gouvernement l'aile plus radicale du parti. Celle-ci, de façon méthodique et constante, souhaite depuis dix ans une accélération du changement, une vraie révolution sociale au Québec.

Par contre, le marketing a beau être perçu comme lavage de cerveaux tellement il est systématique et l'aile radicale a beau se faire pressante, le sondage de juin 1978 révèle (après cinq cents jours de gouvernement péquiste) bien peu de changement d'opinion : 33% des gens favorisent la souveraineté-association ; 30% croient que M. Lévesque est le meilleur leader ; 46% sont satisfaits du gouvernement actuel. Il n'y a guère de changement depuis un an.

Le gouvernement intensifiera son contrôle des deux processus fondamentaux de la société active : le processus de prise de décision et celui de la formation du consensus. La publication du Livre blanc sur le développement culturel, en juin 1978, se situait directement dans cette foulée. Il s'agit là d'un instrument de prise de conscience collective.

Le marketing, la conception des politiques, la mobilisation des membres du parti visent un même but, en somme, d'ici le référendum : renverser le cours de l'histoire en touchant le cœur même du peuple.

---

3.   Denis Monière, « Le renouveau de la pensée critique au Québec », Le Devoir, 17 juin 1978, p. 28. Du même auteur, voir l'appendice intitulé « Le P.Q. et l'épreuve du pouvoir » dans son ouvrage *Le développement des idéologies au Québec, des origines à nos jours*, Québec-Amérique, 1977, pp. 371-377.

ANNEXE I

L'ENTOURAGE D'UN PREMIER MINISTRE

Tant à Québec qu'à Ottawa, les pouvoirs traditionnels du Parlement et du Conseil des ministres ont fait place au pouvoir réel du Premier ministre et de ses conseillers immédiats. À Ottawa, on a même pu décrire M. Trudeau, il y a quelques années, comme un monarque élu, tant son pouvoir personnel était grand. L'arrivée de la télévision, l'accent mis sur le leader du parti consacrent l'élection d'un homme au poste de Premier ministre plutôt qu'un groupe d'hommes, leaders locaux et régionaux, au gouvernement. On décrit ce phénomène comme la personnalisation du pouvoir. L'objet de l'analyse politique est l'étude du pouvoir. Et, dans ce contexte, les journalistes européens les plus avertis rapprochent la notion de pouvoir de celle de « leadership ».[1] Une caractéristique inhérente à la notion de pouvoir en politique, a pu écrire le journaliste Jean Lacouture dans sa thèse de doctorat, est la distinction entre le leader bureaucratique et le leader charismatique.[2] Lacouture analyse le pouvoir bureaucratique comme fonction de commandement; le leader est « celui qui prend des décisions, celui qui se dégage pour exercer l'autorité ». À l'opposé, le leadership charismatique, qu'il définit plutôt en fonction de la masse d'individus qui le choisira comme Premier ministre. « L'homme de la société de masse a conscience d'être infériorisé, fait appel au héros. » Le leader charismatique n'est pas surtout celui qui prend des décisions, « il est celui qui incarne le groupe, en qui le groupe se reconnaît et qui sert de médiateur envers le phénomène mystérieux du pouvoir ». À l'une et l'autre définitions de « bureaucratique » et de « charismatique » sont liées les motivations du leader: comment conçoit-il l'exercice du pouvoir, à quelles fins veut-il l'utiliser, prestige personnel ou transformation de la société? Découlent aussi de l'une et l'autre définitions trois adjuvants de l'exercice du pouvoir politique, tous les théoriciens paraissent les mentionner: l'exercice réel du pouvoir fait appel à trois types de techniques, trois types de rôles, trois types de priorités. Pour l'aider à prendre des décisions, le Premier ministre Bourassa, comme ses prédécesseurs MM. Jean Lesage, Daniel Johnson et Jean-Jacques Bertrand, s'entoure ainsi de conseillers partisans, de concepteurs de grandes politiques et de communicateurs. Mais selon que le Premier ministre est un leader bureaucra-

---

1. Voir François Bourricaud, *Esquisse d'une théorie de l'autorité,* Paris, 1961.
2. Jean Lacouture, *Quatre hommes et leurs peuples,* Paris, 1969.

tique ou un leader charismatique, le dosage de ces éléments diffère grandement. L'analyse de la réalité du pouvoir exécutif au Québec doit tenir compte du pouvoir réel de ces trois types de conseillers. Et selon qu'un équilibre s'établira entre ces trois techniques, selon que le Premier ministre choisira ou non de tenir compte de ces trois techniques sans en négliger une, on dira de lui qu'il fut un grand Premier ministre. Depuis seize ans, cet équilibre a été atteint durant les années 1960-1964 environ et durant les années 1966-68. Les théoriciens américains et canadiens-anglais de la prise réelle de décision, Morton Gorden ou Bruce Doern[3] par exemple, ont décrit cette réalité en termes d'organisation de «l'arène» du pouvoir. Il s'agit bien là, en effet, de forces souvent en lutte les unes contre les autres pour être mieux écoutées du Premier ministre. Les valeurs qui les animent, les techniques qu'elles utilisent sont fort différentes, et pourtant toutes trois paraissent indispensables au succès du Premier ministre. Celui-ci devra cependant établir ce que le professeur Doern appelle un équilibre «fonctionnel» entre les trois groupes de conseillers; trop tenir compte des conseillers partisans et des fabricants d'images par exemple, et négliger les concepteurs de grandes politiques, laisserait les Québécois sur leur faim après un certain temps et semblerait faire preuve d'une absence de leadership. En sens inverse, concevoir des politiques coupées des masses tiendrait de l'intellectualisme le plus pur. En somme, lorsqu'il manquait à un Premier ministre les conseils de l'un de ces trois groupes fonctionnels d'éminences grises, l'électorat a cessé de lui faire confiance.

a) Les conseillers partisans sont ceux qui influencent la décision dans ce domaine de l'activité sociale qui concerne la gestion de la vie du parti au pouvoir. La notion de politique n'est pas simple, et elle englobe deux aspects complémentaires, que les anglophones désignent d'ailleurs par deux termes distincts, «politics» et «policy». Les conseillers partisans exercent leur rôle dans le premier sens du terme: au sens courant qu'on lui donne au Québec, ils «font de la politique». En soi, l'utilisation des expressions «conseillers partisans» et «faire de la politique» ne devrait revêtir aucune connotation péjorative, elle indique simplement que ces gens animent la vie d'un parti politique. Or, en régime démocratique parlementaire, cette gestion requiert l'existence d'un parti politique dominant. Les règles du jeu démocratique se résument en fin de compte à un grand précepte: ne pas abuser du pouvoir et le transmettre intact à l'adversaire en cas de défaite électorale.[4] Pour conserver le pouvoir, le Premier ministre a, par conséquent, besoin du flair politique de ses conseillers partisans, qui évaluent l'état d'esprit du parti majoritaire et eux, demeurent en contact avec le parti qui a fait élire le Premier ministre et son gouvernement; eux mieux que quiconque perçoivent les

---

3. Morton Gorden, *Comparative Political Systems,* New York, 1972, l'introduction; G. Bruce Doern, «The Development of Policy Organizations in the Executive Arena» in Doern & P. Aucoin, *The Structures of Policy-Making in Canada,* Toronto, 1971, chap. 2.

4. Club Jean Moulin, *L'État et le citoyen,* Paris, 1961, p. 254.

valeurs, l'idéologie qui meuvent le parti. À quelle vitesse doivent s'effectuer les réformes, quelles priorités préoccupent les Québécois, ce sont les conseillers partisans qui détiennent ce pouvoir de dialogue avec le Premier ministre. Ces conseillers sont parfois des ministres, parfois des amis de longue date du leader, plus récemment des membres du Bureau du Premier ministre. De 1966 à 1968, le principal conseiller partisan de Daniel Johnson était même son chef de Cabinet, Mario Beaulieu, indice de l'importance que M. Johnson attachait à cette nécessité de garder le contact avec les militants en voulant faire adopter de nouvelles lois, mettre en marche ou au contraire ralentir des réformes. On a, par ailleurs, reproché à Jean Lesage, durant les deux dernières années de son gouvernement, en 1965-66, d'avoir négligé cette dimension partisane. Au Québec, pour reprendre un passage important d'un ouvrage du début des années 1960, « on méprise à l'ordinaire les partis ; pourtant toute réflexion sérieuse sur la démocratie montre qu'ils sont indispensables »[5]. L'influence des conseillers partisans rivalisera ainsi avec celle des technocrates et des attachés de presse.

   b)   Les concepteurs de nouvelles politiques influencent le Premier ministre quant à cette autre dimension de la politique. C'est la politique définie comme ligne de conduite, la politique comme effort pour poursuivre un projet ;[6] en ce sens, on parlera par exemple de « la politique du gouvernement Trudeau en matière linguistique ». Depuis quinze ans, les concepteurs de nouvelles politiques qui ont grandement influencé le Premier ministre étaient des conseillers techniques de ministres, beaucoup plus souvent que les ministres eux-mêmes. Ou bien ils occupaient des postes de sous-ministres. Leur domaine d'influence est le contenu des politiques gouvernementales en matière d'éducation, de finances ou de relations fédérales-provinciales. Leurs noms sont déjà plus familiers du grand public : Claude Morin, Arthur Tremblay, plus récemment Claude Rouleau. Au Québec, on les appelle des technocrates. Le concept prend tout son sens lorsqu'on apprend qu'il comporte deux éléments : ces gens détiennent des connaissances techniques, et ces connaissances leur confèrent une influence sur la décision que prendra le Premier ministre. La notion traditionnelle du fonctionnarisme, en effet, se limitait aux exécutants de décisions prises par les élus. On se contentait alors de parler de bureaucratie, concept qui en est venu avec les années à prendre un sens péjoratif. On y associait ainsi des caractéristiques de travail routinier et ennuyeux, d'absence d'initiative de la part du fonctionnaire, de frein à l'innovation plutôt que de moteur.

   Le concept de technocratie est apparu aux États-Unis vers les années 1920. Jusqu'alors, la bureaucratie se préoccupait de trouver les moyens d'atteindre les objectifs définis, eux, par le Conseil des ministres ou le Président de la République ; elle s'attardait uniquement aux techniques d'exécution d'une tâche. Avec la complexité des interventions de l'État dans les activités

---

5. *Ibid.*, p. 248.
6. Jean Meynaud, *Introduction à la science politique.*

socio-économiques de nos sociétés, une partie du pouvoir politique de décision glissera dans les mains des fonctionnaires. La fonction publique devient alors un centre accru de pouvoir. Au Québec, cette présence socio-économique de l'état et cette influence accrue des hauts fonctionnaires sont apparues au moment des cent jours de Paul Sauvé, puis de la Révolution tranquille de Jean Lesage.

Une caractéristique domine, «le savoir devient la clé du pouvoir» [7] Les problèmes auxquels les gouvernements ont à faire face et les techniques qui permettent de les résoudre deviennent singulièrement complexes; le Premier ministre et les membres du gouvernement font appel à des professeurs d'universités, qu'ils nomment d'abord auprès de tel ou tel ministre, puis, s'il y a lieu, hauts fonctionnaires. Mais, en général, ces technocrates ne disposent pas de l'appareil bureaucratique; ils cadrent mal au sein de celui-ci, ils ne le dominent pas. Non, leur pouvoir provient plutôt de leurs compétences techniques, et leurs bureaux sont des moteurs des réformes, alors que les bureaucrates traditionnels, eux, continuent d'orienter leur travail vers le respect des précédents et des structures administratives établies.

c) L'influence des conseillers en communication partisane au Québec, enfin, provient d'une dimension critique du pouvoir exécutif, l'information, qui constitue une ressource politique vitale. La façon de privilégier tel ou tel événement, sa diffusion spontanée à travers tout le Québec, le «besoin des gens d'être séduits par une propagande subtilement présentée», l'influence de tous ces aspects a déjà été mentionnée dans *Comment on fabrique un Premier ministre québécois,* livre publié en 1975. [8] Les bases méthodologiques de cet ouvrage s'inspirent de la psychologie sociale, et elles mettent l'accent sur l'impact créé par l'entrée massive de la télévision dans les foyers québécois, comme aux États-Unis quinze ans plus tôt. C'est nettement ce médium qui influence les opinions politiques des gens, et ce n'est pas le contenu des plus longs discours qui crée le plus d'impact. Non, c'est plutôt l'apparence de l'homme politique, sa façon de réagir à une question difficile d'un journaliste, les slogans qui répondront le mieux aux besoins ressentis par les citoyens. Toute l'information est conçue et diffusée, par le gouvernement et par l'Opposition, comme si les quatre années entre deux élections constituaient une longue campagne électorale. L'enjeu électoral consiste à mobiliser le plus de citoyens à des projets auxquels ceux-ci ont envie de s'associer. [9]

Il existe un rapport étroit entre ces trois notions de l'exercice du pouvoir. Le pouvoir exécutif québécois, c'est la gestion des affaires publiques

---

7. Jean Meynaud, *La technocratie, mythe ou réalité?.* Paris, 1960.
8. Jacques Benjamin, *Comment on fabrique un Premier ministre québécois,* Montréal, Éditions de l'Aurore, 1975.
9. «It is a basic theorem in social sciences that an individual responds not only to the «objective» characteristics of a situation, but also to the meaning the situation has for him; the person's subsequent behavior and the results of that behavior are determined by the meaning ascribed to the situation», Robert K. Merton, *Theory and Social Structure,* New York, 1957, pp. 421-2.

par des hommes (et des femmes) qui suivent une ligne d'action et qui en font
part aux citoyens, en propageant des signes, des messages, c'est-à-dire un
sens à ces projets d'action. [10]

Ces trois éléments se retrouvent également dans l'entourage du Premier
ministre du Canada ou du Président des États-Unis, chez les chroniqueurs
des années de gouvernement de Pierre Trudeau, Lyndon Johnson et Richard
Nixon. L'échec de ce dernier, par exemple, paraît imputé à l'isolement her-
métique dans lequel le tenait son chef de Cabinet H.R. Haldeman. Celui-ci
était devenu son principal conseiller en communication, et refusait l'accès
du bureau présidentiel aux conseillers partisans Républicains, et aux concepteurs de grandes politiques, à l'exception sans doute de Henry Kissinger. [11]

Dans le cas des années de pouvoir de John Kennedy, le journaliste
Theodore White [12] avait, lui, au début des années 1960 fait appel à quatre
variables plutôt qu'à trois au sein de sa grille d'analyse: la stratégie, le contenu intellectuel, les partisans, et l'information. C'est la première dimension
qui paraît ajoutée aux trois fonctions retenues par les autres analystes du
pouvoir. Cette dimension «stratégique», il faudrait d'ailleurs plutôt l'appeler
celle des conseillers de «stratégie intellectuelle», puisqu'elle comptait, selon
White, les principaux rédacteurs des discours du Président, Ted Sorensen et
Richard Goodwin. Il s'agissait pour eux de trouver les mots pour communiquer aux Américains les projets conçus par les universitaires, mais d'une
façon qui «inspirerait» les citoyens. Le journaliste Henry Fairlie a récemment souligné les dangers de telles techniques qui, selon lui, remplacent le
contenu par le style, le fond par la forme. [13] Ainsi, à côté de la fonction
d'information que remplissaient Pierre Salinger et ses adjoints, se serait trou-
vée sous John Kennedy une «fonction de médiation entre le leader et la
société de masse», par lequel le «monde ordinaire» transfère au héros tout
ce qu'il voudrait faire lui-même et ne peut accomplir. On retrouve là la thèse de Jacques Ellul. [14] Depuis 1963, on ne distingue guère plus les fonctions d'information et de stratégie intellectuelle dans l'analyse du pouvoir
exécutif. Comme si la fonction d'information était disparue au sein de celle,
plus vaste, de la manipulation clandestine des esprits!

---

10.   C'est la définition de la politique que donnait le professeur Jean Meynaud.
11.   Voir l'Annexe II.
12.   *Comment on fait un Président (8 novembre 1960)*, Paris, 1961.
13.   Henry Fairlie, *The Kennedy Promise,* New York, Dell, 1973.
14.   *Propagandes,* Paris, 1963.

ANNEXE II

L'EXERCICE DU POUVOIR SOUS RICHARD NIXON (1968-1974)

Ce qui frappe de cette époque, c'est l'isolement progressif dans lequel s'est enlisé le Président Nixon. Un isolement que, par tempérament, il recherchait. Mais un isolement qui a essentiellement profité à un homme en particulier, H.R Haldeman, qui contrôlait tout ce que lisait le Président, les gens qu'il rencontrait, les gestes qu'il posait. Haldeman a réussi à s'accaparer ce poste de « Président-adjoint » des États-Unis grâce aux trois rôles-clés qu'il a joués à la présidence[1] : il a contribué activement à l'élection de Richard Nixon, il a en 1969 conçu pour Nixon la structure hiérarchique au sein de l'Exécutif, et il devint le grand responsable, durant ces cinq années de pouvoir, de la fabrication de l'image du Président.

Les amis de longue date du Président Nixon

Lorsque Richard Nixon prit le pouvoir à la fin de 1968, deux amis étaient plus perçus comme les hommes du Président que ne l'était « Bob » Haldeman: Robert Finch et John Mitchell. En fait, Haldeman, tout à fait inconnu du grand public, se décrivait simplement comme un « coordonnateur », rouage administratif entre le Président et ses ministres. Ministres qui, aux États-Unis, portent plutôt le titre de « Secrétaires ». Deux de ces ministres, MM. Finch et Mitchell, avaient accès au Président, lui téléphonaient plusieurs fois par semaine, discutaient de domaines plus étendus que leurs ministères propres, Santé et Éducation d'une part, Justice d'autre part. Aux autres ministres, Haldeman répondait déjà simplement: « Le Président est très occupé par le Vietnam cette semaine, Monsieur le ministre. Pourquoi ne pas mettre par écrit ce que vous vouliez lui dire. Je transmettrai ».

Robert Finch était devenu l'un des conseillers politiques les plus écoutés de Richard Nixon. En 1958-59, Nixon confia à deux hommes la préparation de sa campagne présidentielle contre John Kennedy. L'un d'eux était un avocat californien de 35 ans, Robert Finch. Celui-ci coordonna ensuite la campagne de Nixon au poste de gouverneur de la Californie en 1962. En 1968, après avoir collaboré à la désignation de Nixon comme candidat Répu-

---

1. On trouvera des chroniques détaillées dans les ouvrages suivants: Jules Witcover, *The Resurrection of Richard Nixon* ; R. Evans & R.D. Novak, *Nixon in the White House: The Frustration of Power* ; Theodore H. White, *The Making of the President 1968* et *1972* ; D. Rather & G.P. Gates, *The Palace Guard.*

blicain, Finch se vit offrir par celui-ci le poste de Vice-Président. Il refusa, soulignant que les Américains accepteraient mal que le Président offre ce poste à son meilleur ami. Il accepta cependant, une fois Nixon élu, le poste de Secrétaire à la Santé et l'Éducation. Un ministère difficile. Les Républicains souhaitaient que l'État intervienne beaucoup moins dans ces deux domaines. Finch se percevait comme plutôt progressiste et interventionniste en ces domaines, comme redresseur d'injustices, et engagea comme adjoints des activistes notoires. Il préconisa par exemple l'intégration raciale des écoles au moyen du transport d'écoliers d'un quartier à l'autre des grandes villes du Nord des États-Unis. L'application des jugements de la Cour suprême en la matière relevait cependant du ministère de la Justice dont le titulaire était John Mitchell. Le président Nixon isolé dans son bureau ovale ne se mêla guère de la question, et Finch ne voulut pas préoccuper son ami. Il ne put conserver son poste.

John Mitchell s'était, lui, toujours défendu de faire de la politique. Après sa défaite de Californie en 1962, Richard Nixon vint s'établir à New York et devint membre de l'étude légale de Mitchell, un spécialiste du droit des actions et d'obligations. Le type d'amitié qui lia Nixon à Mitchell, raconte Theodore White, devint celui d'un frère cadet à son frère aîné.[2] Mitchell tout naturellement prit le commandement de la campagne présidentielle de Nixon en 1968. Et tout aussi naturellement Nixon lui offrit ensuite le poste de ministre de la Justice, comme John Kennedy l'avait offert à son frère Robert en 1960. Comme Richard Nixon, John Mitchell était un conservateur, au sens philosophique du terme. Une présence minimale de l'État dans les activités socio-économiques des citoyens. Et un partisan de «la loi et l'ordre». Durant les premiers mois de la présidence, Haldeman et ses subordonnés considéraient Mitchell comme un allié sûr. Son utilité provenait surtout du fait que le ministre de la Justice attirait sur sa personne toutes les protestations des groupes progressistes, tandis que Haldeman, lui, demeurait quasi inconnu. À mesure qu'approchait l'élection de 1972, une lutte sourde s'instaura cependant entre les deux hommes, Haldeman souhaitant diriger la campagne lui-même. Il voulait également utiliser des techniques — on l'apprendra plus tard — qui n'avaient rien de très équitable. Puis il tentera d'en faire porter le blâme à Mitchell.

H.R. Haldeman a toujours décrit son rôle comme celui de petit commis, d'agent de circulation permettant aux différents ministres d'entrer en communication avec le Président. C'est ainsi qu'il décrivit son travail après l'élection de Richard Nixon en 1968; son titre se limitait à celui d'assistant du Président. Il n'avait d'ailleurs pas occupé d'autres fonctions auprès de son patron lors des élections de 1960, 1962 en Californie, et 1968, et pas nécessairement dans son intimité. Son zèle et ses connaissances en publicité avaient cependant attiré l'attention de Nixon. Haldeman, employé dans une grande agence californienne de publicité, se situait idéologiquement très

---

2. *The Making of the President 1968*, pp. 55-57.

à droite sur l'échiquier politique. À droite même du parti Républicain.
Alors qu'il était étudiant à la fin des années 1940, il avait été séduit par Richard Nixon qui avait fait campagne sur le thème de l'anticommunisme et
celui de la moralité publique. Haldeman avait été beaucoup plus attiré par
l'homme que par son parti. En 1972, il voudra plutôt faire réélire le Président
par un comité de coordination indépendant du parti Républicain.

L'un de ses confrères d'université s'appelait John Ehrlichman. Il se
situait, lui, dans le courant majoritaire du parti Républicain durant les années 1940. Lors des campagnes de Nixon, il occupa à la suggestion de son
ami Haldeman des fonctions de niveau intermédiaire au sein de l'organisation nationale. Il faisait carrière à l'époque (1960-1968) comme avocat,
spécialiste des règlements de zonage dans le Nord-Ouest américain, terrain
fertile à la spéculation foncière. Grâce à Haldeman, il devint en 1969 l'avocat
personnel du Président au sein de l'Exécutif, et graduellement Haldeman en
fit le gérant de toute la politique intérieure américaine (l'équivalent de Harry
Kissinger sur la scène internationale).

Charles Colson pour sa part se hissa dans l'entourage immédiat du président Nixon à cause de sa haine farouche des Kennedy. Il détestait profondément ces gens. En 1960, année de gloire des Kennedy, Colson, un
Bostonais, dirigea la campagne victorieuse d'un sénateur Républicain dans
le Massachusetts, État des Kennedy. Aux yeux de ces gens de l'Ouest américain (Nixon, Haldeman, Ehrlichman), qui ne purent s'inscrire aux meilleures universités et qui ne faisaient pas partie de « l'establishment » de
l'Est des États-Unis, Colson représentait le Républicain qui a réussi sur le
terrain même des Kennedy. Haldeman l'invita à se joindre à l'équipe présidentielle à la fin de 1969. Sous sa direction, il fut chargé des activités peu
recommandables lors des élections sénatoriales de 1970 puis les présidentielles de 1972. Son imagination en ce domaine lui attira toute l'estime
de son patron, à un point tel qu'il vint près de supplanter Haldeman et
Ehrlichman. Il est surtout connu aux États-Unis pour son célèbre commentaire : « Je piétinerais ma grand-mère si cela pouvait contribuer à faire élire
Richard Nixon ».[3] Il conçut le cambriolage de l'édifice Watergate, et fut le
premier employé de la Maison blanche à être impliqué dans cette scabreuse
affaire. Son importance au sein du processus de décision, très grande en
1972-73, se situe au niveau le moins attrayant de la personnalité de Richard
Nixon : l'homme que les media n'ont jamais « compris » dont ils ont toujours
dit beaucoup de mal en le comparant aux Kennedy, et qui voulait, *cette fois*,
ne prendre aucune chance de ne pas être réélu. Or, Colson lui proposait,
cette fois, d'utiliser tous les moyens de prendre sa revanche.

Les autres conseillers du Président constituaient les « yeux »[4] de Haldeman auprès de la machine gouvernementale : Conseil de la sécurité nationale,

---

3. « I would walk over my grandmother if necessary ».
4. On trouvera une liste de ces personnes et une description de leurs tâches dans
    « The White House : Not-so-secret Agents », *Time*, 26 février 1973, pp. 21-22.

F.B.I., ministères clés, comité pour la réélection du Président. Ils étaient dans la trentaine — dix ans plus jeune que Haldeman —, avaient été triés sur le volet à cause de leur culture politique identique à la sienne (cheveux courts, puritanisme religieux, idéologie conservatrice, loyauté à leur cause, voire loyauté à la personne de Haldeman). Cinq venaient directement de l'agence de publicité californienne dont Haldeman en 1968 était le vice-président; les autres étaient avocats pour la plupart. Aucun fonctionnaire de carrière. À mesure qu'ils avaient fait leurs preuves au Bureau du Président, ils étaient acheminés (fin 1972 et début 1973) dans les ministères à titre de sous-ministres, faisant ainsi place à d'autres protégés de Haldeman dans l'entourage immédiat du Président.

En somme, une situation très claire de ce point de vue, l'entourage immédiat du Président était formé de gens qui avaient travaillé activement à ses campagnes électorales précédentes. Les plus intimes furent cependant ceux qui disparurent, en particulier à cause de la structure interne de l'Exécutif tracée par le chef de cabinet du Président, H.R. Haldeman, qui supervisait soigneusement le travail de ses protégés.

Le labyrinthe

Ce que l'on retient des années de pouvoir de Richard Nixon, c'est l'absence de contrepoids des différents groupes de conseillers au sein de la Présidence. On a maintes fois décrit le Cabinet de Nixon comme «le plus anonyme de l'histoire des États-Unis», un Cabinet de commis complaisants non élus, sans assise nationale et sans garantie aucune de s'opposer aux vénalités du Président. Un seul l'a fait un jour (octobre 1975).[5] Elliot Richardson on s'en souviendra a démissionné plutôt que de congédier le procureur spécial Cox, son maître et ami à l'Université Harvard.

La toute-puissance de Haldeman et de ses alliés n'apparut pas sur-le-champ. L'historien James MacGregor Burns écrivait en 1973 : « Nous savons presque tout des Présidents, mais très peu de leurs conseillers au sein de l'Exécutif. Or, ces gens étendent leur pouvoir et sont parvenus ces derniers temps à prendre en main l'appareil décisionnel. La façade demeure néanmoins la même *low profile*, souci de transmettre l'image d'être peu puissants. »

Tout de suite après son élection en 1968, Richard Nixon avait fait part aux journalistes de son intention d'empêcher ses conseillers de dominer le processus de décision des ministères et agences gouvernementales. Il encouragerait, déclara-t-il, la communication directe entre les ministres et le Président![6] Plusieurs mois plus tard, Haldeman lui-même continuait à se décrire comme petit administrateur (*administrative detail man*) chargé de fixer les rendez-vous du Président, et coordonnateur du *staff* du Président. Aux jour-

---

5. Le Secrétaire de l'Intérieur Hickel avait aussi été congédié en 1970 après avoir rédigé et rendu publique une lettre critique à l'égard du Président.
6. *New York Times*, 12 novembre 1968.

nalistes qui savaient alors déjà mieux, il se concédait tout au plus un rôle de conseiller au seul titre de l'image du Président. Mais rien sur le *contenu* des politiques.

Nixon et Haldeman étaient-ils sincères en novembre 1968 en décrivant ainsi le travail des conseillers de la Maison blanche? De Haldeman, on peut dire qu'il avait joué ce rôle administratif durant la campagne présidentielle et qu'il pouvait anticiper de continuer à s'occuper de ces tâches. Son souci maladif d'efficacité l'incita très tôt cependant à recommander au Président la réorganisation des structures de l'Exécutif. Il s'agissait de faire approuver par le Congrès ou de créer par arrêté présidentiel des super-ministères, de regrouper plusieurs ministères. Ses intentions parurent dès lors très claires: s'accaparer de plus en plus de responsabilités. [7]

Et pendant ce temps il moussait la candidature d'alliés au sein du processus décisionnel. Tant au sein du processus de répartition des tâches à la Maison blanche même, que dans les ministères. À la Maison blanche, c'est d'abord la montée de John Ehrlichman, un ami de longue date de Haldeman. Comme Haldeman, il définissait son rôle en termes de coordination, de lien entre les différents ministres; sa tâche, disait-il lui aussi, était celle d'un petit administrateur, d'un commis, qui faisait la liaison entre des ministres puissants. À une époque où le grand public n'avait guère entendu le nom d'Ehrlichman, les ministres prirent conscience, eux, de son rôle véritable. Sous la gouverne de Haldeman. Reprenons la conversation déjà évoquée entre tel ou tel ministre et Bob Haldeman:

> (*Haldeman*) — *Le Président sera très pris cette semaine par la question vietnamienne, Monsieur le ministre. Pouvez-vous lui indiquer vos souhaits par écrit? Je m'assurerai qu'il puisse en prendre connaissance.*
> — *O.K. Bob. Mais j'aurais souhaité lui en parler de vive voix.*
> — *J'en ferai part au Président, Monsieur le ministre. Mais si vous voulez accélérer les choses, pourquoi ne pas discuter de votre projet avec John Ehrlichman.*
> — *Ehrlichman? Pourquoi Ehrlichman? Est-ce qu'Arthur Burns n'est pas le coordonnateur...?*
> — *Oui, bien sûr, le Dr Burns devrait être tenu au courant de votre projet. Mais, si je comprends bien, il est lui aussi pris par un projet prioritaire, et le Président a demandé à Ehrlichman de se pencher sur certaines de ces questions.*

La réponse, après une pause:

— Entendu, Bob, je vais lui téléphoner. Merci du tuyau. [8] Cette conversation se reproduisait chaque fois qu'un ministre demandait un rendez-vous. Seuls les ministres de la défense et des affaires étrangères (Secrétaire d'État) étaient épargnés. Il devint clair au bout de quelques mois que John Ehrlichman décidait du bien-fondé de tous les projets des autres ministres.

---

7. « a worrisome grab for ever-stronger authority ».
8. Voir Rather & Gates, *op. cit.*, pp. 161-162.

Entre temps, Haldeman dirigeait ses hommes vers des postes de directeur adjoint ou de ministre adjoint des principaux ministères et agences gouvernementales. La réaction (souhaitée de Haldeman) des fonctionnaires de carrière ne se fit pas attendre: « La Présidence nous surveille » (Big Brother is watching).[9] Ça se voulait là un mécanisme de contrôle de l'activité gouvernementale, mécanisme qui concentra cependant encore plus de poids à la Présidence et en particulier entre les mains de Haldeman.

Ce qui frappe de cette structure informelle de prise de décision, c'est la très grande délégation de pouvoir qu'avait consentie le président Nixon à son majordome Haldeman. En permettant — au contraire de John Kennedy, par exemple — à Haldeman et Ehrlichman de prendre tant de décisions, le président Nixon en avait fait une partie prépondérante de la fonction exécutive des États-Unis. De façon très consciente, semble-t-il. C'est ce que John Dean signalait au Président dans sa première conversation avec lui au sujet du Watergate, lorsqu'il avait parlé de « cancer grugeant la Présidence des États-Unis ».[10]

Comment on vend un Président

J.McGinniss, dans un volume désormais célèbre,[11] a décrit comment des spécialistes en communication avaient vendu, lors de l'élection présidentielle de 1968, le candidat Richard Nixon au peuple américain. Mais la vente du Président ne s'est pas arrêtée une fois celui-ci élu. Déjà cependant, Bob Haldeman acceptait d'être perçu comme son principal (fabricant d'images).

Haldeman avait la réputation, au sein de sa maison de publicité (la firme J. Walter Thompson) de savoir « comment faire passer le message »; il s'occupait personnellement de la réclame de 7-Up, Disneyland, et de produits inconnus. Plusieurs années plus tôt, en 1960, il avait en téléspectateur beaucoup souffert du piètre maquillage (« lousy make-up job ») de Nixon durant son premier débat contre John Kennedy. En 1967, il lui avait fait parvenir une longue lettre formulant des suggestions sur la campagne à venir. Sa thèse centrale, on la connaît maintenant, reposait sur l'importance de la télévision. À un point tel, notait-il, que l'approche traditionnelle des campagnes, le déplacement incessant du candidat d'un bout à l'autre des États-Unis, étaient dépassés. Un candidat rejoint plus de gens en un message télévisé de trente secondes qu'en dix mois de discours sur les *hustings*. La vente du candidat devait s'articuler autour d'un blitz télévisé. Et, ajoutait-il, il faut négliger les bains de foules.

Cette importance de la vente du Président à la télévision, Haldeman la retint une fois rendu à la Maison blanche. Son poids à cet effet dans le pro-

---

9. *New York Times*, 18 février 1973.
10. C. Bernstein & R. Woodward, *All the President's Men*, New York, Warmer, 1975, pp. 336-7.
11. *Comment on vend un Président*, Paris, Arthaud, 1969.

cessus de prise de décision paraît provenir du jargon qu'il utilisait et qui, apparemment, impressionnait tout le monde y compris le Président. Ce vocabulaire de publiciste transformait par exemple les conférences quotidiennes du secrétaire de presse aux journalistes en « créneaux d'information », le but visé était non pas la perfection ou le travail bien fait mais plutôt « un système de défaut zéro ». Bientôt tout le monde à la Maison blanche parlait d'*input et* de *low profile*, tout le monde à la Maison blanche était d'ailleurs un protégé de Haldeman, c'était la seconde raison de son poids au sein du processus décisionnel !

Cette influence de Haldeman, on l'a vu, s'accrut sensiblement en 1971. En particulier quand tout le monde à la Maison Blanche devint conscient de l'imminence grandissante de la réélection du Président. Haldeman prit l'affaire en main. La première étape de cette fabrication de l'image, un sondage de marketing. Première constatation, le nom même de Nixon repoussait les gens. Rather et Gates racontent que, selon Haldeman, c'est le « x » ou le « xon » que les gens n'aimaient pas (« turned people off »). Solution ? Toute la publicité, les collants des pare-chocs, les macarons indiqueraient simplement « Réélisez le Président ». Sans mentionner son nom. Sa figure, elle, était connue.

De même, l'idée de porter un petit drapeau américain à la boutonnière était de Haldeman. Tout le monde à la Maison blanche, y compris le Président, se mit à en porter un. Symbole de patriotisme. Sur des complets pâles le jour et des habits plus sobres le soir !

Les voyages de Nixon, ses rencontres avec les chefs d'État étrangers devaient créer l'image d'un Président pouvant « faire honneur aux États-Unis ». Le plus mémorable fut le séjour en Chine. Tous les analystes s'accordent à dire que ce périple n'a rien modifié du contenu des politiques respectives chinoises et américaines. Mais le seul but visé était l'image de Nixon. La préséance des caméras de télévision sur la presse écrite, l'heure des rencontres avec Chou ou Mao en fonction du décalage horaire, pour permettre au plus grand nombre d'Américains d'assister aux spectacles. Haldeman avait conçu ces rencontres de cette seule façon : un spectacle. De ce point de vue, le séjour en Chine fut perçu par les spécialistes en marketing comme le plus grand succès de Haldeman.

Celui-ci fut cependant responsable des plus grandes erreurs de son patron. Y compris celle qui causa sa perte. En termes de marketing, en effet, trois gestes posés par Richard Nixon en 1962, 1970 et probablement 1968 (décision d'enregistrer les conversations) sont perçus par les spécialistes de la question comme « particulièrement dommageables pour son image ». Les trois furent posés à l'incitation expresse de Bob Haldeman. En 1962, à la suite de l'échec de Nixon lors de l'élection au poste de gouverneur de la Californie, Haldeman refusa d'admettre que les forces nixonniennes avaient provoqué leur propre perte en accusant leurs adversaires de sympathie envers le communisme (« soft on communism »). Ce soir-là, en voyant à la télévision les résultats entrer, Haldeman se mit à déblatérer contre les « vrais coupables », la presse, les journalistes qui avaient fait gagner Kennedy en 1960 et Brown (gouverneur de la Californie) en 1962. « Ils se paient votre tête », lança-t-il à Nixon, en écoutant les commentateurs de la télévision. « Vous n'allez pas les laisser faire, non ? » Après une heure d'une telle diatribe de la part de Haldeman, Nixon était devenu furioux. Sa carrière politique était peut-être terminée, mais au moins il se retirerait en luttant : il décida de retourner devant les caméras de télévision une dernière fois. Pour leur dire leurs quatre vérités. Il s'en prit violemment à la presse, de façon incohérente et argueuse durant une bonne demi-heure, devant plusieurs millions de téléspectateurs, et termina par cette phrase demeurée mémorable : « Messieurs, pensez maintenant à ce que vous venez de perdre : vous n'aurez plus Nixon pour lui fesser dedans. » [12] Quand il ressuscitera en 1967, Nixon qualifiera cette conférence de presse de « grave erreur » (great mistake).

En 1970, année d'élections sénatoriales mais non pas présidentielles, le Président ne devait pas intervenir. Son comportement devait demeurer « présidentiel », comme on disait à la Maison blanche. Pourtant, un mois avant les élections, lors d'une fin de semaine en Floride, Haldeman convainquit le Président de descendre de son piédestal. Nixon se mit alors à traverser en vitesse les États-Unis prononçant quatre discours par jour en faveur des candidats Républicains, et provoquant consciemment l'hostilité des manifestants. En termes d'image, Haldeman comptait sur ces manifestations d'hostilité pour favoriser ses candidats (phénomène de *backlash*) : Nixon s'adressant directement aux manifestants, leur tenant tête, les qualifiant de terroristes, de *bums* et de bandits. L'une de ces confrontations plut particulièrement à Haldeman, qui décida de la présenter à la télévision nationale la veille de l'élection. Le film était en noir et blanc, la sonorité était mauvaise, qu'à cela ne tienne ! Il réserva le temps d'antenne... L'image du Président « présidentiel » devint ce soir-là celle d'un politicien de second ordre qui avait l'air de briguer les suffrages au poste de chef de police d'une petite ville du sud des États-Unis, comme le lui feront remarquer ses amis John Mitchell et Robert Finch ! [13]

La décision, en 1968, d'enregistrer clandestinement tout ce qui se dirait dans le bureau ovale du Président fut prise à l'incitation de Haldeman. Trois ou quatre personnes seulement étaient au courant. Même John Ehrlichman l'ignorait. Convaincu que Nixon serait le plus grand Président de l'histoire des États-Unis, Haldeman conçut ces enregistrements comme un instrument idéal de promotion de Nixon une fois terminées ses huit années à la présidence. Après avoir enlevé les défauts (*image defects*), ces enregistrements serviraient en effet au marketing de l'ancien Président, aux yeux de l'histoi-

---

12. « I leave you gentlemen now, and you will now write it. But as I leave you, I want you to know, just think how much you're going to be missing. You won't have Nixon to kick around anymore, because, gentlemen, this is my last press conference. »

13. En termes électoraux, le parti Républicain perdit 11 gouverneurs, et 9 membres de la Chambre des Représentants.

re. Ce fut l'erreur ultime. Personne n'aurait, on le sait maintenant, rien pu prouver avec certitude des crimes qui se tramaient à la Maison blanche.

Bref, la présidence de Richard Nixon a été dominée par un seul conseiller, tout-puissant, mu par le climat de guerre froide, la hantise des Kennedy et la haine des journalistes. Un seul homme qui contrôlait les trois groupes de conseillers dans l'entourage du président: contenu des politiques, adjuvants partisans, et spécialistes en marketing.

L'anonymat de l'entourage du Président, l'absence d'examen rigoureux de la part du public, le fait que les conseillers ne soient pas élus, tous ces éléments leur donnent une latitude gigantesque et dangereuse dans la gouverne de la vie économique et socio-politique d'une société. L'exemple de la présidence de Richard Nixon paraît probant. En apparence, c'est là une situation différente d'un régime parlementaire, comme celui d'Ottawa ou de Québec, dans la mesure où au Canada les ministres doivent se faire élire, puis rééllire s'ils veulent continuer à siéger dans l'entourage du Premier ministre, au Cabinet. Une analyse plus fouillée révèle cependant la présence de conseillers plus puissants que les ministres, à Ottawa[14] comme à Québec. C'est là l'essence même de ce livre-ci.

---

14. M. John Diefenbaker a souvent décrit l'entourage du Premier ministre fédéral, M. Trudeau, de « présidentiel ». Il se réfère alors chaque fois aux nombreux membres du Bureau du Conseil privé et du Bureau du Premier ministre. Dans le même ordre d'idée, en septembre 1977, le Premier ministre du Québec, M. René Lévesque, a lui aussi qualifié le régime Trudeau de « quasi-présidentiel », en voulant souligner l'influence de conseillers non élus auprès du Premier ministre fédéral. Il visait en particulier les co-présidents du groupe de travail sur l'unité nationale, MM. Jean-Luc Pépin et John Robarts. M. Pépin venait alors de quitter un poste semblable, non élu, de responsable de l'application des mesures fédérales anti-inflationnistes.

TABLE DES MATIÈRES

Achevé d'imprimer par les travailleurs
des ateliers Marquis Ltée de Montmagny
en février 1979